ZONGHEXING ZHIDU

综合性制度

创新

骆惠宁 著

CHUANGXIN

农村税费改革的必由之路

人民出版社

目　　录

序

　　骆惠宁同志的博士论文经过修改,将以《综合性制度创新:农村税费改革的必由之路》为题由人民出版社出版,由衷地表示祝贺。

　　我与骆惠宁相识,是在他考入中国人民大学攻读经济学博士研究生时。几年相处,知道他学风端正,比较注意把理论与实践结合起来。能够运用马克思主义经济学理论来分析实际问题,并能从实践经验中概括和提炼出新的理论认识。

　　农村税费改革被称为中国农村第三次生产关系的重要变革。三年之前,作者之所以选择这场改革作为博士论文的研究方向,很重要的原因在于他在安徽工作期间,对全省性农村税费改革有着切身的体验,三年的博士研究生学习,帮助他从经济学角度对改革中面临的问题做了比较系统的理论思考。当前,农村税费改革正在全国范围内进行。就在人们关注这场改革的进展及发展方向时,作者新著的出版无疑有着积极的理论和现实意义。

骆惠宁同志的这部著作,我认为其突出特点在于多角度地对中国农村税费改革进行了系统分析。作者坚持马克思主义政治经济学的科学方法,批判地借鉴了西方经济学的一些理论观点,把农村税费改革放在中国社会主义市场经济体制完善的大背景中,放在中国加入世界贸易组织后融入全球经济一体化的大背景中,放在解决"三农问题"、实现城乡经济社会协调发展这样一个宽广的视野中加以讨论,具有强烈的时代感和创新精神。我尤其想指出以下几点:

一、以农村的综合性制度创新为背景来理解农村税费改革的发展趋势

有人理解农村税费改革只是对农村税费进行调整,是为了减轻农民的直接税费负担。作者根据马克思主义的制度变迁理论,认为农村税费改革本质上是为适应农村生产力的发展,对生产关系与上层建筑进行的重大改革与调整。这一改革从税费制度切入,其直接目标是减轻农民负担,是对农村分配关系的调整。然而,正如作者指出的,随着改革的深入发展,它将日益演化为一个渐进性的综合制度变迁过程。这个过程是与我国农业现代化和新型工业化的要求相适应的。作者把农村税费改革看做新时期中国农村制度变迁的第一步,也就回答了一些同志的担心:随着农业税的逐步取消,税费改革究竟有没有意义? 事实上,在税费改革过程中碰到的一系列问题,远远超出了税费制度自身的范围。这些问题归结起来,就是如何为解决日益紧迫的

"三农"问题,为打破城乡"二元结构",为统筹城乡经济社会协调发展创造适当的制度环境的问题。从把握农村税费改革的内在矛盾运动出发,深刻指出这场改革的根由、过程、阶段性特征、相关制度创新的内在联系,以及改革的发展趋势,正是本书显著的亮点。

二、在进行综合性理论与实证分析的基础上提出了具有前瞻性和操作性的政策建议

作者把农村税费改革及其发展理解为一项系统工程,指出农村税费改革的深化与完善必将引发农村分配制度、粮食流通体制、农村土地制度的变迁,以及宏观层面的税收制度、财政体制、金融体制、乡镇行政管理体制等一系列的制度创新。对此,作者提出了自己的思考和建议。就宏观层面来说,税收制度的改革,重点在于对现行农业税(含农业特产税)进行改革。在取消农业特产税后,本着公平税负的原则,可考虑由逐年减征直至免征农业税并向个人所得税过渡。财政体制的改革,重点在于通过合理划分各级政府在农村公共产品供给上的事权与财权,建立规范的公共财政体制。农村金融体制的改革,重点在于改革现行农村信用社的管理体制,确立其相对独立的法人地位,充分发挥农村信用社在促进农村产业结构调整、支持乡镇企业发展及加快农户脱贫致富方面的"第一推动力"作用。农村教育体制改革,重点在于将农村义务教育支出纳入公共财政体系。乡镇行政机构的改革,重点在于转变职能,减人减机构。可考虑通过积极创造条件,适时逐步地取消现行乡镇政府机构的设置,将其作为县级政府的派出机构,以从根本上减轻农民"养人"的

负担,并促进农村市场经济中介组织的发育。应该说,这些在两三年前提出的设想是有一定前瞻性的,至今对有关部门的决策仍有积极的参考价值。

三、将公共经济学的分析方法用于对农村税费改革的考察,拓宽了理论研究的视野

作者尝试运用公共经济学的理论和方法,从政府职能的角度对税费的本质进行剖析,认为税费是政府行使职能的成本。政府构成的层次性决定了公共产品供给主体的层次性。农村公共产品作为地方公共产品的一个层次,其供给水平与成本直接影响农民的税费负担。各级政府在提供农村公共产品问题上要各司其职,各负其责。如果出现农村公共产品供给主体的"缺位"与"越位",就会使公共产品的供给成本直接变成农民的负担,甚至使农民不堪重负。在现行行政村自治体制下,行政村在提供公共产品时,可按"一事一议"的方式,实行公共选择,以充分尊重大多数农村群众的意愿。公共经济学源于西方发达国家,在西方国家并不存在农村税费改革问题,作者运用公共经济学的原理,透视发展中的社会主义大国的税费问题,拓宽了公共经济学的应用领域。

全国范围的农村税费改革还没有结束,人们还应对这场改革进一步进行理论的总结。骆惠宁同志的《综合性制度创新:农村税费改革的必由之路》一书值得一读。

林岗

2004 年 6 月 2 日

Introduction

How to think about the ongoing reform of fees and taxes in rural areas? Most people think the reform is only an adjustment of fees and taxes in rural areas so as to relieve the direct burden of farmers. When this purpose is achieved, the reform is succeeded. While the author, by analyzing the formation of farmer's burdens and the conflicts in the reform, holds the idea that this reform is basically an adjustment of the relationship between producing the relation and superstructure to adapt to the development of rural productivity. As the reform is carried on, the process shows that it is a change of institutions. Because distribution is determined by production, the achievements from the change of the distribution relationship should be protected by the change of the relationship between production and superstructure. We can address the reform in different names, yet we can't change its developing fact. By deepening the reform, we can see that the purpose of the reform is not only a way to solve the problems in the levy of taxes and collection of fees in rural areas, but also a way to reflect pressing problems relating to agriculture, rural areas, and farmers, to break the duality structure of urban and rural economy so as to harmonize their co-development. Undoubtedly, the correct understanding of the nature and intention of this reform is just the prerequisite for pushing it forward.

At the end of the past century, the agriculture and rural economy developed into a new stage in China. Significant changes appeared not only in the sectors of the supply and demand of farm production and market environment, but also in the sectors of the employment of rural laborers, channels for increasing incomes, and the association between national economy, agriculture, and rural economy. Especially after China's entry into the World Trade Organization (WTO), Chinese agriculture became an important part of the world, and also faces the challenges of modern agriculture from other developed countries. The development of rural economy and increase in the income of farmers depend more and more on the development of non-agricultural industries. At the same time, the development of the national economy is affected more and more by demand restrictions than by supply restrictions. It requires speeding up the development of the rural economy and increasing the incomes of farmers so as to initiate the rural market to clear up the demand restrictions in the development of the national economy. By this way, we can coordinate the development of both urban and rural economies to push forward sustained, rapid and stable development of the national economy.

Because of a series of problems and contradictions in the economic society, for instance, the chaos of fee and tax regulations in rural areas, the expansion of township organizations, the slowness of increased income to farmers, the insufficient investment for agriculture and the shortage of public production in rural areas, the actuality of Chinese agriculture and rural economy can't satisfy the need for the new developing stage of the rural economy. Further more, it can't satisfy the new requirement of agriculture for the development of the national economy. The heavy burden of farmers has become a serious problem not only for economic development but also for society as a whole.

With this background, the Communist Party of China (CPC) Central Committee and State Council are considering the situation thoroughly And to make a decisive determination to commence the fee and tax reform in rural areas which was first experimented in Anhui Province in 2000. By the end of 2003, it had been expanded to more than 20 districts, cities, and provinces. Seemingly, this reform is only to reduce some of the money levied from farmers, but naturally, it is a significant reform which will either promote or hinder the productivity in rural area, or to enhance or lose the trust and support of governmental policies from farmers, it is "the third revolution in the rural area". People's interests are reflected by the majority. How to protect and enhance the interest of farmers which occupy 70 per cent of the total population of the country is an important and strategic problem facing the CPC. The research and discussion of this reform which relates to the intimate interests of 900 million farmers in the country obviously becomes the obligation and task of those economic workers and researchers.

In fact, before Anhui was chosen as the experimental reform unit, it had been put into practice in some small selected places. After the Completed experiments, researchers and economic workers started to do research on it and have many achievements over these years. Because of the immature practice, the deductions from the research hasn't received a general instruction, and due to much introduction of the reform itself, some studies are lacking of theoretical persuasion and practical guidance. The author, with the working experience in countryside and sincerity to farmers, tries to disclose the movement of contradictions and the developing trend of the reform which has been put into practice for more than three years.

To be brief, the main purpose and significance of the thesis is, by the analysis of the reform which has been put into practice in places such as Anhui province, with respect to the rural activity and viewpoint from the angle of economy, to find out the general theory and object pattern of the reform and then to provide suggestions for deepening this reform in China.

This book consists of seven chapters; the main contents are composed of the following four parts:

First Part, Theoretical Basis (Chapter 1&2) With Marxism economical theories as guidance, the author carries out research on the reform by the theory of public economics, and points out that the reform is a series of institutional innovation by the theory of institutional economics.

Generally speaking, tax and fee are the distributive relationship that is formed when governments exercise their functions. Therefore, the author attempts to analyze tax and fee on the basis of governmental functions and considers tax and fee are the costs for governments to perform their functions. The cause for the governments to levy taxes and collect fees is that they, as public departments, spend a large amount of costs for providing public products and should get compensation by taxes and fees. The costs of providing public products determine the amount of taxes and fees, that is, from the view of finance, the costs for providing public products should coordinate to the amount of public products provided by public departments.

Different levels of government decides the different level of suppliers for public products. As the local supplier of public products, the supplying level of local government is influenced by many factors such as its jurisdiction, population, income, preferences, and the burden of the people in the area. In order to solve the problem of external supply of public products, guarantee the minimum level of supply, and balance the economic development of different regions, the transferring payment system should be established among local governments. As one level of the local public products, the rural public products directly influences the burden of tax and fee of farmers by providing level and cost effective product. Governments of different levels are required to do their own duty and take corresponding responsibilities in respect to providing public products for rural areas. If suppliers of public products neglect their duties or overstep their authority, the cost of supplying public products will be transferred directly into the financial burden of farmers which is even beyond their endurance. Under the present autonomous system in administrative villages, when villages provide public products, they can have the villagers make choices freely by means of "one matter, one discussion" so that the desire of majority can be respected adequately.

To establish tax and fee institutions in rural areas within the Framework of public economy on the "platform" of marketing economy, the original systems and arrangements serving the planning economy must be amended. Therefore, it's naturally and logically demanded that reforms on rural tax and fee institutions should be carefully analyzed on the basis of the transference of institutions. The author thinks that the fee and tax reform is a comprehensive creation and transference of institutions with the fee and tax reform as its crucial method. This reform urgently demands the instructions of Chinese-characterized transference theory. In this case, it is required that we, under the instructions of Marxist basic transference theory, should absorb the theories dealing with modern marketing economy, especially the rational parts of western transference theories, and consider the actual conditions of rural areas so as to make exploration and innovations. In this way, we can develop theories through practice, and in turn, to instruct practice with theories.

Western institution economists with the North as a representative Conduct research on transference of institutions on the basis of historical idealism. In their opinion, institutions develop from people's ideas and customs which are created by human instincts, so institutions can essentially be considered as individual's or community's general ideas and habits that are connected with some relation or action. North defines social institutions as: "Institutions are the game rules of the society, to be specific, they are the manmade restrictions that determine people's mutual relations, including formal restrictions such as constitutions and laws, and informal ones such as customs, behavior standard, and moral norms, and the requirements for carrying out these restrictions." According to their theories, we find that institutions are divorced from ownership of production resources, and the economic foundation and superstructure of the society. They treat the institutions of politics, social economics and cultural as equal, so that it's impossible for them to find out the real impulse and reasons for the development or transference of institutions.

Marxists hold the view that institutions originated from substantial production conditions of human beings, and thus the complete institutions are composed of two related levels, that is, the economic foundation and superstructure. The transference of institutions is the result of contradicting movements between productive forces and relations of production, and between economic foundation and superstructure. The essential impulse is the development of productive forces. Taking these into consideration, we should take it as the criterion for the evaluation of the fee and tax reform, that is, whether the reform is adapted to or promotes the development of productive forces or not.

Although western institution transference theory which

serves Capitalism system, is essentially opposite to that of Marxist, the analysis of some specific institutions reflection the general rules of the transference of institutions occurring in the market economy is worth referring to. For convenience, we can regard the institutions Marx Defined with accordance to social fundamental contradictions as general institutions, and treat the specific institutions such as political, economical and cultural ones talked by institutional economists as individual institutions. The former has the essential instructional function, while the latter is worthy of being referred to some extent. We should bravely carry on the innovation of institutions by insisting on the principle of the productive standard and considering the achievement and significance made from the innovation of individual institutions.

Second Part, Background and Process of the Reform (Chapter 3&4) The fee and tax reform, as a significant strategic measure, is carried out with strong international and domestic background and historic origin. Internationally, with the upgrade of competition on agricultural products between European countries and America and in international markets, and after China's entry into WTO, Chinese agriculture has become one part of international. China is confronted with serious challenges from modern agriculture in the world. Internally, since our agriculture has developed into a new stage, the supply of farm produce exceeds the demand which has slowed down income increase for farmers. In addition, because of the long-term implementation of the strategic development of industries prior to other ones, the duality structure of urban and rural economies comes forth. For the specific institutions and arrangements serving that strategy causes the levy of taxes and collection of fees into disorder, farmers have to bare heavy burden which, at present, has grown into a striking economic and political problem, and has seriously effected the economic development and social stability in rural areas. The reforms about fee and tax in history bring us a revelation that we must carry out fee and tax reform when the disorder appears in the levy of taxes and collection of fees which brings heavy burden to farmers, and this reform must be a comprehensive innovation of institutions; otherwise it'll fall into the strange circle of "Huang Zongxi laws".

Experiments on fee and tax reform were first carried out in Anhui province which is treated as an experimental unit. The principal target is to eliminate types of illegal fees and taxes on farmers so as to actually relieve their heavy burden. While the ultimate target is, by furthering the reform and comprehensive innovation of institutions to increase income and relieve burden on farmers, to realize the sustained, stable and rapid economic development and social progress, to realize mutual aid and cooperation and organic development between urban and rural areas.

The main measures in the reform carried out in Anhui are as follows: "Three-cancellation, One-gradual-cancellation, Two-adjustment, One reform". The three cancellations are the cancellation of general fees in villages, the cancellation of administrational fees and governmental funds such as the collection of educational funds, and the cancellation of slaughter tax; one gradual cancellation is the laborer's obligation; two adjustments are the adjustment of agricultural tax policies and the special local product tax policies; and one reform is the levy and use of tax by village.

The experimental reform has attained its first stage achievements. It has practically relieved the burden of farmers, harmonized the relations between fee and tax distribution in rural areas, pushed forward the reform of governmental offices and transference of governmental functions, perfected the relationship between CPC members and farmers and between officials and farmers in rural areas. It also provides some precious experiences for the nationwide expansion of the reform. However, all these achievements are only initial, we cannot say that the reform is a total success. With the analysis and comparison of the experiments in Anhui, Jiangsu and Gansu provinces, we can see that there are still some hard problems to be solved: first, it is still hard for partial taxes and fees; second, the gap between income and expenditure in township and village governments is hard to be solved; third, the promotion of farming activity and income increase are difficult to achieve; and fourth, the debts of township and village governments are hard to be handled.

Although first stage achievements have been attained, yet the inner contradiction exists from the beginning in the reform. On the one hand, we need to solve the heavy burden problem thoroughly by the reform, while on the other hand, the indispensable conditions for solving these problems are immature. The practical expression of the contradiction is that we have attained some achievements from the reform, yet it should be deepened further. The reform itself should go further, yet it also needs the comprehensive innovations of institutions. So this inner contradiction can only be solved by deepening the reform and all round innovating the institutions.

Third Part, the Effect of the Reform (Chapter 5&6) Basically, this reform is a readjustment and innovation of distribution relationship in rural areas. As it is furthered and perfected, it needs to push forward reforms of economic institutions in agricultural fields, such as the changes of distribution institutions, food circulation systems, and land regulations in rural areas, it also pushes forward a series of institutional innovations such as the innovations of a taxation system, financial system, fiscal system, and township administrative management system. These innovations are the expansion of the reform, and at the same time they further strengthen and extend the achievements from the reform.

This reform has made great adjustments to the irrational profit distribution pattern and relationship. After the reform, farmers only bare agriculture tax and agricultural appendix tax. Agriculture tax shows the distribution relationship between the nation and farmers, and the appendix tax shows distribution relationship between the community and farmers. By standardizing distribution relationship in rural areas, the heavy burden on farmers has been sharply reduced and their incomes are increased correspondingly, which pushes forward the development of the rural consumption market. Because the tax is based on the price of food, and the price of food is formed in circulation, so a reform on food circulation becomes the deepening and extension of the fee and tax reform. The change of distribution relations also requires the change in farming resource rights. Land is the main farming resource, and after the reform, tax is apportioned on land. In this case, the achievements of this reform can be protected only when land institutions are innovated and land transference can be speed up rationally.

The inner contradiction in the fee and tax reform also requires a Macro innovation on the taxation system, financial system, educational System and township administrative management system in rural areas. The stress of taxation reform should be based on the reform of the agricultural taxation system (special local produce taxation system is included). First, special local produce tax can be cancelled; second, according to fair tax regulation, the agricultural tax can be reduced yearly and at last be canceled by levying personal income tax instead. The stress of financial reform is to clearly define the financial rights of governments of different levels. By establishing a normative public financial system, the shortage of funds in counties and townships can be solved efficiently. The reform on the rural financial system can be emphasized on the reform of present rural credit cooperation community system, so as to establish its independent right as an artificial person. We should play rural credit cooperation community as a "first impulse power" to push forward the industrial structure adjustment, support the development of township enterprises, and speed up the withdrawal of poverty and achievement of richness. The reform on rural educational system should be stressed on the expenditure of rural compulsory education to be included into the public expenditure system. While the reform of township administration should be stressed on reduction of offices and officials. By referring to present situation, we can consider canceling the township government and changing it into an accredited organization from the county government.

Fourth Part, the comprehensive analysis for the deepening

of the fee And tax Reform (Chapter 7)

The political measures and the depth of the reform lie on our Cognition of the formation of burden on farmers. The basic reason for the heavy burden which is continuously aggravated is that our country chooses its economic strategy by implementing industrialization as its Priority for economic development which causes the institutions arranged for the implementation of this strategy being carried on for a long time. After the fee and tax reform, basically these institutions haven't been changed, even some irrational institutions have been intensified in the process of the reform. In order to relieve heavy burden on farmers, strengthen the achievements from the reform and to solve the problems appearing in the sector of agriculture, rural area and farmer, we should first change our economic strategy, break the duality structure of urban and rural economies to harmonize co-development and innovate comprehensive changes of institutions. At present, we should increase investment into agriculture and rural areas, and push forward the transference of over-plus laborers from rural areas.

To deepen the reform, we must transfer our governmental functions, especially these governments above the level of township. We should scientifically draw a line between government and market in accordance with the need of developing a socialist-market economy. At present, our government should strengthen macro adjusting and controlling ability, increase the supply of public products and perfect services in rural areas. In addition, we should innovate the functional system of governments to enhance their ability and efficiency so as to decrease their functional costs in rural areas.

In all, the deepening of fee and tax reform should be based on the Need of the development of the socialist market economy to fulfill its object of pushing forward the coordinate economic development and the all round progress for urban and rural areas and the comprehensive innovation of institutions. Only in this way, we can jump out from "Huang Zongxian Law" and thoroughly disclose the significance of the fee and tax reform which has been treated as the "third revolution in rural areas".

导　　论

先谈本书选题的目的与意义。如何认识当前我国正在进行的农村税费改革及其使命？不少人认为：农村税费改革只是对农村税费进行调整，是为了减轻农民的直接税费负担，减负的目标达到，税费改革也就完成了。笔者通过对农民负担成因及农村税费改革中矛盾运动的分析，则主张，农村税费改革本质上是为适应农村生产力的发展，对生产关系与上层建筑进行的重大改革与调整，这一改革是从税费制度切入的，是对农村分配关系的重大调整，其直接目标是减轻农民负担。改革深入下去，所涉及内容则显示它是一个渐进性综合制度变迁过程。这是因为分配是由生产决定的，分配关系变革的成果，最终要通过生产关系和上层建筑的变革来保障。对农村税费改革深化过程中的一系列制度创新,人们可以冠以不同称谓,但不能改变改革的发展趋势。改革深入发展所要解决的问题,已不仅仅是农村税费制度本身的问题,而是通过税费制度反映出来的日益紧迫的"三农"问题,是打破城乡"二元结构",统筹城乡经济社会协调发展的问题。毫无疑问,只有正确把握这场改革的性质与趋势,才能有效地引领改革。

上个世纪快要结束的时候,我国农业和农村经济发展进入了一个新的历史阶段。无论是农产品的供求关系、农业生产的市场环境、农村劳动力就业格局和转移动因、农民增收的途径、还是农业和农村经济与国民经济的关联度等,都开始发生显著的变化。特别是加入 WTO 以后,我国农业生产日益面临发达国家现代化大农业的直接冲击,我国农业正在成为世界农业的重要组成部分。农村经济的发展与农民收入的增长,越来越依赖于非农产业的发展。与此同时,我国国民经济的发展由供给约束型转向需求约束型。它要求加快农村经济发展与农民收入的增长,启动农村市场,消除我国经济发展中有效需求不足这一约束因素,以实现城乡经济一体化,促进国民经济的全面、协调、可持续发展。

然而,现实经济生活中存在的一系列矛盾与问题,如农村税费制度混乱、乡镇机构膨胀、农民收入增长缓慢、农业投入不足、农村公共产品短缺,等等,使我国农业和农村经济的现状,远远不能适应农村经济发展新阶段的要求,更不能适应国民经济发展对农业提出的新要求,尤其是农民税费负担沉重已成为突出的经济乃至社会政治问题。

正是在这样的背景下,党中央、国务院审时度势,果断决定进行农村税费改革,并于 2000 年春开始在安徽全省进行改革试点。截至 2003 年,全国已经有二十多个省、市、区开始了农村税费改革。从表面上看,税费改革似乎只是少收农民几个钱的问题,但从本质上看,却是关系到促进还是阻碍农村生产力发展、增强还是丧失农民群众信任和拥护的大问题,是"农村的第三次革命"。

人民的利益是通过大多数人的利益来体现的。如何保障与增进占我国人口 70% 的农民的利益,是我党在新时期面临的重大而紧迫的战略问题。对关系九亿农民切身利益的农村税费改革实践进行研究与探讨,自然成为广大实际经济工作者和经济理论研究者义不容辞的神圣使命与光荣职责。

事实上,在 2000 年安徽以省为单位进行改革试点以前,全国已有几个地方在小范围内进行过农村税费改革的艰苦探索。与此同时,一些学者和实际工作者就开始了对这场改革的分析研究,数年来取得了长足的进展。但是,也有一些研究或囿于实践基础不够成熟,范围狭小,使得据此得出的结论难以具有普遍意义;或因仅注重对改革实践的介绍与说明,显得缺乏理论的说服力及其对实践的指导意义。因此,尝试在安徽省农村税费改革已进行三年多的实践基础上,揭示这场改革的矛盾运动及其发展趋势,便成为笔者研究本课题的基本原因。此外,在农村工作中的亲身体验,尤其是对农民的深厚情感也促使笔者选择了农村税费改革作为研究的课题。

进而言之,从我国农村的实际出发,侧重从经济的角度,通过对安徽等省农村税费改革实践进行分析,力求探寻农村税费改革的一般理论与发展目标,并在此基础上为全国农村税费改革的深化，提供可资参考的政策建议，正是本书的写作目的与意义之所在。

再谈本书的构架结构与主要内容。本书共分七章，其主体内容由以下四部分组成：

第一部分：理论依据（第一、二章）。笔者在马克思主义经济理论指导下，从公共经济学的角度对农村税费改革进行考察，从制度经济学的角度分析说明农村税费改革是一系列的制度创新。

一般认为，税费是国家行使职能而形成的分配关系。笔者尝试从政府职能的角度对税费进行剖析，认为税费是政府行使职能的成本。政府征税收费的依据在于，政府作为公共部门，在为社会提供公共产品的过程中，耗费了大量的成本，需要以税费收入进行补偿。公共产品的供给成本决定了税费负担水平，从财政角度看，也就是要使公共支出的规模与公共部门提供的公共产品水平相适应。

政府构成的层次性决定了公共产品供给主体的层次性。地方政府作为地方公共产品的供给主体，其供给水平受辖区面积、人口、居民货币收入水平与偏好、居民税费负担能力等多种因素的影响。为克服公共产品的外部性，保证最低供给水平，平衡地区经济发展，必须建立政府间转移支付制度。农村公共产品作为地方公共产品的一个层次，其供给水平与成本直接影响农民的税费负担。各级政府在提供农村公共产品问题上要各司其职，各负其责。如果出现农村公共产品供给主体的"缺位"与"越位"，就会使公共产品的供给成本直接变成农民的负担，甚至使农民不堪重负。在现行行政村自治体制下，行政村在提供公共产品时,可按"一事一议"的方式,实行公共选择,以充分尊重大多数农村群众的意愿。

　　要在市场经济的"平台"上,按公共经济的框架构建农村税费制度,就必须对原有为计划经济服务的制度安排实施变迁。因此,从制度变迁角度对农村税费改革进行分析,是本书的内在逻辑要求。笔者认为,农村税费改革是以农村税费为核心制度的综合性制度创新与变迁,它迫切需要中国化的制度变迁理论的指导。这就需要我们在马克思主义制度变迁基本理论的指导下,吸收现代市场经济相关理论,特别是西方制度变迁理论的合理成分,结合我国农村的实际,在改革实践中大胆探索与创新。通过实践发展理论,并以理论指导实践。

　　以诺斯为代表的西方制度经济学家是在唯心史观的指导下研究制度变迁的。他们认为,制度是由思想和习惯形成的,思想和习惯又是从人类本能产生的,所以,制度实质上是个人或社会对有关的某些关系或某些作用的一般思想习惯。诺斯把社会制度定义为:"制度是一个社会的游戏规则,或更规范地说,它们是为决定人们的相互关系而人为设定的一些制约",包括"正规约束"(如规章和法律)和"非正规约束"(如习惯、行为准则、伦理规范),以及这些约束的"实施特性"①。可见,制度经济学家的"制度",脱离了生产资料的所有制,脱离了社会的经济基础和上层建筑。他们把政治的、社会的、经济的、文化的等各种制度等量齐观,从而也就无法找到制度演变或变迁的真正动力和

----

① D. C. North, "Economic Performance Through Time." *American Economic Review*, April 1994. 参阅林岗、张宇:《马克思主义与制度分析》,经济科学出版社 2001 年版,第 254 页。

原因。

马克思主义认为,制度来自于人类的物质生产条件,完整的社会制度是由经济基础和上层建筑这两个相互联系的层次组成的。社会制度的变迁是生产力与生产关系、经济基础与上层建筑矛盾运动的结果,其根本动因在于生产力的发展。因此,我们要把是否适应与促进生产力的发展作为农村税费改革的检验标准。

尽管西方制度变迁理论在体系上有悖科学,但它对一些具体制度问题的分析,在一定程度上反映了市场经济条件下制度变迁的一般性规则,值得我们合理借鉴。我们不妨把马克思从社会基本矛盾角度定义的制度称为制度一般,把制度学派所论及的诸如政治、经济、文化等各种具体制度视为制度个别。则前者分析具有根本性的指导作用,后者分析也具有一定的借鉴意义。我们要在坚持生产力标准的原则下,看到在既定的社会制度中制度个别即具体制度创新的绩效与意义,大胆地进行制度创新。

第二部分:改革的背景与历程(第三、四章)。农村税费改革作为一项重大的战略性举措,有着深刻的国际国内背景与历史渊源。从国际上看,欧美农产品贸易战不断升级,国际市场农产品竞争日趋激烈。加入 WTO 后,我国农业直面国际现代化大农业的冲击。从国内看,我国农业已经进入新的发展阶段,农产品供大于求,农民收入增长缓慢。与此同时,优先实现工业化的发展战略的长期实施,形成了城乡分割的二元体制结构,而为这一战略服务的具体制度安排,导致了农村乱收费现象,农民不堪重负。农民负担沉重,成为当前突出的经济与社会政治问题,极大地影响了农村经济的发展和社会的稳定。我国历史上的税费改革启示我们,每当税费混乱,农民负担沉重的时候,就必须进行税费改革,而这一改革又必须是综合性的制度创新。否则,改革就会陷入"黄宗羲定律"的怪圈。

农村税费改革试点是在安徽以省为单位进行的。税费改革的首要目标是治理针对农民的各种乱收费,切实减轻农民负担;其最终目标则应是在减负的基础上,通过进一步深化改革,进行综合制度创新,促进农民快速增收,实现农村经济的持续发展和农村社会的全面进步,实现城乡经济良性互动和一体化发展。安徽省的改革措施主要是"三个取消、一个逐步取消、两项调整、一项改革"。即取消乡统筹费;取消农村教育集资等专门面向农民征收的行政事业性收费和政府性基金、集资;取消屠宰税;逐步取消统一规定的劳动积累工和义务工;调整农业税政策,调整农业特产税政策;改革村提留征收使用办法。

农村税费改革试点取得了初步成效:切实减轻了农民负担,初步理顺了农村税费关系和分配关系;推动了基层政府机构改革和职能转变;促进了基层民主政治建设;改善了基层党群干群关系;它为农村税费改革在全国推广提供了宝贵的经验。当然,这些成效还只是初步的,还不能轻言成功。通过对安徽、江苏、甘肃等省农村税费改革的比较分析,我们可以看到,各地的农村税费改革普遍存在着一些尚需进一步破解的难题:一是农村税费公平计量难、征缴难;二是弥补乡村两级收支缺口难;三是提高农民生产积极性和增加农民收入难;四是化解乡村两级的债务难。

可见,农村税费改革一开始就包含着内在的矛盾。一方面,税费改革要求从根本上解决农民负担重的问题;另一方面,现实经济社会生活中又不完全具备彻底解决这一问题的充要条件。这一矛盾在改革实践中表现为,改革既取得了一定的成效,但又有待于进一步深化;农村税费制度自身既需要突破,又依赖于有关制度环境的变迁。由此,要解决农村税费改革中的上述内在矛盾,就必须进行综合性制度变迁。

第三部分:税费改革的效应(第五、六章)。农村税费改革是农村分配关系的创新,它的深化与完善必将引发农业内部经济制度,如农村分配制度、粮食流通体制、农村土地制度的变迁,以及宏观层面的税收制度、财政体制、金融体制、乡镇行政管理体制等一系列的制度创新。这一系列的制度创新既是对农村税费改革的深化与延伸,同时又进一步巩固和扩展了农村税费改革的既有成果。

农村税费改革对农村原有不合理的利益分配格局和分配关系进行了重大调整。改革后,农民的负担只有农业税和附加两部分。农业税体现了国家与农民之间的分配关系,农业税附加则体现了集体与农民之间的分配关系。税费改革规范了农村分配关系,使农民负担大幅减轻,从而相应地增加了农民收入,促进了农村消费市场的发展。由于农民上缴的农业税以粮食价格为基准,而粮食的价格又是在流通中形成的,所以,粮食流通体制的改革也就成为税费改革的延伸与深化。农村分配关系的变革必然要求生产资料所有制关系进行变革。土地是农村的主要生产资料,税费改革后,农业税由土地承担,即"摊丁入亩"。为调动农民的种植积极性,只有继续推动农村土地制度创新,加快土地使用权的合理流转,才能使农村税费改革的成果得到切实保障。

　　农村税费改革中存在的内在矛盾,还要求从宏观上对税收制度、财政体制、农村金融体制、农村教育体制及乡镇行政管理体制进行创新与变迁。税收制度的改革,重点在于对现行农业税(含农业特产税)进行改革,第一步可考虑取消农业特产税,第二步本着公平税负的原则,可由逐年减征直至免征农业税并向个人所得税过渡。财政体制的改革,重点在于通过合理划分各级政府在农村公共产品供给上的事权与财权,建立规范的公共财政体制,有效地化解县乡财力缺口。农村金融体制的改革,重点在于改革现行农村信用社的管理体制,确立其相对独立的法人地位,充分发挥农村信用社在促进农村产业结构调整、支持乡镇企业发展及加快农户脱贫致富方面的"第一推动力"作用。农村教育体制改革,重点在于将农村义务教育支出纳入公共财政体系。乡镇行政机构的改革,重点在于减人减机构,改变目前"生之者寡,食之者众"的不合理现象。依据当前行政村实行村民自治、乡镇政府机构职能亟待转换、乡镇财政难以成为一级独立财政等现实情况,借鉴我国历史上政权机构设置的做法,行政机构改革可考虑逐步取消现行乡镇政府机构的设置,将其作为县级政府的派出机构。

　　第四部分:深化农村税费改革的综合分析(第七章)。农村税费改革的政策措施与改革深入的程度,取决于对农民负担成因的认识。导致农民负担不断加重的根本原因,在于我国为优先实现工业化而安排的一系列制度的长期实施。改革后,这一系列的制度安排尚未能从根本上得到改变,有些不合理的制度因素由于改革中制度供给的不到位和存在的缺陷,反而得到强化。因此,要从根本上减轻农民负担,巩固改革的成果,并进而解决"三农"问题,就必须改变原有的经济发展战略,打破城乡二元结构,统筹城乡经济发展,实施综合性制度变迁。当前,特别要加大对农业和农村的投入,促进农村剩余劳动力的转移。

深化农村税费改革,必须转变政府职能,尤其是乡镇以上各级政府的职能。要按发展社会主义市场经济的要求,科学界定政府与市场的边界。现阶段,政府应加大宏观调控力度,为农民提供基本公共产品和服务。要创新政府运行机制,提高政府施政能力与效率,努力降低农村基层政府机构的运行成本。

总之,深化农村税费改革要以适应社会主义市场经济发展要求,促进城乡经济社会协调发展和全面进步为目标取向,推进综合性制度创新与变迁。只有这样,才能真正跳出"黄宗羲定律",充分揭示农村税费改革作为"农村第三次革命"的伟大意义。

第一章 农村税费改革的一般
理论考察(上)

　　我国原有的农村税费制度是在计划经济的基础上建立起来并为计划经济体制服务的,这次农村税费改革,则是要建立起适应社会主义市场经济体制要求的新型农村税费制度。在市场经济条件下,市场机制在资源配置中发挥基础性作用,政府是从弥补市场失灵的角度,在社会公共领域从事公共产品(含服务,下同)的生产。政府在公共产品的生产过程中所耗费的成本,必须以税费的形式进行弥补。所以,政府课征税费,实质上是政府作为一经济主体,基于其职能参与资源的配置,政府征收税费必须以给社会提供的公共产品供给规模与水平为依据,量出为入。农村税费的征收,也应该以农村公共产品的供给规模与水平为依据。各级政府要认真履行自己的职责,提供相应规模与水平的农村公共产品。因此,从公共产品展开对农村税费问题的经济分析,符合本书的内在逻辑要求。

第一节　政府职能:税与费的新视野

税费的征收是同政府的职能联系在一起的,而不同经济体制下政府的职能是不一样的。在计划经济条件下,政府要集中全社会绝大部分资源,进行指令性的配置、利用和分配,这时政府主要是作为政治主体行使职能;在市场经济条件下,政府为弥补市场机制的缺陷,集中小部分的资源用于公共产品的生产,这时政府主要是作为与私人部门相对应的相对独立的公共部门参与资源配置的。要分析农村税费改革,就必须对税与费的概念进行界定。因此,本节首先从政府职能的角度界定税与费的基本概念,然后分析二者不同的形式特征及相互关系,最后探讨税与费征收主体的资格认定问题。

一、税费是政府行使职能的成本

要研究税费改革,首先必须剖析税与费的概念。我们可以从不同的角度与层次来界定。一般认为,税收是一个历史的经济范畴,它是随国家的产生而产生的。我们可以把税收定义为:税收是国家凭借政治权力,无偿地集中一部分社会产品所形成的特定的分配关系。税收是国家为了实现其职能而取得财政收入的一种工具,是国家财政收入的一种形式,在国家财政收入中占主要地位。国家政权要行使其职能,进行正常的活动,必然消耗一定的物质财富,因而国家必须采用税收的方式取得财政收入以补偿其耗费。

税收有其固有的形式特征。税收的形式特征主要有三个:即强制性、无偿性和固定性。这三种形式特征,成为税收区别于其他形式财政收入的基本标志。

税收属于分配范畴,体现着特定的分配关系。税收在社会再生产过程中,属于分配环节,是这个环节上的一种分配形式。国家征税就是把一部分社会产品和国民收入从社会成员手中无偿收为国家所有的分配过程。征税的结果,会引起社会成员之间占有社会产品和国民收入比例的变化,同时也会引起纳税人个体的消费与投资比例的变化。

我们再来分析费。费是指一方当事人向另一方当事人提供某种劳务或某种资源的使用权而向受益人收取的代价。它大体上可以分两大类:一类是在经济活动中,由于相互交换劳动而向受益人收取的费用,如保管费、专利费等这一类有劳务报酬的情况;收取的主体是个人或单位,完全不同于税收,不可与税收混为一谈。另一类是国家机关及事业部门代表政府公共部门为单位和个人提供特定服务或履行特定职能而收取的费用,它属于国家财政收入的一种辅助形式。本书所分析的正是后一种类型的费。因为前一种类型的费实际上是一种价格,属于一种等价交换的情况,而后一种则是与政府公共部门的职能相联系的具有提供公共服务(即后面要分析的公共产品)的性质。所以我们可以给本书所要分析的费界定为:政府公共部门依法提供公共服务而向受益人收取的有偿性费用。因此,费又被称为公共收费或政府收费,它体现着政府职能的延伸与扩展。

费也具有自己的三个基本形式特征:其一是有偿性。公共部门收取费用以提供一定的服务或履行特定的职能为前提①。正是因为公共部门的活动需要耗费一定的成本,因而必须收取一定的费用来补偿,以保证公共部门服务行为的连续性。如果政府公共部门无所作为,则不应收取费用,否则就是乱收费。费的第二个形式特征是它的灵活性,这是指费可以根据公共部门提供的服务或履行的职能的客观需要,确定相应的收费范围、比例或额度,遵循收费与服务对等的原则。同时费的征收范围、比例或额度还可随经济社会的发展适时做出调整。费的第三个形式特征是它的自愿性。由于费的征收依据是公共部门提供服务或履行了特定的职能,这样受益人理所当然地要为此支付一定的费用,而是否接受公共部门提供的服务,完全取决于个人,因此,费具有自愿性。

上述税费的定义及其分析,揭示了税费的本质与形式特征。但这种分析没有揭示税费的量的规定性,无法说明国家职能与税费之间量的对应关系,也无法说明国家财政收入中税与费的量比关系,更无法解释为什么不同类型的国家或同一国家不同时期的政府,其公民的税费负担会有天壤之别。有鉴于此,我们尝试从公共经济学的角度,把税费与政府职能的实现形式联系起来进行分析。只要政府行使其职能(包括职能的延伸与扩展),就必须以税费的形式取得财政收入。因此,我们可以把税

---

① Fisher, R. C., 1996, *State and Local Public Finance*, Richard D. Irwin, P. 175.

费看做是政府行使职能的物质基础与成本。既然是成本,必然就有一个核算与比较的问题,这实质上也就是政府的效率问题。在不同的经济制度下,政府行使职能的目标取向、运行机制、具体内容等不同,因而政府的效率也大不相同。在计划经济条件下,政府机构庞大,职能涉及面广,运行成本高、效率低;在市场经济条件下,市场机制在资源配置中起基础性作用,这在客观上要求政府高效运转,其运行成本必须与公共产品供给成本相当。关于这一问题,我们将在下一节分析。

二、税与费的区别与联系

税与费作为国家财政收入的两种形式,既有区别又有联系①。税与费的主要区别在于:第一,从征收主体看,由代表各级政府的各级税务机关、海关及财政等部门征收的一般是税;由其他行政机关、经济职能部门和事业部门收取的一般是费。第二,从形式特征看,税收具有无偿性。税收是纳税人单方面向国家履行的交纳义务,国家不必为此向纳税人直接提供任何对等的服务,现实中也无法提供直接对应的服务,即税收是国家向纳税人无偿征收的;费则是国家为单位和个人提供某种劳务或履行特定职能而向受益者收取的费用。费是有偿的,遵循有偿(但并非等价交换)的原则。可见无偿征收的是税,有偿征收的是费,这就是二者在性质上的根本区别。第三,从税费的用途看。税款一般由税务机关征收后,统一上缴国库,纳入国家预

---

① Richardson, p. , 1993, *The Growth of Federal User Charges*, Washington: Congressional Budget Office.

算,由国家通过预算的形式统一支出,用于社会公共需要,一般不实行专款专用。费则不同,它多用于满足相应义务本身支出的需要,一般具有专款专用的性质,是为了补偿公共部门为提供服务与履行特定职能的消耗。

从税与费的上述区别可以看出,它们是完全不同的两个经济范畴。在理论上对二者进行科学的区分,是在实践中进行税费课征工作的前提与基础。如果税费不分,把二者混为一谈,或者在实践中有意无意地把二者混为一谈,必然造成乱收费。产生的后果是,既招致人民群众的不满与反对,也会造成费挤税的现象,使国家税收流失,并以费的形式流入部门甚至是个人腰包,这就会对一国的经济安全构成威胁。当前,我国各地乱收费的一个重要原因,就是在理论与实践中税费不分,以费代税,以费挤税。乱收费在现实生活中造成了严重的后果,给国家经济上造成了重大的损失(税收流失);政治上造成了严重危害,损害了党和政府的信誉。

税与费存在着区别,但同时又是紧密地联系在一起的,这表现为质互变、量消长。所谓质互变是指,税与费作为国家财政收入的两种形式,在一定条件下可以互相转化。具体地说,在一定的经济社会条件下,有些税种可以转化为费,有些种类的费则可转化为税。例如,我国的工商税在建国之初被以税的形式征收,随后又取消,20世纪80年代后又以费的形式征收,这是税转为费的例子;我国1985年以前征收的城市维护费,1985年起改为征收城市维护建设税;2001年以前征收的车辆购置附加费,2001年起改为征收车辆购置税这是费转为税的情形。从量上分析,税与费一定程度上存在着此消彼长的关系,因为一国一定时期内社会总产品中可以用于交纳税费的量是一定的。在其他条件不变的情况下,税收形式的财政收入增加,收费形式财政收入就会减少(当然并不是同比例的增减);反之,如果收费膨胀,就会侵害税基,使国家税收收入减少。

三、税费征收主体的资格认定

税费形式的财政收入,是分散于各纳税人或缴费人手中的,因此需要由征收人即征收主体进行征收,然后汇总进入各级政府的金库,成为现实的财政收入。这就存在一个征税收费主体的资格认定问题。显然,对税费征收主体的资格认定是进行税费概念界定的重要内容。只有依法认定征收主体,才能使税费课征工作走上法制化的轨道。关于税收的征收主体,我国相关法律有明确的规定。1993 年 1 月 1 日《中华人民共和国税收征收管理法》规定,我国各级税务机关是税收的征管机关,依法行使税收征管工作。在现实经济生活中,税收的征收主体也是十分明确的。与税收征收主体的确定性不同,费的征收主体的资格认定却存在着相当的随意性。当前我国有关费的征收主体的混乱情况已经到了十分严重的地步,以至只要有理由就收费。机关可以收,单位也可以收,甚至个人套上红袖章就可以上街收费。各级机关与事业单位竞相攀比收费,最终形成全国性的乱收费局面。因此,必须严格规范收费主体的资格认定。

一般来说,收费主体的资格认定应遵循以下几个原则:

1、法定原则,即主体的资格要由法律认定。收费主体不得以自己制定的文件作为收费的依据,"自封"为收费主体,而必须依据法律法规的授权,经相关部门认定,才能成为收费主体。

2、收费主体必须是行使政府职能的行政机关,或者是延伸与扩展政府职能的事业单位,亦即政府公共部门。私人部门收取的费用属于交易价格,而不是公共部门的收费。因此,私人部门不能成为收费的主体。

3、权利和义务对等的原则。收费以主体提供相应服务为前提,未接受服务者,自然不必付费;而接受了服务,也就必须付费。

4、公开公正的原则,即主体的收费行为应公开依法进行,收费的标准、时间、地点及方式等都要由相关法律法规明确规定,并以大众易于接受的方式广而告之。

第二节 税费课征的依据:公共产品与准公共产品成本

税费是政府行使职能的物质基础与成本。政府之所以要向农民收取税费,是因为政府为农民提供了公共产品与准公共产品,需要弥补所耗费的成本。所以,从理论上说明税费的征收依据,是本书的内在逻辑要求。本节通过对公共产品供给成本的分析,说明税费的课征依据。

一、公共部门与私人部门

西方经济学把整个经济主体分为公共部门与私人部门,认为社会资源就是在这两大经济主体之间进行配置与利用。为什么经济社会生活中会出现这两大不同的部门呢?

按西方经济学的传统观点,市场机制能自觉地解决经济发展中存在的问题,即英国古典经济学家亚当·斯密所称:"看不见的手"会自动地调节经济运行,政府只要充当"守夜人"就行了。政府无须对经济进行干预,也不得对经济进行干预,因此政府越小越好。

古典经济学的自由放任思想对西方经济学理论及现实经济运行产生了深远的影响。并且,在市场经济发展之初,这一思想确实扫清了市场经济发展的观念障碍,推动了市场经济的发展。然而,20世纪30年代的经济大危机,充分暴露了市场机制的缺陷,即"市场失灵",宣告了"市场万能论"的破产。处于资本主义经济大危机中的凯恩斯,通过对经济危机的分析,认为国家应当干预经济,从而掀起了一场以国家干预经济为特征的"凯恩斯"革命。凯恩斯认为,只有国家实行干预,才能避免资本主义经济的全面毁灭。为此要扩大政府开支来刺激需求。凯恩斯的理论是对市场机制"万能论"的否定,而其扩大政府公共支出的政策措施则是对市场失灵的一种纠错。

在现代市场经济理论看来,"市场失灵"主要表现为:(1)自然垄断与市场低效。垄断者为谋取个人的最大利益,往往使产品的价格和生产水平偏离社会资源最优配置的要求,这就降低了资源的有效配置。(2)市场的不完全性。这是指有时会出现虽然边际成本低于价格,但市场仍无法提供足量产品或劳务以满足需要的状况。(3)外部性问题。即某些种类的产品或劳务的生产和消费,会对他人产生额外的成本或收益,但企业在进行核算时不予考虑,故称为外部性现象。(4)公共产品的问题。公共产品是指在消费时具有非排他性和非竞争性的产品和劳务,它容易被"免费搭车"。(5)宏观经济管理的缺陷。在市场机制自发作用的过程中,会出现收入分配不公、失业及通货膨胀等问题。

上述市场失灵的种种现象表明,为弥补市场机制的缺陷,需要政府对经济进行干预。这样政府必须由传统的"守夜人"的角色转换到直接参与社会资源配置的公共部门的角色。因此,现代西方市场经济理论将政府看成一个独立的经济主体,而将企业和家庭相应地称为私人部门。

具体地说,公共部门(Public Sector)是指政府及其附属物。政府是通过政治程序建立的,在特定区域内行使立法权、司法权和行政权的实体。它除对特定区域内居民负有政治责任以外,还参与非市场性的社会生产活动和社会财富再分配。政府参与的非市场性生产活动,是指政府为满足居民的公共消费需要,通过向社会成员征收和强制转移财富的办法来筹措资金,提供国防、治安等公共服务以及从事不以营利为目的的教育、卫生、文化等公共服务。政府公共部门一般包括以下几个层次①:

第一个层次是中央政府。它是涵盖范围最大的公共部门。组成中央政府的部、委、厅、局及其内设机构是公共部门的核心层次。

第二个层次是广义政府。这个层次不仅包括中央政府,而且还包括各级地方政府及其附属机构。

第三个层次是统一公共部门。这是在前两个层次的基础上,又加上非金融性的公共事业,即包括中央和地方政府出资兴

---

① 参阅樊勇明、杜莉:《公共经济学》,复旦大学出版社2001年版,第3页。

办的各种企事业,如医疗卫生机构、教育机构及电讯等公用部门。

第四个层次称为广义公共部门。这一层次在前三个层次之上,增加了政策性金融部门。这些金融机构是为了实现特定的目标而由中央或地方政府出资兴办的,如进出口银行、开发银行等。它们的职能是政府机构职能的延伸与扩展,对整个国民经济有着重大的影响。

公共部门作为独立的经济主体,以非市场机制方式参与国民经济运行,影响着国民经济的发展方向与速度。私人部门以收益最大化为前提和目标,而公共部门则不同,它的经济活动一方面要考虑成本与收益;另一方面又必须以全社会的公正和公平为前提和目标。公共部门正是以自己独特的职能来弥补市场的不足与失灵,以保障经济社会的平稳进行与发展。公共部门的职能主要是:

1、立法、司法与行政管理。市场经济是法制经济,政府公共部门要提供科学、完善的司法制度,严格规范市场主体的行为。同时,政府要搞好行政管理,使国家机器正常、高效地运转。

2、维护社会公平公正,调节宏观经济运行。为弥补市场的失灵与不足,政府公共部门要参与社会总产品的分配,并制定相关政策,维护社会公平,保障宏观经济的平稳运行,促进经济社会的协调发展。

上述两大职能,从实现的形态看,实际上就是为社会提供公共产品,正如私人部门提供私人产品一样。

公共部门与私人部门作为市场经济的主体,是相互影响与促进的。私人部门遵循市场法则,以"经济人"的理性追求利润最大化;公共部门则以纠正市场缺陷为基本任务,为社会提供公共产品,从而提高私人部门的效率,保障整个经济社会的持续稳定发展。私人部门的运行技术及管理模式又为公共部门效率的提高提供借鉴。

应该指出,公共部门与私人部门的划分是以存在不同经济主体,特别是存在私人经济为前提的。如果不存在私人经济,纯一色都是公有制经济,也就失去了作这种划分的前提。有的学者认为,我国在改革开放前存在公共部门,且一统天下,这是不确切的,这实际上是把公共部门与公有制经济混为一谈。其实,公共部门并不等于公有制经济。公有制经济是以所有制性质来划分的,而公共部门与私人部门则是从社会资源配置的角度,以为社会提供产品或劳务的特点来划分的。公有制经济并非完全是提供公共产品的,而公共部门则完全是为社会提供公共产品,以弥补私人部门之不足的。因此,不能把公共部门与公有制经济等同起来。如果在理论上不加区分,在实践中就会出现公有制经济包办一切的现象。

如何看待西方公共经济学两部门划分的理论呢? 现实中存在着两种倾向:一是全盘否定这一理论。这种观点认为,西方公共经济理论是为资本主义服务的,必须彻底抛弃。另一种倾向则正好相反,把西方公共经济理论全盘搬到中国,不加改造地生搬硬套。笔者认为,这两种做法都是错误的。上述两部门划分的理论,无疑反映了现代市场经济的要求,对发展社会主义市场经济具有借鉴作用。但是,这种划分并不完全适合中国的实际。两部门的具体构成在我国也不同于西方,如私人部门在我国就包含着大量的国有企业,而在西方则主要是私人企业。因此,我们在借鉴这一理论时,不能机械地以上述两部门的划分标准,对我国现实中的经济主体作简单的划分与归类,而要充分考虑到现阶段我国经济主体构成的复杂性。

二、公共产品与准公共产品

前面我们已经提到公共产品具有消费上的非排他性和非竞争性两大特征,下面我们进行具体分析。

说公共产品具有消费上的非排他性,首先是由于公共产品从技术上来说不具有排除他人消费受益的可能性。例如,国防是典型的公共产品,只要国家建立起了完备的国防体系,人民就能够生活在和平的环境中,免受外来侵略之苦。这时,要想使任何居住于国境内的居民不受国防体系的保护,是不可能办到的,除非将其驱逐出境。又如,国家普及九年制义务教育,受教育者增长知识,提高素质。这时,也不可排除他人从中受益的可能性。非排他性存在的第二个原因是排他的成本高昂,使排他收益小于成本,即经济上不可行。

公共产品的非排他性使其消费存在"免费搭车"的现象。即每个消费者都不会自愿为自己消费公共产品而付费,而是期望他人提供则自己可以免费享受。这就使得公共产品的提供者不能通过提供公共产品而收回成本并获得适当的利润。显然,作为理性经济人的私人部门是不可能提供公共产品的。换句话说,公共产品的非排他性使其无法通过市场机制来提供,而只能由政府公共部门通过财政支出的方式来提供。

应该指出,公共产品的非排他性特征是一个动态的概念,因而是相对的。随着技术的进步,公共产品的排他性在技术上变得可行,在经济上也会变得有利。这时,公共产品也就会转化为准公共产品。

公共产品的另一个重要特征是它在消费上的非竞争性。所谓消费上的非竞争性,是指增加消费的边际成本为零,即在公共产品消费的容量内,每增加一个消费者的边际成本为零。例如,不拥挤的桥梁,在其通行量的范围内,每增加一台通行的车辆,都不会增加该桥的可变成本,亦即不增加边际成本。

同样要指出的是,公共产品的非竞争性也是相对的,它也以公共产品的一定容量为前提,超出这一容量,公共产品的消费就变为竞争性的了。还是以桥梁的通行为例,当过桥的车辆达到桥梁通行量的限度时,消费者(通行车辆)实际上就存在着竞争。正因为这样,武汉市在兴建了长江二桥并收费后,原来的武汉大桥变得异常拥挤,只得采取相关的限制措施。

从公共产品的非排他性和非竞争性两大特征关系来看,具有非竞争性的产品并不必然具有非排他性,反过来也一样,具有非排他性的产品并不必然具有非竞争性。所以,在现实经济生活中,纯粹的公共产品是比较少的。如图所示。

图中的重叠部分即为纯公共产品,它既具有非排他性,同时又具有非竞争性。这样的纯公共产品是消费者实现效用最大化必不可少的,没有这种消费,消费者就不可能实现效用最大化,

甚至都难以安全地生存下去。如没有国防,没有军队和警察,人们就不可能有和平安宁的生活。然而,正是公共产品的非排他性和非竞争性,使它不可能由市场机制自发作用来提供。市场经济本身缺乏提供公共产品的机制,这也是市场失灵的重要表现之一。所以,公共产品只能由政府公共部门来提供。

现实生活中,由公共部门提供的许多产品既具有公共产品的部分特征,又同时具有私人产品的部分特征。经济学上把这类产品称为准公共产品。随着科学技术的进步,许多公共产品从技术上讲完全可能排他,且排他的成本又十分低廉,这时这部分公共产品也就失去了非排他性的特征,而具备了私人产品的排他性。仅仅从这一点来看,这部分公共产品可以由私人部门提供。但由于私人供给这类公共产品具有非竞争性,会形成垄断,而为使利润最大化,私人供给者会使其边际收益等于边际成本,从而使公共产品的效率降低,带来社会福利损失。为避免这种现象,这类产品必须由政府公共部门参与提供。

无论是纯公共产品还是准公共产品,都存在一个外部效应问题。所谓外部效应也就是前面我们已经讲到的外部性。外部效应主要有三类:1、外部正效应。外部正效应是指生产或消费行为给他人带来了收益或效用。2、外部负效应。外部负效应是指因生产或消费活动给他人带来的损失或损害。3、公共资源问题。这是指公共资源具有稀缺性,具体使用不受限制,即人人都可平等使用。

纯公共产品和准公共产品外部性的存在,会产生相应的经济效应。就外部正效应来说,由于这类产品收益的外部化导致其私人收益小于社会收益,私人部门供给不足,最终导致社会福利损失。就外部负效应而言,私人部门忽视产品的外部成本,会造成产品的实际供给量大于帕累托最优的供给量,这也会导致社会福利的损失。最后再看公共资源问题,由于公共资源的使用不受限制,在市场机制作用下,就会出现公共资源的过度利用和效率损失。所以,无论是纯公共产品还是准公共产品,其外部性的存在,都会给社会带来福利损失或效率损失。

如何避免外部性导致的社会福利损失或效率损失呢?许多经济学家试图以私人部门来克服这一问题。他们认为私人部门可以通过以下几方面克服外部效应:一是实现一体化,即私人部门可以通过市场机制扩大企业规模,形成一个规模庞大的多种产业的集团公司,实现外部成本或收益内部化,从而纠正外部效应导致的效率损失。二是明晰产权并法制化。美国当代经济学家科斯认为,外部效应从根本上说是产权界定不明确或不当引起的。所以只要界定产权并依法保护,则市场机制会使市场交易达到帕累托最优,即克服外部效应导致的效率损失问题。三是道德规范,即社会公共道德的规范作用会减少外部负效应。

上述措施能否真的克服外部性呢?现实经济生活实践证明,私人部门克服外部效应的机制难以发挥作用。一体化要求企业的规模足够大,这是很难做到的,即使做到又会导致垄断。道德规范过于软弱,不具有强制性,也很难克服外部负效应问题。而科斯定理要求相关当事人组织起来并进行谈判,其交易成本是十分巨大的,且由于"搭便车"现象的存在,有些当事人不一定愿意自动参加。所以,私人部门无法克服外部效应,只有政府公共部门才有有效的方法来纠正外部效应,具体说来:

对具有外部正效应的公共产品,政府以公共财政支出的形式,直接提供;或者以减税的形式,为生产企业提供补助,使这些企业的外部收益内部化,从而使其扩大公共产品的供给。对具有外部负效应的公共产品,政府公共部门可以通过罚款、征税、公共管制、法律措施等手段,变企业的外部成本为内部成本,并形成企业内部核算的自我约束机制。如排污企业会因为排污将被罚款而减少污水的排放,或对污水进行净化处理。对公共资源,政府公共部门可以进行一定程度的限制。如对在公共水域捕鱼的人,政府可以实行准入制,限定渔船的吨位,限定其捕鱼的时间等。我国现在在沿海及某些江河湖泊中实行的季节性休渔制度,就是一个很好的例证。

公共产品与准公共产品划分的理论,为界定政府职能及税费的征收提供了理论依据。

三、税费课征依据:公共产品成本

政府公共部门为什么可以征税收费呢? 这就是税费的课征依据问题。

我们知道,公共产品是由政府公共部门提供的。与私人部门提供私人产品需要有一定的成本一样,公共部门提供公共产品也必然要有一定的成本。为维持公共产品的生产或供给,政府公共部门就必须课税收费。政府以征税和收费的方式取得财政收入后,又以财政支出的形式为社会提供公共产品。

纯公共产品由于其严格的非排他性,它的溢出效应惠及全体国民,因而不可能把一部分人排除在外,也就是无法避免"免费搭车"现象,因此,其供给成本只能由全体国民负担。政府公共部门理所当然地要强制地无偿征税,并以公共财政支出来全额承担纯公共产品的成本费用。通俗地说,凡是从事纯公共产品生产的部门或单位,必须吃皇粮。这些部门主要有:国防系统、行政机关、立法与司法机关、义务教育部门、基础科学研究部门、国家安全部门、执行国家基本政策的特定部门等。这些部门代表国家行使职权与职责,其行为关系到国家的安危、社会的稳定和人民群众的基本生计,关系到国家经济社会的发展。国家公共财政应首先保证这些部门的基本支出,以保障它们正常运转。

准公共产品由于存在排他性,因此可以在一定限度内避免"免费搭车"现象,通过技术手段使准公共产品的消费者为自己的消费行为支付一定的费用,实行使用者付费制度,从而可以弥补一部分准公共产品的供给成本。但由于准公共产品的非竞争性,使私人部门在准公共产品的供给上出现效用损失,因此,准公共产品也必须由政府公共部门来提供补偿,即承担一部分准公共产品的成本。这样,准公共产品的成本就由政府公共支出与公共部门收取的准公共产品的使用费两部分组成。从这里我们不难看出,对准公共产品的收费应该实行补偿的原则,即收费的标准(Y)应相当于准公共产品的成本(C)与公共部门用于提供准公共产品的支出(P)之差,即:

$$Y = C - P$$

准公共产品具有利益外溢性,这种产品所提供的利益的一部分由所有者享有,是可分的,从而具有私人产品的特征,但其利益的另一部分可由所有者以外的人享有,是不可分的,所以具有公共产品的特征。这正是这种产品被称为准公共产品的原因。比如,水土保持与植树造林,既改善了地区生态环境使该地区的人受益,同时又使周边地区的人受益,会使处在下游的人减少洪涝灾害带来的损失,故又有利益外溢性。

由于市场机制在私人部门提供准公共产品上的失灵,故政府公共部门应纠正市场的缺陷,直接提供准公共产品,或者以给消费者提供价格补贴的形式,以较低的价格鼓励人们增加消费,从而达到有效率的消费量。

在消费准公共产品的过程中,消费者可以得到直接的利益,因此他们应对此付出一定的费用,即公共部门可以向他们收取一定的费用。如下图所示:

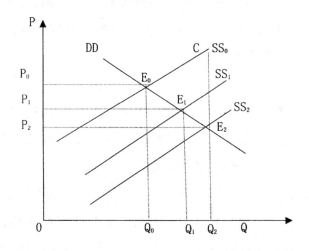

上图中,政府直接提供准公共产品时的价格为 P_0,这时供给量为 Q_0。当政府提供价格补贴时,需求 Q 曲线下移至 SS_1,这时消费者的实付价格为 P_1,需求量为 Q_1。如果再降低准公共产品的价格,则会出现过度消费现象,带来社会福利损失,如图中的 $\triangle CE_0E_2$ 部分。

纯公共产品是由国家直接投资提供的,如国防、公共行政管理、义务教育等,而准公共产品除国家直接投资外,还需向直接消费者收取一定的费用。如国家对义务教育以外的普通教育受益者要收取学费。这一方面可以弥补教育经费的不足,另一方面又可防止过度消费,使教育资源得到充分合理的使用。

目前,各国对纯公共产品的财政支出,都有法定的相对稳定的比例,如军费开支、教育经费开支占 GNP 的比重等指标。其目的就在于保障公共产品的刚性支出,并以税收作为公共支出的法定来源。准公共产品的支出,一部分来源于国家的税收,另一部分则来源于收费。对准公共产品的收费遵循自愿与受益者付费的原则。在征收的标准上则遵循补偿的原则,而不应实行全成本甚至收益的原则。否则,就会过度抑制准公共产品的消费,这同样会引起社会福利损失。

综合上述分析,我们可以得出以下结论:

1、税费的课征依据在于政府公共部门在提供公共产品时,消耗了一定的成本,因此需要以征税收费来补偿支出,以使公共部门的公共产品供给活动能持续进行。

2、从公共支出方面看,税主要用于提供纯公共产品,而收费则主要用于提供准公共产品。就农村纯公共产品来说,其供给成本应主要由各级政府承担,而准公共产品的供给成本则可向农民收取相应费用。

3、政府的公共财政支出,首先要保证各级政府公共部门为提供纯公共产品所需的支出,即要优先保证国防、义务教育、各级政府机构的正常运转等所需经费支出。

4、公民享受了公共部门提供的公共产品,负有依法缴纳税费的义务。农村税费是指为补偿农村公共产品供给成本而向农民收取的农业税及相关费用。农民享受了农村公共产品,因而负有依法缴纳农村税费(改革后主要是农业税及其附加)的义务。

第三节　公共产品的有效供给与税费负担总水平

政府公共部门征收税费的依据在于其为社会提供了公共产品。那么公共部门税费课征的量的界限是什么呢? 这就涉及公共产品的有效供给与税费负担的水平问题。

一、公共产品的有效供给

我们知道,政府公共部门的职能是为社会提供公共产品。公共产品的供给是以税费或以财政支出为物质基础的,因此,分析税费负担问题,就必须分析公共产品的供给问题。

由于公共产品的生产需要消耗一定的资源,因此,公共产品的供给问题又是一个资源在私人产品和公共产品之间如何进行最优配置的问题。英国福利经济学家庇古认为,个人在消费公共产品时,都得到了一定的利益,但他同时也必须为此放弃一定量的私人产品的消费,因为他要为消费公共产品而纳税,他放弃的私人产品正是他消费公共产品的机会成本。个人消费公共产品的边际效用等于税收的边际负效用,这正是公共产品的最优供给点。但是,由于人们对公共产品的主观偏好不同,同样数量的公共产品对不同的人有不同的边际效用。因此,庇古的分析揭示了这样一种税收理论:即税收应根据个人能力来分担,政府在进行福利再分配时,要以不均等的方法对待不平等的问题,即要实现税收的横向公平与纵向公平。然而由于每个人的最优供给点不同,现实经济中也无法知晓每个人的最佳供给点,更不可能对每个人的最优配置结果进行加总,因而庇古的理论无法解决公共产品的最优供给问题。

瑞典经济学家林达尔通过对公共产品供给过程的实证分析,给出了公共产品供给模型。林达尔假定有 A、B 两人,分别代表参加选举的两个政党,每个党内的人员偏好一致,则可以建立下图所示的模型①:

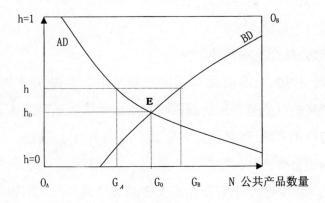

上图中,A、B 的行为分别由以 O_A 和 O_B 为原点的两个坐标来描述。将两个坐标合在一起,组成一个长方形,纵轴表示 A、B 负担的公共产品成本的比例,总值为 1,如果 A 负担为 ha,则 B 的负担为 1 − ha。横轴代表公共产品供给的数量,实际上代表公共支出的规模,AD 代表 A 对公共产品的需求曲线,对应的原点为 O_A;BD 代表 B 对公共产品的需求曲线,对应的原点为 O_B。

① 参见马海涛:《公共财政学》,中国审计出版社 2000 年版,第 38 页。

显然,随着 h 的增加,A、B 对公共产品需求减少。

任意给定纵轴上的一点 ha,这代表 A 要负担的税金,于是 A 就只愿意要 G_A 的公共产品数量,而 B 在 ha 点,则承担 1 – ha 的税金,愿意要 G_B 的公共产品数量。这样,A、B 所需的公共产品的数量不一致。假定 A、B 势均力敌,则较量的结果是 AD 与 BD 相交于 E 点,均衡量出现在 ho 处,这时,A、B 均同意 G_0 的公共产品数量。由 ho 与 Go 相结合的点即被称为"林达尔均衡"。

林达尔均衡模型的任务是确定税收负担和公共产品的供给数量,它实际上反映的是"一致同意"的原则。由于消费者在公共产品的消费中的偏好显示难以确定,该模型在现实中的操作性难以体现出来,而"一致同意"原则在现实中亦很难做到,因此,在现实经济生活中,该数学模型不可能准确计算出税收负担水平与公共产品的供给数量。

现实经济运行中,税收负担水平与公共产品供给数量的确定,这本身就是一种公共产品,只能由公共部门自身来提供。由此可见,提倡"高效、经济"的政府,可以节约公共产品供给成本,减轻税负,其意义并不仅仅限于政府建设自身,而关乎全社会的利益。

以上分析的是纯公共产品的供给,下面我们再来分析准公共产品的供给。

准公共产品由于其具有部分私人产品的性质,又具有溢出效应,因此,它既要由受益者个人付费,又需要政府公共部门以公共支出的形式来保证这类产品的有效供给。下面我们以教育这一准公共产品为例来说明准公共产品的有效供给问题。

教育(不含义务教育)是一种具有增长效应的典型的准公共产品。接受一定的专业教育后,受教育者提高了自己的知识水平与技能,在经济社会生活中能得到较高的经济回报和社会评价,即能得到较高的效用。相应地,他也应该为此付出一定的成本,如要交纳较高的学费。受教育者较高的知识水平和技能,为提高劳动效率和质量,进行技术革新与发明创造提供了现实可能性,而科学技术的进步,劳动效能的提高,又有利于增进全社会的福利水平和效用,这正是教育的溢出效应。

准公共产品的这种溢出效应表明,准公共产品不能完全由私人部门供给,而应由公共部门参与提供。同时,由于受教育者个人得到了比其他人更多的效用,因此个人也应参与提供准公共产品。准公共产品的这种特征为政府公共部门与私人部门共同努力增加准公共产品的供给提供了理论依据和现实基础。这一点对我国这样的发展中国家尤为重要。例如,我国政府教育支出虽然已由 1978 年的 75.05 亿元增加到 2002 年的 5480.03 亿元,在财政支出中的比重也已经由 1978 年的 6.69% 上升到 2002 年的 14.76%。但是,我国的教育支出比例与提高全民整体科学文化素质的要求相差甚远。2002 年,我国教育经费占 GDP 的比重为 3.41%,比世界 1995 年 5.2% 的平均水平低 1.8 个百分点,比发展中国家 1994 年 4% 的平均水平低 0.6 个百分点[①]。这显然不适应我国经济发展的要求。

---

① 数据来源:教育部:2002 年全国教育经费执行情况统计公报,《中国教育报》2003 年 12 月 26 日。

为扩大教育的供给,我们应大力发展民办教育,特别是民办高等教育。政府在办学场地及基础设施建设上要提供信贷支持,在人才方面要鼓励高层次人才到民办高校工作。要支持和鼓励民办高校提高办学水平和档次,争取办出世界一流的民办大学。事实证明,民办学校也能办成世界一流的大学,如发达国家的不少世界知名大学就是私立学校。

与教育相类似的还有"村村通广播电视工程"这一准公共产品。政府提供相关信号发送设备,农村居民则自备收视设备。一方面党和政府的方针政策能更好地为群众所了解,提高了党和政府的信誉,另一方面农民从中熟悉了党的方针政策,学到了科学文化知识和市场信息,促进了农村经济社会的发展。对于一些娱乐性的电视频道,我们实行收费制,可以弥补电视节目的部分供给成本。

二、公共支出规模与税费负担水平

公共产品的有效供给,从财政的角度看就是公共支出规模。公共支出是指公共部门履行职能时的购买性支出和转移性支出。主要是提供公共产品的直接支出和再分配过程中的转移性支出。

公共支出规模可以从供求两个方面来分析。从需求方面说,凡是市场失灵的领域,政府公共部门都应参与。所以,理论上公共部门为纠正市场失灵所需资金支出就构成了公共支出的规模。但是,现实中市场失灵的领域是十分广阔的,而政府公共部门的供给能力是有限的。因此,公共支出规模不是取决于需求,而主要取决于公共部门的供给能力,即公共部门的收入水平。从供给角度看,公共支出规模受资源稀缺性、居民的税费负担能力等因素约束,与公共部门履行职能的深度和广度密切相关。

很显然,一国的经济总量越大,则公共支出的规模也就越大。如发达的美国和第三世界发展中国家越南的公共支出规模当然是不可同日而语的。可见,从绝对量上来分析公共支出规模问题没有什么实际意义。因此,人们常用相对量即相关指标来衡量公共支出的规模,这些指标包括一国公共开支占该国当年 GNP 或 GDP 的比重及人均公共支出额等。

目前常用的衡量一国公共支出规模大小的相对指标主要有:公共支出占按市场价计算的 GNP 的比重;公共支出占按要素价计算的 GNP 的比重;公共支出占按市场价计算的 GDP 的比重;公共支出占按要素价计算的 GDP 的比重;公共支出占 NI 的比重。[①] 这五个指标分别从不同的角度反映公共支出的规模。由于市场价与要素价的差异,以 GDP 同一指标的不同价格计算的公共支出占 GDP 的比重也不尽相同。另外,公共支出规模的确定还直接与统计口径密切相关。如西方国家往往把国有企业支出列入公共支出,而我国除国家预算内安排的国有企业投资支出外,其余的国有企业支出并未列入公共支出。

公共开支的规模并不是一成不变的。事实上,世界各国的公共支出,无论是绝对额还是相对比重(占 GNP 的比重)都呈不断增长之势。这一现象引起许多经济学家的关注。德国经济学

---

① 参见马海涛:《公共财政学》,中国审计出版社 2000 年版,第51页。

家阿道夫·瓦格纳,通过考察欧美及日本等国的公共支出,发现了政府职能不断扩大以及政府活动持续增加的规律,并将其命名为"政府活动扩张规则"。他认为,政府职能的扩大和经济的发展,要求保障行使这种职能的公共支出不断增加。政府职能的扩大有两方面的原因:一是政治因素,也就是国家活动规模的扩大;二是经济因素,即经济发展中的宏观调控等问题,他初步提出了市场缺陷和外部性的概念。在经济实现工业化后,不断扩大的市场和市场机制之间的关系会更为复杂。市场机制运行的复杂性要求有相应的依法维护市场秩序的机构,而城市化的发展会导致产品和劳务的外溢性作用的扩大,如市政公共设施的兴建产生外溢性等,这些都要求公共财政进行干预与管理。瓦格纳还提出了收入弹性的概念,他把教育、娱乐、文化、保健与福利等方面政府支出的增长归因于需求的收入弹性,也即收入的增长使人们对这些方面有更多的追求。

瓦格纳从经验分析得出的公共支出呈不断增长之势的结论,基本上符合公共支出增长的实际趋势。他的这一理论被人们称之为"瓦格纳法则"。但正因为他的结论是从经验得出的,故其普遍性还有待探究。并且,虽然经济增长是公共开支增长的主要原因,但政治、社会、历史、文化等方面对公共开支也有重要的影响。

从近些年的实际情况看,西方许多国家公共支出占 GNP 的比重都有不同程度的下降,且稳定在一定的水平上,并没有出现持续增长的现象。即使同样是发达的国家,美国和日本的公共支出规模和增长速度都比欧洲国家小得多(见下表)。

有关国家政府公共支出占 GDP 的比重①　　　　单位:%

国　家	1980	1990	1995
奥地利	48.8	49.3	52.7
法　国	46.6	50.5	54.1
德　国	48	45.3	49.1
意大利	41.9	53.2	53.5
日　本	32.6	32.3	34.9
瑞　典	61.2	60.7	69.4
英　国	43.2	40.3	42.5
美　国	33.7	36.7	36.1

　　从我国的情况看,公共支出的规模随政府职能的伸缩,呈现阶段性变化特征,总体趋势则是呈不断增长之势。这就要求政府转变职能,从公共竞争的市场领域退回到公共产品领域,为社会提供优质的公共产品。与此同时,还必须提高政府效率,尽可能地减少政府不必要的开支,特别是要压缩政府行政开支,为此必须进行行政体制改革。关于这一点,我们将在第六章分析。

　　公共支出规模从收入方面看,则是一国的税费负担水平问题。要维持一定的公共支出规模,必须有相应的财政收入作保障,而财政收入的主要来源则是税收以及少量的收费。

　　我们先分析税收负担问题。税收负担是指国家征税时纳税人所承受的经济负担程度或负担水平。从广义上讲,是指社会上各阶级,各阶层和各部门对于国家课税的负担;从狭义上讲,是指纳税人依法向国家缴纳的各种税收的总额。税收负担涉及

---

①　资料来源:裴元论:《经济全球化与中国国家利益》,《世界经济》2000 年第 3 期。

国家的财力和纳税人的承担能力两个方面。

税收负担可以从不同的层次进行分析,一般可分为宏观税负,中观税负和微观税负。宏观税负即全社会总税收负担,这一指标可以从整体上分析国民经济和社会稳定发展中带全局性的问题,并可以进行国际比较。中观税负即某个地区、国民经济某个部门或某个税种的税收负担,研究中观税负的意义在于适时监测地区或部门的税收负担,促进地区经济繁荣,协调全国各地区经济的共同发展,推动产业结构的调整,发挥税收的调控功能等。微观税负是指纳税人个体的税收负担,如单个企业、农民、城市居民个人的税收负担等。微观税负是制定税收政策时应考虑的最根本的因素。研究微观税负,是要解决宏观税负和中观税负在微观领域内的合理化问题。农民税收负担正是微观税负要研究的重要内容之一。

我们再分析收费的负担情况。如前所述,收费也是政府财政收入的组成部分,是财政收入的辅助形式。由于收费自身具有有偿性特征,因此收费的负担问题与税收负担问题有所不同,难以像税收负担一样准确地进行衡量,但我们也可以用一些宏观指标,如收费占 GNP 的比重等来进行比较分析。从个人负担来说,收费应以个人的受益程度为基准。

综上所述,公共产品的供给水平决定了公共支出规模和税费负担水平。我们应从本国的国情出发,科学地制定税收制度,并进行国际比较,以期借鉴国外的先进经验,完善我国的税收制度。

三、"拉弗曲线"原理与税收中性原则

税收负担水平最终要反映在税率的水平上。如何确定合理

的税率呢? 美国经济学家拉弗提出了著名的"拉弗曲线"原理。他认为,在一定的限度内,税收收入将随税率的提高而增加,因为税源不会因税收的增加而同比例地减少;如果税率继续提高,并超过这个限度,则税收收入不但不会增加,反而会下降。如下图所示:

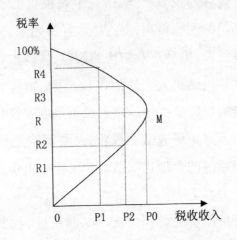

上图中,税率由 R1 提高到 R2,税收收入由 P1 增加到 P2。但税率的提高有个限度,如果超出这个限度,就会影响人们工作、投资和储蓄的积极性,导致税基减少的幅度大于税率提高的幅度,使税收收入减少;当税率由 R3 提高到 R4 时,税收收入由 P2 减少到 P1;当税率为 R 时,税收收入为 P0,即为税收的最大值,RM 线也就成为税率的临界点。在这个税率水平上,税收收入最多,超过这个界限,就是税收的禁区,所以,R 为最佳税率。

"拉弗曲线"原理揭示了税率水平与税收收入之间的关系。它给我们的启示在于:政府应将税率确定在一个合理的限度内,不能无节制地乱征税,否则只会适得其反。过高的税率不但不能带来税收的增加,相反会损害税基,导致税收减少。同时这一原理还表明,要得到一定的税收,政府可以选择高、低不同档次的税率。如上图中,要得到税收收入 P1,可以有 R1 和 R4 两种不同的税率。既然同一税收收入可以得自高、低不同的税率,政府就应尽可能地采用低档税率,这将有利于培养税基,从长远看会带来更多的税收收入。

在税制的设计上,要遵循公平与效率的原则,遵循中性原则和节约与便利原则。税收的节约与便利原则,要求降低征管成本。税收的中性原则是指,税收制度的设计应尽可能地使税收不影响市场中各种相对价格,保证纳税主体纳税前后经济行为的一致,即保持税收的中性。具体地说,不改变市场中的各种相对价格,从而不干扰私人经济部门的选择,不会导致超额负担的税收就是中性税收,而产生超额负担的税收则是扭曲性税收。

事实上,现实经济生活中不存在纯粹的中性税收。因为现实中实际上只有人头税不会影响价格,因而不会产生额外负担,但在实际经济生活中,如果只课征人头税,那是不现实的。所以我们所应追求的只能是尽可能地减少效率损失,而不可能完全避免额外负担。

借鉴这一理论,结合我国农村的实际,我们来分析农业税和农业特产税的问题。农业税是对有农业收入的单位和个人征收的一种税,其计税依据是粮食作物的农业收入;农业特产税则是指对有农业特产收入的单位或个人征收的一种税。同样的土地,既可生产粮食等农作物,也可生产其他农业特产。如果对农业特产课税过重,则尽管农业特产的收益高于粮食作物,农民也不会去生产农业特产,这就使农民的收益减少。所以,在确定农业税和农业特产税的税率时,应充分考虑这一问题,力求把农业特产税的超额负担减小到最低程度,使农民充分利用好农村现有土地资源,发挥其最大效用,从而实现农业资源的最优配置。

农业税征税对象价格的决定具有不同于工业产品的特性,这主要在于农产品的生产在很大程度上受自然力的影响,如气温、降水量等就是影响农作物产品的主要因素。由于农业税是以亩均常产作为计税依据的,所以实际的产量可能与计税常产有较大的差距。遇风调雨顺的年景,农作物的产量会高于计税常产,而遇灾害年份,则会低于计税常产,有的地区则有可能颗粒无收。所以,我们在制定农业税征管的法律法规时,应充分考虑到这一点。

与产量相联系的是农产品的计税价格问题。产量与价格有着直接的联系。产量大时,价格下降,农民会遇到增产不增收的现象。随着我们对 WTO 规则的逐步实行,我国农业还面临着国际上农产品的激烈竞争。目前,国际市场农产品的价格几乎比我国同种类产品低 10%—30%。因此,我国农产品将面临新的价格冲击,这也是影响农民农业收入的一个重要因素,即国际市场的不确定性也成为影响农业税计征对象价格决定的重要因素。如果计税价格高于实际市场价格,就会给农民带来额外负担,影响农民的生产积极性。这正是我们在确定农业税计税价格时应特别注意到的。

上述分析告诉我们:公共产品的有效供给以公共支出为物质基础,公共支出规模实质上是税费负担水平问题。合理的税费负担水平应反映国民经济发展水平与居民的负担能力,税率的确定要以尽可能地减少纳税人的额外负担为原则。农业税税率的确定更应该以农民的实际负担能力为依据,在当前农民收入不高且增长缓慢的情况下,要尽可能地降低农业税税率,以减轻农民负担。

第四节　政府职能的划分与地方
公共产品的供给

前面我们主要是从性质方面对公共产品与准公共产品进行分析的。本节我们从中央政府与地方政府以及地方各级政府之间职能的划分,分析公共产品的层次性问题。这样,公共产品也就有中央公共产品与地方公共产品之分。地方公共产品又可依地方政府的层次与职能作进一步的划分,而地方公共产品的供给也就是各级政府履行职能的过程。做这种分析对本书的意义在于,从理论上明确各级政府在农村公共产品供给上的事权和财权,在实践中努力实现各级政府事权与财权的统一。

一、中央政府与地方政府职能的划分

每个国家的政府都是由中央政府和不同层次的地方政府构成的,各级政府的职能不尽相同。前面我们已经分析过,政府除担负政治职能外,还有经济职能。政府的经济职能主要有:收入再分配、社会资源配置、宏观经济稳定。政府的职能

是通过对社会资源的有效配置来实现的,其具体形式就是从事公共产品的生产。由于市场失灵与低效,公共产品要由政府来提供。中央政府与地方政府在提供公共产品方面有着不同的分工。公共经济学的创始人马斯格雷夫在《公共财政学的理论》一书中,对中央政府与地方政府的职能进行了划分。他认为:"财政联邦制的核心在于如下命题,有关配置职能的政策应当允许在各州之间有所不同,这取决于各州居民的偏好,而分配职能和稳定职能的目标实现,主要是中央政府的职责。"①马斯格雷夫在这里明确地划分了中央政府与地方政府的职能,指出收入分配和经济稳定职能主要由中央政府来承担,而资源配置则主要由地方政府来承担。为什么会出现这种职能的划分呢?

先看收入再分配职能。收入再分配实际上包含两个方面,一是在个人所得之间进行再分配;二是在一国范围内各地区之间进行财富再分配。

个人所得之间的再分配具有传导性、效率性和流动性。这里的传导性是指某一地区的分配政策会迅速影响其他地区。这样,如果由地方政府来制定个人收入分配政策,将会通过传导而成为全国性的政策。因此,地方政府实际上履行了中央政府的职能。很显然,收入分配政策应由中央政府制定而非由地方政府制定,只有这样才能实现收入分配的公平性。个人所得分配的效率性是指在收入分配中,只有从一国范围内制定分配政策,

---

① 转引自彼德·M·捷克逊主编:《公共经济部门经济学前沿问题》,中国税务出版社 2000 年版,第 190 页。

才能实现分配效率最大化。个别地区的分配政策只能以该地区的资源条件及经济社会的发展状况为依据,而无法将一国范围内的国民收入及由此而形成的转移支付能力考虑进去,从而造成资源利用的不充分,而效率性分配政策应实现资源充分利用。所以,理想的个人所得分配政策应由中央政策提供。个人所得分配的流动性,是指要在充分考虑人员自由流动的前提下进行个人收入的再分配。市场经济是以生产要素的自由流动为基础和前提的,如果由地方政府来实现收入分配的公平目标,则会引起不同地区之间差异的扩大,使富人排斥穷人的现象公开化,而这是政府不允许的。从实际操作来说,如果采用高额累进税的方法对富人的财富强行征税,用以提供公共产品,则富人会认为地方政府将其财富转移给了穷人,而穷人则认为富人与他们分享了政府提供的公共产品。其结果是,要么富人迁移到别的地区去,要么是富人通过投票选择高税率,从而赶走不堪重负的穷人,形成所谓的富人区,而穷人则不得不迁入到其他社区,形成贫民窟。①

可见,个人收入再分配的特点决定了地方政府行使收入再分配职能的局限与低效率,只有中央政府才能克服这些缺陷,在全国范围内实现收入分配的公平与效率。

再看地区间财富的分配。自然历史条件的差异及各地区的居民构成、经济社会的发展水平等方面的差别,使各地区的公共产品的供应需求有很大差异。例如,在高纬度的寒冷地区与低

---

① 参阅樊勇明、杜莉:《公共经济学》,复旦大学出版社 2001 年版,第 297 页。

纬度的热带地区,对集中供暖的需求大不一样,寒带地区政府不可能要求热带地区政府为自己建造集中供暖设施提供税金。并且,即使提供同一公共产品,不同地区的成本也不一样。如提供自来水这一公共产品,雨量充沛的水乡与干旱地区的成本就有很大的差别,因此为此而征收的税收也就不同。这就意味着,两个条件完全相同的人在享受同样公共产品时会因为所处地区不同而缴纳不同的税金,这就违反了税收公平的原则,即相同能力的人纳了不同的税,出现了横向不公平。因此,有必要在各地区之间进行收入再分配,即地区之间财产的再分配,而这一职能只能由中央政府来履行。如我国对西部地区实行转移支付,进行饮水工程建设就是一个例证。

不仅收入再分配职能应由中央政府承担,稳定经济的职能也应由中央政府承担。我们知道,国家实现经济稳定主要是通过货币政策与财政政策实现的,而货币政策与财政政策只有在一国范围内实施才能产生政策效应。

在市场经济条件下,一国的生产要素是高度自由流动的,地区之间不存在人为的流动障碍,各地区的经济周期是基本同步的,这使得地方政府在反经济周期中的政策效应微乎其微。例如,地方政府为克服萧条而扩大公共支出并实行减税,从而形成了新的购买力,但其他地区的商品和劳务会很快流入这一地区,消化掉新增的购买力,从而使该地区实行的扩张性财政政策收效甚微。另外,地方政府受财力的限制,也很难以大规模地实行扩张性财政政策来实行反经济周期操作,而中央政府则可以通过发行国债来筹措扩张性财政政策所需资金,如我国近两年来实行的积极财政政策,就主要是依靠发行国债来实现的。所以稳定经济的职能也只能由中央政府来承担。

中央政府的上述职能是通过提供全国性公共产品来实现的。地方政府的主要职能是有效配置资源,即通过提供地方公共产品来实现资源的有效配置。

二、地方公共产品的层次性

地方公共产品是相对于全国性公共产品而言的。全国性公共产品的受益范围涵盖整个国家,如国防、外交、义务教育等全国性公共产品,本国居民都能享受,不受地区的限制,它由中央政府提供。地方公共产品的受益范围局限于本地区,如公共教育、交通安全、市政设施等,只有相应范围内的居民才能享受,受益者受明显的地域空间限制。

可见,地方性公共产品与全国性公共产品的最主要的区别在于,地方公共产品受地域空间的限制,而全国性公共产品在主权范围内则不受空间限制。地方公共产品的空间限制特性,使其成本与收益局限于某一地区。地方公共产品的消费者在确立了自己的地区归属后,就会从自己的偏好出发选择公共产品并从中受益,同时负担相应的成本(交纳地方税或直接支付一定的费用)。地方政府也应从本地区的实际出发,合理配置当地资源,为社区居民提供质优价廉的公共产品。

全国性公共产品与地方公共产品的划分,实质上体现了公共产品的层次性。地方性公共产品从全国范围看,则是准公共产品。因此,公共产品的空间限制是其层次性的具体表现,而层次性又是由一般性特征决定的。同时具备非排他性和非竞争性两大特征的公共产品，必定是全国性的纯公共产品，其受益者为全体公民。但是，现实中这种纯公共产品并不多，大多只具有其中的一种属性或虽然两者均有，但特征并不很强，从而成为准公共产品。所以，公共产品特征的强弱决定了公共产品的层次性。

地方公共产品本身也具有层次性，一方面是地方政府自身的层次与级别，决定了相应级别的政府提供的公共产品的层次性；另一方面是地方公共产品的受益范围的大小之别使地方公共产品具有层次性。就我国现行行政区划与地方政府机构设置而言，有省、市、县、乡（镇）四级，另外还有作为村民自治组织的行政村。不同层次的政府部门或自治组织，都应提供不同层次的公共产品。

从受益范围来区分公共产品的层次性，是划分中央政府与地方政府事权与财权的理论基础。全国性公共产品既然使全体公民受益，当然应由中央政府提供，地方公共产品则因受益范围为本地区，故应由地方政府提供。虽然某些地方公共产品也存在收益外溢性，如地方电视台会使相邻地区居民免费收看节目，但这并不影响地方电视台作为地方公共产品的性质，因为开办地方电视台的动机是满足本地区居民的需要。公共产品层次性的划分，为中央政府与地方政府以及地方各级政府的行为目标、职责范围和相互之间在财政收支上的划分提供了理论依据。各级政府应提供相应层次的公共产品，并取得与所提供公共产品规模相当的收入，包括税收和收费。即公共产品的提供应由其利益归属范围内的居民选择并承担费用，这种费用包括间接形式的纳税和直接形式的付费。

为什么地方公共产品由地方政府来提供比较合适呢？西方学者从集权与分权的角度提出了不同的理论①。

1. 施蒂格勒关于最优分析模式的理论。施蒂格勒认为,地方政府比中央政府更加接近公众,因此它也比中央政府更了解辖区内选民的需求与偏好。由于中央政府统一提供地方公共产品是不经济的,因而各地区居民有权通过投票对公共产品的供应水平和数量进行选择。

2. 特里西的偏好误识论。特里西从信息的质量上来分析由地方政府提供地方公共产品的必要性和优越性。他认为,地方政府对辖区内居民的偏好等信息能较准确、较全面地了解,而中央政府所掌握的这方面的信息则不可避免地带有随机性和片面性。中央政府据此提供公共产品,就会出现质的差错和量的不均衡,从而造成资源浪费和社会福利损失。所以,只有地方政府能依据真实可靠的信息,按需求的种类与数量提供地方公共产品。可见,地方政府较之中央政府更适合提供地方公共产品。

3. "以脚投票"理论。所谓以脚投票,是指每个居民从个人效用最大化出发,不断迁移,只有当个人迁移的边际成本与边际收益相一致时,才会停止寻找最佳地方政府的努力,而就地安居。这一过程就是"以脚投票"。通过"以脚投票",可以达到资源的有效配置。②

---

① 参阅樊勇明、杜莉:《公共经济学》,复旦大学出版社 2001 年版,第 300—304 页。

② C. M. Teibout: A Pure Theory of Local Expenditures, Journal of Political Economy, vol. 64, p. 422, 1956.

除了以上述理论说明地方政府提供公共产品的合理性与必要性之外,还可以从效率的角度进行分析论证,一般都以下面的坐标模型来说明。

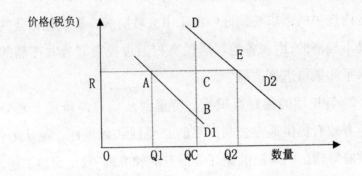

上图中,我们假定国内设有两个地区,并有两组对公共产品不同需求的居民。第一组居民需求 D1 小于第二组需求 D2,并假定人均负担的公共产品成本(税负)OR 不变,则两组居民对公共产品的需求量分别为 Q1、Q2,设中央政府提供的公共产品数量为 QC,则有:

Q1 < QC < Q2 ,即对第一个地区的居民来说,中央政府提供的公共产品超过了其需求,而对第二个地区的居民来说,中央政府提供的公共产品则小于其需求。由于人均成本两个地区均相同,所以,第一个地区居民的成本大于收益,其福利损失为△ABC;第二个地区居民的需求得不到满足,其福利损失为△CDE。因此,由中央政府提供地方公共产品不利于资源的有效配置,会造成地区福利损失。结论是:地方公共产品应由地方政府来提供。

地方公共产品应由地方政府来提供,并不意味着中央政府对此无所作为。事实上,地方政府在提供地方公共产品的过程中,在很大程度上依赖于中央政府的协调、支持与配合。这主要是基于以下原因:

首先是公共产品的外部性使公共产品的提供者的成本与收益不对称。这样地方政府将热衷于提供收益大于成本的具有成本外溢性的产品,而不愿意提供收益小于成本的具有收益外溢性的公共产品。其次是地方财力状况的差异使各地为其居民提供的公共产品的水平不一样,这会导致人口的不合理流动。第三是全国统一的公共产品最低标准问题。各地区的居民尽管分属于不同的地方政府,但它们应享受共同的最低标准的公共产品,这是实现社会公平与效率的要求。但当由地方政府来提供这些公平产品时,地方政府的偏好(如政绩考核目标)和责任心等因素,使其难以保证最低标准,存在"克斤扣两"的可能性。这些都要求中央政府参与地方公共产品的供给,以转移支付等形式给地方政府提供必要的支持。

三、地方公共产品的供给水平与地方政府的规模和收入

地方公共产品主要是由地方政府供给的,地方政府的规模及收入直接决定地方公共产品的供给水平。因此,我们必须分析地方政府的最佳规模与收入问题。美国著名的公共选择学派代表人物布坎南,运用游泳俱乐部人数规模理论,分析了地方政府的最佳规模问题。他假定游泳池的总成本(F)是固定的,游泳俱乐部成员的偏好和收入也相同,要确定的是俱乐部成员的数量(N)问题。

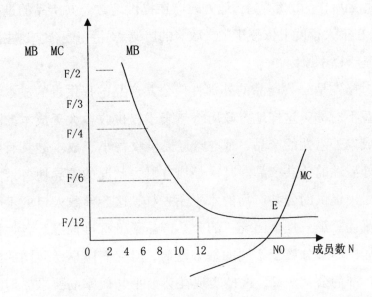

上图中,MB 表示因新成员的增加带来的边际收益,MC 代表因新成员增加而引起的拥挤成本不断上升。很显然,随着新成员的不断增加,原有成员所负担的游泳池固定成本因新成员分摊而不断降低,也就是成员因成本分摊而受益。但随着成员数的不断增加,拥挤成本由负数不断上升,游泳池变得拥挤,使游泳俱乐部的成员难以尽兴,降低了成员的收益。只有当成员的边际收益与边际成本均衡,即图中 MB 与 MC 相交于 E 点时,因成员增加带来的分摊成本下降的收益与成员增加带来的拥挤成本上升相抵,收益正好等于成本,此时俱乐部的人数 N 是最佳规模。

另一位美国经济学家麦圭尔以布坎南的这一理论为基础,进一步论证了地方政府规模问题。他认为,地方政府应遵循公共产品提供规则,使人均分担的公共产品的成本正好等于新进入成员所引起的边际成本。这样每一个地方政府好比一个俱乐部,人们按自己的偏好自觉或不自觉地组成许多社区,亦即地方政府。

按俱乐部理论,我们可用下面的图示来表示地方政府的最佳规模:

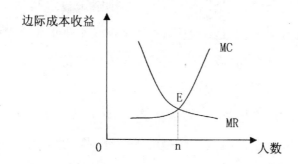

上图中 MR 代表每新增一个居民给地区带来的边际收益,MC 代表每增加一个居民所带来的边际拥挤成本,它随新增人口的增加而不断上升。MC 和 MR 相交于 E 点,由 E 点决定的人口数即为地方政府的最佳规模,此时新增居民带来的边际拥挤成本正好等于因人均公共产品成本下降带来的边际收益。

随着地方政府居民的增加与规模的扩大,其征收的税费也会不断增加,从而其公共产品的供给水平不断提高。但也应该指出,仅从人口规模来分析地方政府的规模,分析地方公共产品的供给是远远不够的,因为地方公共产品的供给水平还要受很多因素的影响。所以,在分析地方公共产品的供给水平时,还应考虑诸如居民的货币收入及偏好、辖区面积、居民愿意负担的税负水平及其他随机变量等因素。世界银行在 1994 年《世界发展

报告》中提出了一个计量模型①:

$$LgG = \beta_1 + \beta_2 LgY + \beta_3 LgP_G + \beta_4 LgN + \beta_5 LgZ + \varepsilon$$

上式中,G代表地方公共产品的供给水平,Y为居民个人货币收入,P_G为居民愿为该水平的公共产品承担的税金,N为地区内人口,Z为不同居民的偏好差异,ε为随机变量。这一模型有两个必要条件:一是以居民能通过投票来显示其真实的公共产品需求为前提;二是以地区内中等收入水平的居民为中位投票人,亦即以他们的需求代表区内全体居民的平均需求。按这两个条件,上述模型还应考虑价格水平变动,即式中G要加上公共产品的价格指数。

世界银行在提出这一模型的同时还提出了比较简便的计算方法,即以公共产品投资与地区国内生产总值之间的比例来确定地方公共产品的供求水平。确定投资水平应参照人口规模相同地区的比例。世界银行的测算显示,社会基础设施投资一般占国内生产总值的2%—8%,平均水平为4%。很显然,这是仅就基础设施这一项公共产品而言的,如果加进其他公共产品,并考虑到历史文化等其他因素,则这一比例将会有所提高。

事实上,地方政府的最佳规模与地域空间也是紧密联系在一起的,地方政府所辖土地面积也直接影响到公共产品的供给水平。例如,在人口稠密的地区修建交通设施,其利用率高,从而这一公共产品的供给水平与效用高;而在人口稀少的地区修建交通设施,不仅投入大,而且利用率低,因而公共产品的供给水平低(不能充分利用资源,导致福利损失)。尽管这两个地区

① 参阅世界银行:《1994年世界发展报告》。

的人口数相同,但因土地面积不同而使人口密度不同,从而导致公共产品的供给水平出现较大差异。

分析土地面积与人口密度对地方公共产品供给水平的影响,对分析农村公共产品供给有重要的实践意义。以土地面积为计税依据的农业税,作为农村公共产品投入的主要来源,直接影响农村公共产品的供给水平。我国是一个经济社会发展很不平衡的发展中国家,东部地区与中西部地区经济发展水平差距较大。因此,不同地区农村公共产品供给水平也必然会有较大的差距。客观认识并正视这种差距,是搞好农村公共产品供给的基础与前提。

地方政府提供公共产品,必须有相应的收入来源作为物质保障。地方税收及地方政府的收费是地方政府的主要收入来源。就地方政府的处境来说,地方政府不宜征收有再分配性质的、税基分布不平衡且流动的、税负易于转嫁的税种,故地方政府的主要税种应是土地税、房产税、人头税以及选择性货物与零售税。这些税的税基相对固定,税负又不易转嫁,故能成为地方政府的主要收入。另外,地方政府还可从与中央政府的共享税中获得一部分税收收入以及转移支付收入。

收费也是地方政府的重要收入。收费对象应是辖区内享受准公共产品的受益人,这也应该包括部分间接受益人。[①] 收费要坚持公平合理与效率的原则。从世界经济的发展过程看,目前世界上大多数国家的地方政府都把收费作为重要的收入来

---

① Fisher, M., *1996*, *State and Local Public Finance*, Richard D. Irwin, p. 181—182.

源。如美国,1957 年州和地方政府的收费占其收入的比重就分别达到 13.65% 和 25.4%。[①]

地方政府的收入来源除本级征收的税费外,还有来自中央政府或上级政府的转移支付,它在地方公共产品的供给中发挥着重要的作用。这一问题需要通过建立公共财政体制来解决。

上述分析对本书的意义在于,中央政府及地方各级政府在农村公共产品的供给中,应分别履行好自己的职责。中央政府应该为农民提供最基本的公共产品,以使农村居民享受"国民待遇";地方政府在农村公共产品供给中则应发挥主要作用;国家应使地方基层政府有稳定的收入来源,并适当扩大基层政府辖区规模,以提高其供给农村公共产品的能力。

四、在改革实践中发展中国特色公共产品供给理论

当前,我国正处于由计划经济向市场经济的转型期。特定的社会历史条件,决定了我国的公共产品供给既不同于传统计划经济条件下的公共产品供给,也不同于西方现代市场经济条件下的公共产品供给,当前我国的公共产品供给具有自己的特点。

与传统计划经济条件下公共产品的供给相比较,当前我国的公共产品供给的范围和方式发生了重大变化。从范围来说,计划经济中的公共产品供给几乎涵盖了社会产品的所有领域,许多私人产品也以公共产品的方式供给,使政府公共部门力不从心。与西方成熟的市场经济国家相比,我国公共产品的供给规模与水平还存在较大的差距。因此,我们既要改革计划经济

---

① 刘迎秋:《公共财政与宏观经济稳定》,《经济研究参考》1996 年第 5 期。

性质的公共产品供给模式,又不能简单地以西方发达国家的标准与模式来评判我国的公共产品供给,而应该从我国的国情出发,探索中国特色的公共产品供给模式。

从生产力方面说,我国的综合国力虽然有了大幅度的提高,但生产力总体水平还不高。这就决定了我国的公共产品供给规模与水平在较长时期内还只能维持较低水平,只能随着国家经济发展水平的提高而逐步提高。与此同时,我国的生产力发展水平在层次上、地区间极端不平衡。多层次的生产力结构与地区间的发展不平衡,导致我国的公共产品供给呈现出巨大的层次差距与地区差别。

从生产关系方面看,我国的经济体制改革正在进行之中,生产关系层次的相关制度还有待完善,制度性障碍仍然存在。因此,政府公共部门提供的公共产品内容,必然与西方国家有所差别。政府在干预宏观经济时,不仅程度不同,而且重点与力度也不一样。不平衡的发展水平,要求在城乡之间、东部与西部之间、经济与社会事业之间,保持协调。强调宏观调控与协调,这是与其他国家所不同的。我国经济发展正处于较快的发展时期,因此,我国的公共产品供给呈现出渐进性。公共产品的供给水平将随着经济发展水平的提高而不断提高。

我国的公共产品供给具有开放性。受生产力发展水平的制约,国家供给公共产品的能力,还不能适应社会对公共产品的需求。因此,必须放开部分公共产品领域,特别是准公共产品领域,允许社会资金或外资参与公共产品的供给。这既是我国生产力水平的要求,也是市场经济发展的要求。

按上述要求发展中国特色的公共产品理论,必须在马克思

主义理论指导下,借鉴西方公共产品理论。现代公共产品理论
关于两部门的划分、纯公共产品与准公共产品的分类等具体理
论,在一定程度上反映了市场经济的一般性规则与要求。它为
我们合理地界定政府职能的范围,科学划分各级政府的事权与
财权提供了理论依据。

第五节　农村公共产品与农民税费负担

农村税费系指农民为消费农村公共产品而依法交纳的税
费。政府向农民收取税费是为了补偿提供农村公共产品所耗费
的成本。农民的税费负担应与农村公共产品的供给水平相适
应。农村公共产品的供给决策,应充分发扬民主,尊重大多数农
民的意见。在一定条件下,可以实行公共选择。

一、农村公共产品的分类

农村公共产品是指政府公共部门为以农业人口为主体的农
村社区居民提供的公共产品。政府分为中央政府和地方政府两
个层次。地方政府在我国主要有四个层次。一是由省、自治区、
直辖市构成的省级层次,共计 31 个(不含港、澳、台,下同);二
是由较大的市、自治州等构成的地区层次,计 332 个;三是由县、
县级市和自治县构成的县级层次,计 2860 个;四是由乡、镇构成
的乡级层次,为 44850 个。① 随着经济社会的发展,地方行政区

①　数据来源:《中国统计年鉴(2003)》,中国统计出版社 2003 年版,第 3 页。

划的设置会有一定的变化,这里以 2003 年底的资料为准。

地方政府的这种层次构成,有利于从职能的角度划清各级政府在提供公共产品中的职责。这里我们对比中央政府与地方政府的职能,以进一步明确地方政府的职责。

1994 年我国实行的分税制,对中央政府和地方政府的职能作了明确划分。中央政府的职能是:国家安全,外交,中央国家机关的运转,国民经济结构调整和宏观经济调控,地区发展的协调以及其他必须由中央政府直接管理的事务。地方政府的职责是:辖区内国家机关的运转,辖区内经济和社会事业的发展。

按照这种划分,地方政府的职能主要是提供辖区内的公共产品。上一级政府为下一级政府提供纯公共产品,而本级政府提供的纯公共产品则是上一级政府的准公共产品。所以,农村公共产品,既包括国家提供的纯公共产品,也包括上级地方政府提供的公共产品,还包括乡镇政府提供的公共产品及行政村内村民通过筹资投劳提供的公共产品。由于我国农村居民主要分布于乡镇,乡镇一级要由县(含县级市)级地方政府提供纯公共产品。如县、乡(镇)之间的交通等,主要由县级政府提供。这里,我们在分析地方政府供给的农村公共产品时,其范围限于县、乡(镇)两级地方政府及作为村民自治组织的行政村供给的公共产品。

农村由中央政府提供的公共产品应包括:全民义务教育,计划生育、民兵训练、跨地区的大型水利工程设施、国家主要交通干线(特指交通干线经由的地区)等。这些是全体国民应该共同享受的,不应因户籍不同而不同,亦即应实行国民待遇原则。当然,我们也应该看到,由于我国的生产力发展水平还比较低,且极不平衡,工农之间、城乡之间还存在着较大的差别。因此,由中央政府提供的公共产品也必然会表现出城乡之间的差别,中央提供的城市公共产品会比农村公共产品水平高、规模大。我们必须正视这种差别,并在经济发展中逐步消除这一差别,即通过加速发展国民经济,让农民享受到与市民基本相同的纯公共产品。

乡镇政府是我国政府机构的最低层次,是最基层的政权机构,是农民居住地内的地方政府。乡镇政府直接与农民打交道,大部分乡镇干部的家庭组成亦是"工农结合",有的还有承包的土地(属家属或子女名下)。所以他们最熟悉农民的偏好,最了解农民对公共产品的需求。乡镇一级的农村公共产品应包括:辖区内公共基础设施(其中主要是交通与水利工程)、农产品市场服务、司法服务、外出务工的技能培训与组织管理、农业科技的推广等。

从政府的层次来划分农村公共产品的类别,其意义在于,明确各级政府在提供农村公共产品方面的职责,避免农村公共产品供给主体的缺位与越位,以保障农民享受到应有的公共产品。

在农村公共产品中,还有一类是由行政村提供的。行政村作为农民自治性组织,并不是一级政府机构,因而也就不存在村级财政。所以,由行政村提供的公共产品并非一般意义上的由政府公共部门提供的公共产品,但它又不同于一般意义上的私人产品,并不具有排他性和竞争性,亦不可分割。如行政村内自然村之间的道路,就是行政村公共产品,它不可能由私人部门来提供。正因为行政村级公共产品的这种特殊性,使它的供给不同于一般公共产品。我们将在后面对此进行分析。

二、农村公共产品的供求均衡与农民税费负担水平

我国有 9 亿多农民,占全国人口的 70% 左右,农村人口占我国人口的绝大部分。这部分人口的公共产品消费水平如何,直接影响全社会居民的社会福利水平和生活质量,忽视这部分人的福利水平,也就谈不上提高全国人民的生活质量,改革与发展的成果也就无从体现。因此,各级政府应把为农民提供高质量的公共产品作为自己的战略性任务。农村地域广大,人口居住分散,位置偏远,因此农民对公共产品需求比城市居民更为迫切。无论是生产还是生活方面,农村都需要各级政府提供必要的公共产品。如果考虑到农村人口城市化、加快建设小城镇的需要,这一问题就变得更为迫切。

可见,制约农村公共产品均衡发展的因素,不在于需求不足,而主要在于供给能力不足。制约农村公共产品供给水平的因素是多方面的,首先是政府部门之间的职责不够明确或履行职能不到位。长期以来,由于我国实行工业优先发展的战略,农业一直在为工业的发展提供资金。据初步测算,建国以后,通过工农产品价格剪刀差等形式从农业转移到工业的资金近 10000 亿元。① 这使农业生产长期维持在简单再生产的水平上。由于土地肥力的下降、水利等公共设施的老化、以及城市化等因素导致的耕地面积的减少,农业生产成本不断上升,有的地方甚至连农业的简单再生产都难以为继,其直观的表现就是农村出现大面积的抛荒现象。这种情况使农村公共产品极为短缺。如养老

---

① 政府统计部门与学术界对此数据的认定差距较大,这里取中间估算数。

保险、基本医疗保险等基本社会保障制度,在农村极为少见。①
而在城市,这些大都由国家或城市政府提供,这对农民显然是不
公平的。更难以理解的是,像义务教育、计划生育、民兵训练这
类国家纯公共产品,都由农民负担,大大加重了农民的负担,完
全违背了公共产品的供给原则,也违背了社会主义的公平原则。

从各级地方政府来说,也存在职能不到位或越位的问题。
他们为农民提供公共产品与农民对公共产品的需求脱节。一些
本应由地方政府提供的公共产品,如农村电网工程、社区主干公
路工程、大中型农田水利工程等,也由农民自己负担,甚至一些
升级达标、政绩工程等农民并不需要的"公共产品"都强加给农
民,成为农民的额外负担。

制约农村公共产品供给的第二个主要因素是县级财政的供
给能力弱化。由于县级财政收入的主要来源是县内工商企业所
得税和农业税,而县级工商业发展水平低,规模小,效益差,能提
供的利税极其有限。农业税在县级财政收入中占有很大的比
例,基本都在50%左右,有的高达70%,而这些财政收入还不足
以维持县乡行政机关及事业单位的正常运转。在全国2100多
个县中,有1000多个县收不抵支。这种状况使县级财政根本无
力提供农村公共产品,一些本应由县级政府承担的诸如区内道
路、农田水利工程、农村职业教育等公共产品都要由农民自己
负担。

上述两方面的原因,使农村公共产品的供给基本成为农民

---

① 个别地方出现了在部分失地农民中建立基本生活保障制度的尝试,部
 分省(市、区)正进行建立农村合作医疗制度的试点。

的"自给自足",从而公共产品的供给成本也基本上由农民"自我负担"。这样,农村公共产品的供给成本实际上变成了农民的直接负担。既然农业税不足以抵偿农村公共产品的成本,且又无上级财政的转移支付,就只能在税收之外收费了。由此,逐渐演化成乱收费,也就难以避免了。

客观地说,在计划经济时代,农村建成了一批大型的水利工程和相关的公共设施,如安徽省著名的淠史杭水利工程。虽然计划经济时代的经济运行方式及公共产品供给的成本收益的比率不尽如人意,但这些工程在农村所发挥的作用却是有目共睹的。这里提及这段历史的目的在于,我们对农村公共产品的供给要高度重视,要充分认识到它们在农村经济社会发展中的重要作用。

农村实行大包干以后,原有的水利工程大部分年久失修,已不能正常发挥作用,少数残存的也缺乏必要的维护。农民为应付生产生活的需要,采取小规模互助合作的形式,如相邻地块的几家农户共同出资打机井,同一河流的两岸或上下游农户共同出资兴修小水库等工程,发挥了一定的应急作用,但由于规模小,技术水平低,功能不配套,形成高投入低产出的局面。这说明,在现阶段农民收入水平低,消费剩余少的情况下,让他们直接负担农村公共产品的成本是不公平的、不经济的,会造成资源的浪费和社会整体福利的损失。

可见,从公共经济角度看,农民税费负担沉重的原因在于农村公共产品的供给机制不健全,农村公共产品的供给成本几乎完全由农民负担。

由于农民的农业税负担只是农民负担的一部分,甚至是一小部分,除此之外还有收费负担,这部分原来称作"三提五统"。"三提"指行政村的公积金、公益金和村级管理费,"五统"指乡村两级九年制义务教育、计划生育、优抚、民兵训练及修建乡村道路五项所需资金支出。"三提五统"由于缺乏必要的法律规范和约束机制,已经大大超过农民交纳的农业税而成为农民负担的主要部分,并呈不断增长之势。究其原因,除存在一定程度的乱收费外,农村公共产品供给的资金需求是主要因素。

总之,农村公共产品的供给主体缺位和职责的混乱,使农村公共产品极为短缺,乡镇政府为提供必要的农村公共产品,受自身财力的局限,只能直接向农民收费,从而使农村公共产品的供给成本直接转化为农民的税费负担。因此,只有科学规范各级政府在农村公共产品供给中的事权与财权,并使之各尽其责,农村公共产品的供给才能走上良性循环的道路,农民负担也才能从根本上得到减轻。

三、农村游离人口的税费问题

农民是以土地为基本生活资料的。千百年来,他们日出而作,日落而息,过着自给自足的小农生活。新中国建立以后,虽然实现了农村土地社会主义集体所有制,但农民的这种小生产的生产方式并未改变。实际上,计划经济的模式不但不能改变,而且只会强化这种小生产的特征。只有实行市场经济,才能以资源优化配置的方式,改变这种农村土地生产资料分散的布局。在世界经济发展史上,正是分工与协作,促使土地资源由分散走向集中,为规模化、专业化的商品生产提供前提条件,而与土地分离的农民则成为产业工人。

改革开放以来,市场经济催生着农村新的土地制度。土地联产承包责任制的推行,使部分农民通过转让土地使用权或放弃承包权,摆脱了对土地的依附,成为这里我们所说的农村游离人口。这部分人的去向大致是:进入附近的小城镇从事非农产业;进入大城市打工并拥有较为稳定的工作和一定水平的固定收入,且全家基本上在城市安营扎寨;通过在大城市投资办厂真正成为市民,或称农民企业家,这部分人的比例虽小,但有逐步增加之势。我们这里说的游离人口主要指前两类,即进入小城镇从事非农产业劳动或进入大城市工作且有较稳定收入的打工者。

从性质上看,农业税属于为行使土地使用权而交纳的税收,而不承包土地,未取得土地使用权者,自然不应交纳农业税。如果农民转让土地使用权,则应由土地使用权的受让者交纳农业税,这也符合农业税的立税宗旨。由于农村游离人口离土不离家,即虽未承包土地但仍居住在乡村社区,他们仍然是农村公共产品,如乡镇的交通、电力、供水等公共设施的受益者,故应承担相应的费用。在税费改革地区,这部分费用相当于农业税的附加部分。由于这部分费用的数额很小,只有农业税正税的20%,远不足以调节这部分人相对于种地农民的较高收入。有一种观点认为,对这部分人应加征个人所得税。

对农村游离人口征收所得税,从理论上讲有其合理性。就收入来源的性质而言,这部分人的收入来自劳务,而劳务收入正是个人所得税的征税对象。我国税法规定,个人凡取得工薪收入、生产与经营所得、劳务所得,均应按规定缴纳个人所得税,这也是世界各国通行的做法。当然,在对这部分人的劳务所得征税时,也应扣除必要的生活费用。目前我国个人所得税的免征额为月收入 800 元。如果以这一标准来衡量农村务工人员的收入,则大多数打工人员的收入达不到这一水平。所以实践中又很难对这部分的收入征收个人所得税。如果调低农村务工人员的个人所得税免征额,则又与税收的社会公平性原则相违背。可见,目前,对农村务工人员征收个人所得税的条件并不成熟,实际操作中也很难核定这部分人员的收入情况。

与承包土地的农民相比,不承包土地而外出务工的人员,其收入远远高于种地的农民。如果仅仅缴纳相当于农业税附加的费用,则显然负担过轻,形成种田收入低的负担重,务工收入较高的负担轻的现象。怎样认识这一现象呢,我们认为,部分农民放弃承包的土地外出务工或经商是农村市场经济发展的必然趋势。随着农村市场经济的进一步发展,乡镇城市化水平的进一步提高,将会有更多的农民摆脱土地的束缚,成为新一代的商品生产与经营者,并以自己的努力奋斗成为真正意义上的城市人(不是户籍意义上的)。从这部分人的构成看,他们大多是农村中受教育程度较高,头脑灵活,有一定的创业精神与能力的年轻人。他们不安于农村的现状,通过多年的艰苦创业,有小规模的资本积累,从商品生产或经营中取得收入。可以说,他们在农村市场经济发展中起着示范与带头作用,有的乡村在他们的示范下成为专业村、专业乡,出现了真正意义上的商品生产与市场经济。如安徽省太和县皮条孙镇的绳网市场,马集乡的毛发市场,形成了"买全国卖全国"的专业市场辐射能力,部分产品还出口到欧美等国际市场。因此,要充分认识这部分人的示范作用,同时要依法保护这部分人的合法生产与经营,并要从资金、场地等方面支持他们扩大经营规模,提升产品档次。针对他们收入较高的现实,可通过"一事一议"等形式,争取他们对家乡公益事业的支持,其负担额度应不少于农户交纳的农业税及附加的水平,且这部分费用应主要用于农村公共设施(包括生产与生活所需)的建设。

四、农村公共产品决策中的公共选择

公共选择理论是运用经济学的工具和方法研究集体的或非市场决策过程的理论。公共选择理论的创造者之一丹尼斯·缪勒在其代表作《公共选择》一书中开宗明义地写道:"公共选择可以定义为对非市场决策的经济学研究,或者简单地说,是将经济学应用于政治科学。公共选择的主题就是政治科学的主题,即国家理论、投票规则、投票者行为、党派政治学、官方政治等等。然而公共选择的方法论则是经济学的方法论。如同经济学一样,公共选择的基本行为假定为人是关心个人利益的,是理性的,并且是效用最大化的追逐者。"[①]可见,公共选择是不同于市场决策的一种新的决策方式。

我们知道,人们一般的决策是在市场环境下自由地进行的。作为经济人,个人在市场中的决策受市场机制的制约,追求最大的利润和最大的效用。这时有两个基本的前提条件,一是价格能完全反映消费者的偏好,另一个是企业能提供消费者所需的产品。但正如前面我们所分析过的那样,消费者除了消费私人产品外,还要消费公共产品,而公共产品是由政府公共部门提供

---

① 丹尼斯·缪勒:《公共选择》,商务印书馆1992年版,第5页。

的。政府在进行公共产品供给的决策时,存在着政府失灵(government failure)现象,即政府存在着这样的缺陷:第一是信息的有限性,第二是政府决策的低效性,第三是政府对官僚主义管理的失控。政府失灵的存在,促使人们关注政府决策过程,关注改进政治决策程序及决策的结果。而政府则更要明确自己的基本任务,即行为方式要与公民的愿望相符。

由于私人产品的决策是由私人部门进行的,因此公共选择理论主要是针对公共产品的决策问题而言的。政府失灵的存在,要求政府在进行公共产品供给决策时,要充分了解与尊重民众的意愿。政府在进行公共产品决策时,不存在或者说不能满足市场决策时的两个前提条件,政府如何作出决策呢? 在市场环境中,人们以手中的钞票通过价格机制反映自己的偏好,而在非市场环境下,人们通过投票表达他们对公共产品供给水平的意愿。为了了解这种意愿,就要研究投票机制和结果。因此,投票行为及其过程成为公共选择理论的重要研究内容。

在对投票机制及结果的理论研究中,中位选民定理有一定的实际借鉴意义。中位选民定理的内容是,处于所有投票者最优偏好结果的中间状态的投票者被称为中位选民,中位选民最偏好的公共产品的供给量,往往是多数规则下的政治均衡。此即公共选择理论中的中位选民定理。

中位选民定理启示我们,在实行少数服从多数的投票规则下,我们应注意研究中位选民的偏好,因为投票的结果往往是,他们代表多数人的偏好而成为公共选择的决策。当然在实践中不能由此滑入折衷主义,要力求使决策真正体现大多数人的偏好和利益。

在上面分析的农村公共产品中,行政村提供的公共产品是村民直接参与决策的,这也就存在一个公共选择问题。这里我们以行政村内自然村之间的道路这一公共产品为例进行分析。现行行政村是由许多自然村组成的,如下图所示:

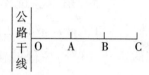

设 A、B、C 为三个自然村,现准备修一条连接公路干线的村内公路,但所筹资金仅够修其中一段 OB 或 AC 的费用,现就修建路段问题进行投票,则 A、B 村民的意见是修 OB 段,而 C 村民则倾向于修 AC 段,投票的结果自然是修 OB 段,这里中位选民 B 起了决定性作用。

目前,行政村的领导机构实际上是两套班子,一套班子是村党支部,另一套班子是村民自治委员会,即村委会。两套班子均已实行公开选举,这成为我国农村基层民主建设的一道亮丽的风景线,也是我国社会主义民主政治建设的一项重大成果。

村党支部是党在农村的基础组织,它在带领广大农民致富奔小康的过程中发挥着不可替代的作用。党的方针政策,要通过村党支部贯彻落实,党的先锋队作用,要通过村党支部体现与发挥。可以说一个村党支部就是一面旗帜,一个战斗堡垒。目前,村党支部书记实行民主选举,这就有助于把素质高、能力强的党员推举到领导岗位,发挥他们的先锋模范作用。

村委会是在由全体村民或由他们推选出的村民代表直接选举的,因而它的代表性是不言而喻的。在村委会选举的过程中,

一大批有知识、有能力的农村青年走上了村委会主任的领导岗
位。他们中大部分人工作实绩突出,深得农民群众的拥护。它
充分显示了基层政权民主建设对经济发展的促进作用。

在村委会的选举中,候选人一般都要面对选民发表施政演
讲,其主体内容是施政的目标与措施。选民则按自己的偏好与
意愿,投票选举自己认可的村主任。农民在投票的过程中,就存
在着公共选择。我们假定有 3 位村主任的候选人 A、B、C,他们
分别来自甲村、乙村、丙村三个自然村。三位候选人的施政演讲
中有一位提出修建水库,以解决农田水利问题并发展水上旅
游业。

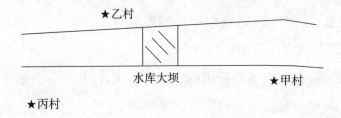

这时,由于甲、乙两村会受益于修建水库,而丙村则处于河
流上游,且离水库较远,受益甚小或无法受益,就有可能不同意
修建水库。投票的结果,提出修水库的候选人当选,修建水库的
方案通过。但在具体功能上,甲村可能会注重农田水利,而乙村
则可能会注重水上旅游。但这二者都要通过修建水库来实现,
所以甲、乙均会同意修建水库。乙村实际上是中位选民。如果
乙村不搞水上旅游,则修建水库对它没有什么效用,故它可能会
不同意,则方案被否决,该候选人落选。可见,在选举村委会主
任的过程中,实际上也存在着公共选择问题,中位选民定理也在
发挥着作用。

村党支部和村委会都是村组织的领导机构,在村委会成员均为非党员的情况下,"两委"只能分别行使职权。从原则上来说,"两委"应团结协作,各司其职,各负其责。但由于认识问题的角度和处理问题的方法不同,有时难免产生矛盾。假设在"一事一议"中,两委的目标取向不同,如果村委会倾向于修水利,党支部倾向于修道路,那村民应该支持谁呢? 显然,这是完全有现实可能性的问题。如何解决这一问题,正是我们在农村税费改革和基层政权民主建设中应该认真思考的。

在市场经济条件下,税费是政府行使职能的成本。政府职能的重要实现形式,就是向社会提供公共产品。因此,公共产品的供给成本也就决定着税费负担水平,居民的税费负担要与其享受的公共产品水平相适应。对公共产品类别与层次的分析表明,各级政府在公共产品供给中有不同的分工,这要求各级政府在事权与财权上应该有明确而科学的划分。一国居民应该享受相同水准的基本公共产品,特别是由中央政府提供的纯公共产品,即享受同等的"国民待遇",以体现社会公平。地区经济发展的不平衡,导致地方公共产品供给水平的差异,我国不同地区居民享受的地方公共产品存在着较大的差距。

农村税费是农民为享受农村公共产品而付出的成本,农民税费负担应该与其享受到的公共产品水平相适应。农村公共产品由各级政府提供的公共产品和行政村提供的公共产品两部分组成。其中由中央政府提供的公共产品,应该体现"国民待遇",实现人人平等;由地方政府提供的公共产品应该体现"居民待遇",在行政区划内实现平等;行政村提供的公共产品是为满足农民群众生产生活具体需要的,大多具有准公共产品性质,可采取享受者付费的方式供给。在决策上可实行公共选择。

特定的国情以及所处的经济体制转型时期,决定了我国公共产品供给的特殊性与矛盾性。从国情来说,我国是一个人口大国,70%的人口生活在农村,城乡分割的二元结构使城市与农村公共产品的供给各自具有特殊性,这也就决定了我国城市与农村公共产品的供给不能套用一个模式,农村公共产品的供给不能完全与城市机械地类比。国家整体经济发展水平不高,地区之间经济发展的不平衡,加大了中央政府供给公共产品的难度。从我国所处的经济体制转型期看,公共产品的供给既不能沿用原有的计划经济的模式,也不能照搬现代西方国家成熟市场经济的模式。这就是我国现行公共产品供给过程中的矛盾,也必然是我国农村公共产品供给过程中的矛盾。

农村公共产品供给过程中的上述矛盾,要求我们从理论与实践两方面进行创新。从理论上看,我们既要借鉴西方公共产品理论,又不能完全不加改造地照抄照搬;以马克思主义公共产品理论为指导,但又不能教条化。因此,我们必须结合农村税费改革的实际,创造性地发展中国特色的公共产品理论。从实践上看,我们要吸取西方公共产品供给模式的有益经验,通过制度创新,探索出具有中国特色的公共产品供给新模式。

第二章 农村税费改革的一般
理论考察(下)

公共经济学理论告诉我们,农村税费实际上是农民为消费农村公共产品而支付的费用,农民所承担的税费应以农村公共产品的供给水平为依据。但是,我国原有的在计划经济体制下形成的农村税费制度,使农民享受的公共产品水平与其税费负担不对称。因此,必须对原有为计划经济体制服务的农村税费制度进行创新。即要按市场经济规则,依据公共经济理论构造新的农村税费制度。所以,从制度经济学的角度对农村税费改革中的制度变迁进行分析,是本书的内在逻辑要求。

农村税费改革是建国以来我国农村继土地改革、家庭联产承包经营之后的第三次重大改革。它不仅涉及生产关系,还涉及上层建筑。与前两次自下而上,以单个农户、集体为制度创新主体的诱致性制度变迁不同的是,此次农村税费改革是一次自上而下的以中央政府为制度供给者的强制性制度变迁。本章以马克思主义制度变迁理论为指导,借鉴西方制度经济学关于制度变迁的理论,结合此次税费改革的实践,对税费改革中制度创新与变迁的主体、动力、方式、路径的选择、绩效的评价等问题进行探讨。力求从促进农村生产力发展的角度,揭示农村税费改革中的制度创新与变迁。

第一节　从改革实践剖析制度及其功能

我国经济体制改革的历程本质上是制度创新的过程。改革取得的成就及存在的问题揭示出制度变迁的重要性。本节通过对制度的基本概念与基本功能的界定,分析说明制度建设与创新的必要性与重大意义。

一、从改革实践剖析制度概念

我国农村经济体制改革,取得了举世公认的成就,这是不争的事实。人还是那么些人,地还是那么多地,为什么一实行家庭联产承包制就会取得如此巨大的成就呢? 答案只能从改革所实施的制度变迁中去寻找。即家庭承包制比原有的人民公社体制更有利于调动农民的生产积极性,更有利于农村社会生产力的发展。

我国经济体制改革的目标模式,是建立社会主义市场经济新体制。为什么要放弃原有的计划经济而转向市场经济呢? 原因在于,世界经济发展的实践已经证明,市场机制比计划体制更有利于资源配置,能更快、更有效地促进社会生产力的发展。那么,市场又是什么呢? 市场就是一套由一系列的规则组成的制度体系。正是这种制度体系,引导与规范着资源(含人力资源)的优化配置。

可见,制度创新与变迁对经济社会发展具有重要影响,不同的制度安排会导致完全不同的结果。

到底什么是制度呢? 我们可以从不同的角度与层面对制度进行界定。一般认为,所谓制度是指,在一定历史条件下形成的政治、经济、文化等方面的行为规则体系,这些行为规则体系又可以称为人们共同遵守的按一定程序办事的规程。从马克思到制度经济学派的凡勃伦、诺斯等经济学家,都从不同的角度与层面对制度这一范畴进行了界定。概括地说,制度包括以下几层含义①:

1. 制度是对个人行为的一种约束,其目的是为了协调人与人之间的关系。人们在认识与改造世界的过程中,相互之间必然存在一定的关系,制度就是为了协调这种关系。

2. 制度是一种公共性规则,是在利益冲突条件下的一种公共选择。受生产力发展水平的制约,人们在实践活动的过程中,会产生利益的冲突。为此必须制定公共规则,规范人们的行为。在既定的社会条件下,制定规则的过程可以是一种公共选择。

---

① 参阅刘军:《经济转型时期税收制度比较研究》,中国财政经济出版社2002年版,第12页。

3. 制度是由不同层次的规则构成的,其调节的范围和效力也因此表现出层次性。由社会基本矛盾运动决定的根本性社会制度,从根本上制约着既定社会制度下的各种具体制度,而由根本性社会制度派生的各种具体制度,则规范主体的一般性行为。如我国的税收制度,分为根本性的国家税收法律制度和各种具体的税收制度实施细则。

4. 规则是制度的核心内容。制度性规则不是一般性的政策条文,更不是道德戒律或宗教仪式,而是通过一定程式的组织安排与政策措施保障其实施的强制性法律法规,它一旦实施,就具有强制性和约束力。

毫无疑问,任何一种制度都是由人设计与安排的,自然界不可能存在先天性的制度安排。但作为社会性的人,在设计与进行制度安排时,必然受其所处的经济社会条件的制约,从而使不同社会条件下的制度安排具有不同的质的规定性,这集中体现在根本性社会制度的安排上。当然,我们也应该看到,不同社会制度在具体制度安排上必然存在共性。这也就说明,我们在进行具体制度安排时,可以或者确切地说应该借鉴不同社会制度中制度设计与安排的某些共同做法和有益经验。

应该指出,制度不能仅仅归结为表现社会普遍意志的法律范畴。完整的社会制度是由经济基础和上层建筑这两个相互联系的层次组成的。经济基础和上层建筑这两个层次之间,既具有原生与派生的关系,又具有互动的关系,即经济基础决定上层建筑、上层建筑反作用于经济基础。对社会制度进行研究,首先要分析作为整个社会制度经济基础的生产力及与之相适应的生产关系,然后才能对耸立在这个基础上的道德和法律制度等上层建筑的性质做出合理的说明。① 由此可见,从根本上说,制度的设计与安排要受生产力发展水平的制约。抛开这一点谈制度的设计与安排,就会使制度成为无源之水,无本之木。

二、制度的功能与作用机制

制度的功能是指制度在规范人们行为时所具有的功效。制度在规范人们的行为时,一方面可以让按制度规则行事的人实现自己的行动目标,获取正当的权益;另一方面又约束与惩罚违犯规则的行为,阻止其获取不正当权益。也就是说,制度的功能是通过制度的激励机制与约束机制发生作用的。我们不妨以印第安人典型的制度规则——"和平之烟"来分析制度的作用机制。

奥地利著名的动物学家和现代行为科学的创始人洛伦兹在其《攻击与人性》一书中,以浪漫的手法描绘了一幅关于习惯的产生并进而成为制度规则的历史性场景。

在北美的两个印第安部落之间,因争夺某一河心岛的狩猎权而发生争执。按过去的惯例,双方诉诸武力是必然的选择。但是,这两个部落的首领都饱经沧桑,且厌恶战争,因而他们不同寻常地决定以和平的方式解决争端。多年的争斗使他们在见面时局促不安,且同时又略带点傲慢和挑衅的态度。在极有可能把和解的愿望误解为软弱可欺的情况下,两位首领在初次会面时都以保持沉默为策略。在这种尴尬的场合,如果当事人的

---

① 参阅林岗、张宇:《马克思主义与制度分析》,经济科学出版社 2001 年版,第 254 页。

一方着手去做与冲突无关的事,则无疑会缓和当时紧张的气氛。恰在这时,其中的一位首领点起烟袋,另一位随后也点起了自己的烟袋,结果他们平静了下来,逐渐进入了话题,并最终达成了和解。久而久之,抽烟便成了寻求和解的重要仪式或习惯,烟管也成了和平的象征。最后,它成为印第安人必须遵守的法律——典型的规则:在抽过烟之后就禁止相互攻击。由此,所谓的"和平之烟"的制度便产生并成为既定的制度规范了。[①]

"和平之烟"揭示了习惯作为制度的一项基本内容,或者说习惯作为制度的先导,是制度赖以存在的基础。一些习惯作为约定俗成的规则为大家所遵守时,便能消除不确定性。当习惯进一步被制度化时,它也就具有了制度的约束力,人们只能遵守或服从于这一制度而不得违反,否则将会受到处罚。

关于制度的起源,并不是本书所要分析的内容,这里只是从"和平之烟"的历史画面中,探寻制度的基本功能与作用机制。"和平之烟"的启示在于,当习惯被制度化为一种制约人们行为的规则时,按规则行事便成为人们的义务,而当有人不按制度行事时,就要受到处罚与制裁,这样才能维护这一制度的存在。所以一种制度实际上包含着激励机制和约束机制两方面,激励机制产生和激发社会活力,约束机制造就和规范社会秩序;激励机制引导人们的行为向着获取利益,满足欲望的方向发展,而约束机制则限制人们的过度欲望和不正当的利益;激励机制由内在

① 此故事转引自罗肇鸿、张仁德《世界市场经济模式综合与比较》一书。兰州大学出版社 1994 年版,第 27—28 页。

的动力发挥作用,而约束机制则由外部的力量发挥作用。①

就上述"和平之烟"的例子来说,减少争斗的动力机制使二位首领朝着和解的方向努力。当这一习惯性行为演进成一种制度时,就有必要对违反制度的行为进行处罚,即形成约束机制,以外部的力量强制地使行为主体按制度办事。这里不难看出,一种制度的激励机制的产生,要早于约束机制。一种习惯如果一开始就存在不确定性,也就不可能演化为制度,一种行为变化无常也就无习惯可言,更不可能演化为制度。如果上例中的一位首领在抽过烟后仍然坚持争斗,也就不会产生"和平之烟"的制度。因此,一种制度首先要有激励人们获取正当权益的激励机制,惟有如此,这种制度才具有活力和生命力,社会才能发展,人类才能进步。但同时,又必须对人们的趋利行为进行必要的限制,使其不至于危及他人和社会的利益,这就是要有约束机制。约束机制包括预警与防范机制以及惩罚机制。

我们从制度起源分析制度的两大机制,即激励机制和约束机制,对于本书的意义在于,我们在农村税费改革中所进行的制度安排及制度变迁,都应发挥这两大机制的作用。如果我们创新的制度中没有激励机制而只有约束机制,则这样的制度只会是死水一潭,并阻碍农村社会生产力的发展;而如果只有激励机制而无约束机制,就会导致损人利己的行为,造成社会秩序的混乱,使制度名存实亡,并最终危害农村经济社会的发展。这些正是我们在进行制度创新时首先应注意到的。

---

①　参阅周锦尉:《优良作风与制度建设》,《上海财经大学学报》2002 年第 4 期。

三、制度建设的意义及其应注意的问题

综合上述分析,我认为,制度建设的意义主要有以下几点:

1. 制度建设是促进生产力发展的需要。人们在从事实践活动的过程中,必然形成一定的关系,即生产关系。生产关系则是通过一系列的制度安排来实现的。如社会主义生产关系正是通过社会主义生产资料公有制等制度而建立起来的。按生产力发展的要求建立起来的生产关系与上层建筑层面的制度一旦确立,就会进一步推动生产力的发展。就具体层面的制度建设来说,也具有推动生产力发展的作用,如专利制度的建立,极大地推动了科学技术的发展,从而促进了社会生产力的发展。

2. 制度建设是维护正常的社会生活秩序的需要。人与人之间的关系既可能是利益一致的,也可能是利益根本对立的,如阶级社会里不同阶级的利益就是根本对立的。为协调人们之间的利益关系,维护社会生活秩序,必须建立一系列的制度,其中包括体现阶级利益的上层建筑层面的制度。否则,就会出现"制度真空",引起社会动荡与混乱。正因为如此,我党在国民党政权行将被推翻之际,立即着手建立社会主义国家政权。

3. 制度建设是规范个体行为的需要。人是社会的人,因此个体行为受其所处的社会关系的制约。但同时我们也应该看到,个体行为具有其相对独立性,并由此导致个体行为目标的差异性。如果不以制度规范个体的行为,则个体的某些行为就有可能危及他人或阶级甚至整个社会的利益。因此,必须以制度规范个体的行为。

我国社会主义革命与建设的实践充分证明,制度建设具有

全局性、根本性意义。邓小平同志 1980 年在总结"文化大革命"的教训时指出:"我们过去发生的各种错误,固然与某些领导人的思想、作风有关,但是组织制度、工作制度方面的问题更重要。这些方面的制度好,可以使坏人无法任意横行,制度不好,可以使好人无法充分做好事,甚至会走向反面。即使像毛泽东同志这样伟大的人物,也受到一些不好的制度的严重影响,以致对党对国家对他个人都造成了很大的不幸。"①制度问题带有根本性、全局性、稳定性和长期性。江泽民同志在十五届六中全会的讲话中,也提出"要抓住制度建设","保证党和国家长治久安,制度建设是最根本的"。

如何搞好制度建设呢? 我认为,制度创新与建设,必须把握四个方面的问题②:一是制度的科学性,即制度规范的权限要清楚,界定的范围要明确,也就是实体和程序都要界定清楚。二是制度的可操作性。这是指制度要便于在实践中执行,要与客观实际相适应,好比机器的操作手册,按其规定操作,就能使机器正常地运行起来。三是制度监控要严密及时,即制度要有约束机制、监督机制,在出现违规行为时,要能及时制止并予以纠正。这好比机器故障的实时监控系统,能及时发现问题并加以解决。四是制度的严肃性或权威性,这表现在两个方面,一方面指制度的制订要有严格的程序和严谨的内容;另一方面是指制度一经实施,就必须严格执行,不得讨价还价,更不允许随意歪曲与变通。

---

① 《邓小平文选》第二卷,人民出版社 1994 年版,第 333 页。

② 参阅周锦尉:《优良作风与制度建设》,《上海财经大学学报》2002 年第 4 期。

制度建设必须在一定的理论指导下进行,马克思主义的制度变迁理论,是指导我们实施制度变迁的强大理论武器。

第二节　马克思主义制度变迁理论

严格地说,制度变迁理论并不是马克思主义的独立组成部分。马克思主义的制度变迁理论集中蕴涵在对资本主义制度的产生、发展与灭亡的规律的理论分析中。马克思通过对资本主义社会基本矛盾运动规律,及资本主义向社会主义与共产主义过渡的历史必然性的分析,提出了自己的制度变迁理论。

一、制度变迁的内在动力

所谓制度变迁的动力,是指引起制度变迁的根本动因。马克思主义认为,制度变迁的基本动力来自于社会生产力的变动。马克思关于社会发展规律的基本原理告诉我们,导致社会制度变迁的内在力量是社会生产力与生产关系,经济基础与上层建筑的矛盾运动。"社会的物质生产力发展到一定阶段,便同它们一直在其中运动的现存生产关系或财产关系(这只是生产关系的法律用语)发生矛盾。于是这些关系便由生产力的发展形式变成生产力的桎梏,那时社会革命的时代就到来了。随着经济基础的变革,全部庞大的上层建筑也或快或慢地发生变革。"①因此,社会生产力是最活跃的因素,即使在上层建筑和生

---

① 《马克思恩格斯选集》第2卷,人民出版社1995年版,第32—33页。

产关系相适应的情况下,也在不断发生变化。正是因为生产力的这种特性,它与生产关系的矛盾以及生产关系与上层建筑的矛盾才会不断积累,最后通过制度的变革来调整。制度作为重要的上层建筑,其来源和变迁也要到经济社会生活中去寻找。

生产力对制度变迁的根本性推动作用,是通过代表先进生产力的阶级的群体行为实施的。即指这一阶级的利益与生产力发展的方向是一致的。马克思、恩格斯明确指出,无产阶级对资本主义制度实施变迁"失去的只是锁链,他们获得的将是整个世界"①。制度变迁的主体通过制度变迁获取经济利益,是制度变迁的外在推动力,而这种推动力归根到底又是由生产力水平决定的。社会制度的变迁,实质上是制度变迁主体顺应生产力发展的要求,为生产力的发展开辟道路的过程。

马克思主义制度变迁理论的这一重要思想,要求我们在农村税费改革中,按农村社会生产力发展的要求,切实保护广大农民群众的合法权益,创新农村税费制度,把促进农村社会生产力发展,作为农村税费改革的根本目标。

二、制度变迁的主体

制度变迁的主体是指制度变迁的实施者或发动者。马克思把社会制度的变迁理解为一个阶级推翻另一个阶级的革命,他明确指出,到目前为止的一切社会的历史,都是阶级斗争史。②而这种制度变迁的主体正是人民群众(即代表先进生产力的阶

---

① 《马克思恩格斯全集》第 1 卷,第 285—286 页。
② 《马克思恩格斯全集》第 3 卷,第 285 页。

级）。马克思主义认为，不同利益集团与阶级关系下的人对制度变迁的反应、要求与表现是不同。为什么代表先进生产力的阶级会起来实施制度变迁呢？这是因为，代表先进生产力的阶级，通过实施制度变迁，促进生产力的发展，能获取经济利益，改变自己的经济地位。可见，制度变迁的主体也就是制度变迁的利益主体。

马克思主义认为，阶级的对立，从根本上来说是利益关系的对立。这两种利益关系处于一种不可调和状态，一方的所得必为另一方的等量损失，彼此是一种非合作的零和关系。这种对立和不可调和，成为推动社会制度变迁的动力。马克思主义的这种分析，反映了处于临界状态的经济社会利益关系，是经济利益关系的一种极端形态。就一般的社会制度变迁而言，在这一过程的一定阶段，经济利益主体之间客观上存在着正和关系。①

正确把握马克思主义的上述理论，就必须充分尊重人民群众的首创精神。要善于把他们在实践中的新观念、新思想、新做法上升为理论、政策，并固化为制度；要从关心人民群众的切身利益出发，培植制度变迁的主体，使人民群众自觉地投身到改革伟业中来。如农村承包经营责任制，就是农民在温饱都得不到保障的情况下，自下而上进行的制度创新。中央政府认可了农民的这一制度创新，并逐步固化了这一制度。

农村税费改革过程，本质上也是利益关系与格局的重新调整的过程。我们应客观地认识物质利益原则，从利益关系着手，在改革中切实减轻农民负担，培植制度创新的主体，充分发挥农

---

① 参阅余钟夫：《制度变迁与经济利益》，陕西人民出版社 2001 年版，第58页。

民群众在改革中的巨大作用,与时俱进地推动制度变迁。

三、制度变迁的途径与方式

马克思从唯物主义辩证法与历史观出发,认为制度变迁是量变与质变、渐进与革命的统一。一般先有微观非根本制度的变化,等渐进式变迁在量上积累到一定程度后,才会发生社会革命,进行所有制与国家制度的质的革命性变迁。根本性社会制度的变迁是一种质变,即革命,否则就是社会改良或改革。

依据这一重要思想,我们在农村税费改革中,必须坚持量变与质变的统一。既要对现行农业税制度进行量的调整,又要在条件成熟后,适时对现行农业税制度进行质的变革,建立起体现公平税负原则、适应农村经济发展要求的现代税收制度。

四、制度变迁绩效的评判理论

评判制度变迁绩效的标准就是生产力标准,这是马克思主义制度变迁理论的一个重要原理。马克思主义认为,制度变迁的绩效在于适应与促进生产力的发展。当一种制度不适应生产力发展的要求而成为生产力发展的桎梏时,就必须进行制度变迁,以新的制度取而代之。

显然,在制度变迁绩效的评判标准中,与生产力标准相联系的还有一个社会公平标准。在私有制占主导地位的社会里,由于少数人占有生产资料,并以之作为剥削他人的工具,因此存在着极端的不公平。正是这种不公平,导致制度变迁的绩效大大降低,从而在很大程度上限制与破坏了生产力的发展。农村税费改革中的制度变迁,也应该体现社会公平,这是社会主义的本质要求。

五、产权理论

产权理论是制度变迁理论的重要内容。马克思主义的产权理论是指通过批判资产阶级古典经济学的所有权理论建立起来的。① 与西方制度经济学把所有制和产权看做是个人之间交易和自由契约的结果不同,马克思主义认为,不是个人的自由选择决定产权制度的变迁,相反,是产权制度的变迁决定个人的行为方式与选择空间。因此,产权在本质上不是一种交换关系,而是一种生产关系,它是由生产力决定的,而不是人们自由选择的结果。

产权是所有制的法律形态。所有制是经济范畴,所有权是法律范畴。所有制是关于生产资料归谁所有的经济制度,所有权是关于财产归谁所有的法律制度。② 所有制是所有权的经济基础,所有权是所有制的法律表现。马克思主义认为,产权是一组权利,它包括占有权、使用权、支配权、经营权、索取权和继承权等等。马克思科学地考察了这些权利的统一与分离。如马克思在分析剩余价值的分割时,研究了资本主义土地所有权和经营权的统一与分离。

马克思主义的产权理论,对农村税费改革具有重要的指导

---

① 参阅林岗、张宇:《产权分析的两种范式》,《中国社会科学》2000 年第 1 期。

② 参阅吴易风:《马克思的产权理论与国有企业产权改革》,《中国社会科学》1995 年第 1 期。

作用。作为深化农村税费改革的重要内容,农村土地制度的创新与变迁,本质上是土地产权制度的变革,马克思主义产权理论,为这一改革提供了科学的理论依据。

第三节 西方制度变迁基本理论述评

本节运用马克思主义经济学的制度变迁理论,对西方制度经济学有关制度的起源与本质、制度变迁的主体、动力、绩效、类型等理论加以简要的评述。通过对两种制度变迁理论的比较分析,指出马克思主义制度变迁理论对农村税费改革具有根本性的指导作用,西方制度经济学的制度变迁理论也有一定的借鉴意义。在此基础上,分析了农村税费改革中制度变迁的相关问题。

一、制度的起源及其本质

什么是制度呢? 美国制度学派的奠基人凡勃仑认为,制度是由思想及习惯形成的,思想和习惯又是从人类行为中产生的。"制度实质上就是个人和社会,对有关的某些关系或某些作用的一般思想习惯;而生活方式所由构成的是,在某一时期或社会发展某一阶段通行的制度的综合;因此从心理学方面来说,可以概括地把它说成是一种流行的精神态度或一种流行的生活理论。"[1]这里不难看出,凡勃仑的制度既包括有形的机构、组织,

---

① 凡勃仑:《有闲阶级论》,商务印书馆 1961 年版,第 139 页。

也包括无形的社会习俗、生活方式等。制度学派是以演进的制度分析方法来展开自己的理论分析的,他们反对传统的宏观或微观分析方法,认为这些方法是静止的、机械的,不能揭示现实经济社会生活中的矛盾与冲突。他们认为,资本主义制度和社会结构并非静止不变的,而是处在由于技术的不断变革所引起的持续的演变过程中,所以经济学要研究过程,研究变化,而不是研究静止的横断面,这就是经济研究中演进的方法。运用这一方法,就能够研究制度的演变及制度演变过程中各种因素的摩擦与冲突。凡勃仑认为,经济制度是一个动态的过程,最终决定经济发展方向的不是价格制度,而是该制度体系孕育于其中的文化系统,经济制度与文化一样,经历了无数的演变阶段,世界上并不存在一种普遍的经济制度,而是有许多形形色色的制度,如资本主义制度、社会主义制度等。作为制度学派的奠基人,凡勃仑开创的演进的制度分析方法,成为制度学派的基本方法。把演进的"制度分析"引进经济学,有利于引导人们用变化与动态的观点认识经济社会的发展,具有积极意义;它克服了当时正统经济学只注重数量均衡分析的局限,而注意到了社会的制度与结构对经济发展的影响。当然,凡勃仑把制度归结为"一般思想习惯"等主观因素,则是错误的。

20世纪50年代末,制度学派发展到新制度经济学阶段。新制度经济学继承了旧制度经济学的传统,同时又补充和发展了新的内容,所以成为所谓新制度经济学。新制度经济学侧重研究经济组织和结构,但同样与"权力结构"等无形的"制度"概念相混淆。下面,重点分析新制度经济学的代表人物诺斯的有关理论。

关于制度,诺斯把它定义为:"制度是一个社会的游戏规则,或更规范地说,它们是为决定人们的相互关系而人为设定的一些制约",包括"正规约束"(如规章和法律)和"非正规约束"(如习惯、行为准则、伦理规范等),以及这些约束的"实施特性"。①

由此可见,制度经济学家的"制度",脱离了生产资料的所有制,脱离了社会的经济基础和上层建筑的关系,把政治的、社会的、经济的、文化的各种制度等量齐观。这样他们也就无法找到制度演变或变迁的真正动力或原因。

马克思主义制度变迁理论告诉我们,制度最初起源于物质生产条件,并经过较长时期的演进才上升为法律。因此,制度不能仅仅归结为表现社会普遍意志的法律和伦理范畴。完整的社会制度是由经济基础和上层建筑这两个相互联系的层次组成的。② 马克思从人类与自然界的矛盾出发,从生产力的发展导出了第一个层次的制度的起源,即社会生产关系的形成过程;进而又从社会生产关系中不同集团和阶级的利益矛盾和冲突出发,从社会生产关系中导出第二个层次的制度的起源,即包括政治、法律、道德规范等等在内的上层建筑。③ 可见,生产力在制度的起源中具有根本性的决定作用。

---

① D. C. North, "Economic Performance Through Time", *American Economic Review*, April 1994. 参阅林岗、张宇:《马克思主义与制度分析》,经济科学出版社 2001 年版,第 254 页。

② 参见林岗、张宇:《马克思主义与制度分析》,经济科学出版社 2001 年版,第 254 页。

③ 参见林岗、张宇:《马克思主义与制度分析》,经济科学出版社 2001 年版,第 262 页。

二、制度创新与变迁的主体、动力和绩效

由什么人来进行制度创新与变迁呢？诺斯认为，制度变迁的主体是能从制度创新中获取自身利益的"经济人"，这些人可以统称为"组织及其企业家"。由于个人作为制度变迁的主体，可以理解为一个单细胞组织，个人就是这个组织的企业家，所以，企业家就是制度变迁的惟一主体。[①]

什么是制度创新呢？诺斯在其与另一位制度经济学家戴维斯所著的《制度变革和美国的经济增长》一书中指出，制度创新是指能给创新者带来额外利益的对现存制度的变革。导致制度创新的因素有三个：一是市场规模的变动，二是生产技术的发展，三是因前两个因素引起的一定社会集团或个人对自己收入预期的变化。具体地说，市场规模的变动和生产技术的发展通常会改变特定制度的收益与成本。例如：市场规模的扩大会带来规模效益，技术的进步会提高生产效率，降低生产成本。这些都会促使某些人或集团对现存制度的成本和收益之比进行重新判断，并进而产生对制度创新的需求以获取潜在的利益。这些人或集团会对现存制度进行创新，以建立新的制度，把潜在的利益变为现实的利益。[②]

诺斯认为，制度变迁"一般是对构成制度框架的规则、准则和实施组合的边际调整"。与制度变迁相对应的是制度的稳定，这种稳定是一种均衡状态，"即在行为者的谈判力量及构成

---

① 参阅胡家勇：《转型经济学》，打印稿第 6 页。

② Lance Davis and Douglass C. North , *Institutional Change and American Economic Growth*, Cambridge University Press, 1971 , P. 41—42.

经济交换总体的一系列合约谈判给定时,没有一个行为者会发现将资源用于再建立协约是有利可图的"。所以制度变迁的动力来自再缔约所能够带来的收益。而影响这种收益的则是"相对价格或偏好的变化"。[①]

诺斯认为,制度变迁的内在动力是主体期望获得最大的"潜在利润"即"外在利润"。"正是获利能力无法在现存的安排结构中实现,才导致了新的制度安排的形成"[②],而外部利润来源于许多外部性变化,包括:(1)规模经济的变化;(2)外部成本与收益的变化;(3)对风险的厌恶;(4)市场失灵与不完善。这些外部因素的变化诱使人们去努力改变制度安排的收益来源。

不难看出,诺斯等制度主义者的制度创新与变迁不是由生产力发展所引起的社会制度的根本性变革,而只是作为理性的"经济人"的趋利行为,即通过"成本—收益"计算,创新者认为可以获取最大制度创新收益。他们的制度变迁动力是多元的,这与马克思主义制度变迁的生产力—元动力论是对立的。

诺斯认为制度变迁的主体包括:个人、集体和国家三个层次。诺斯基于个人主义下的经济人假设,认为在稀缺经济下的竞争导致个人、集体和国家从自身利益出发,加紧学习以求生存,在学习过程中,发现潜在利润,并试图通过制度创新以获得这种利润。诺斯的这一观点有合理性,它的启迪在于,我们要加强学习,掌握必要的文化科学知识,注意各种影响制度变迁的外

---

① 参阅林岗、张宇:《马克思主义与制度分析》,经济科学出版社 2001 年版,第 281 页。
② 参阅科斯、阿尔钦、诺斯:《财产权利与制度变迁》一书中有关制度变迁动力的论述。

部因素的变化,自觉地发现制度创新的绩效并适时进行制度创新。

制度变迁是如何实现的呢?诺斯分析了制度创新过程及其时滞问题。他认为,制度创新机会的出现,与获取这一利益的制度创新的实现,在时间上有一段间隔,这就是制度创新的滞后性。其产生的原因在于:一是现有法律限定了人的某些活动范围;二是制度方面的新安排替代旧的制度安排本身需要时间;三是制度上的"新发明"并非轻而易举,而有一个不断发现的过程。就制度创新的过程而言,主要有这样几个阶段:第一阶段,形成"第一行动集团",即那些能预见到潜在利益,并认识到只要进行制度创新便可以获取这一利益的决策者。第二阶段,"第一行动集团"提出创新方案,在没有一个可行的现成方案时,就需要等待制度的新发现。第三阶段,在有了若干可供选择的制度创新方案之后,"第一行动集团"便以利益最大化原则理性地选择他们认定能实现自身最大利益的制度并付诸实施。第四阶段,形成"第二行动集团",即在制度创新过程中帮助"第一集团"的人或机构,第五阶段,第一和第二集团同舟共济,促成制度创新,实现制度创新后,两集团可以对实现的利益进行分配,各得其所。

这里不难看出,诺斯的"第一行动集团"实际上是制度创新的主力军,而"第二行动集团"则是为制度创新提供保障的有关机构。第二集团的作用在于维护新制度安排的稳定性,保证制度绩效的实现并扩展其效应。

诺斯认为,制度创新的动力来源于制度创新的潜在收益,即制度创新能带来额外的利益。制度创新的主体从自身利益出发,进行交易成本—收益计算,尽量节约成本以获取最大收益。

诺斯同时又认为,成本—收益方法并不能完全解释制度的稳定与变迁。因为人们参与或拒绝某种制度变迁,遵守或违背某种制度,还要受意识形态的影响。因此,他分析了意识形态对制度变迁的作用。认为当人们从意识上认可某种制度的合理性时,就会积极参与制度变迁,并自觉遵守这一制度。所以,诺斯将制度初始选择的差异归结为文化和意识形态的差异。这实质上是一种历史唯心主义。

在制度经济学家看来,存在着一种中性的制度报酬或绩效。问题在于,在现实的文明社会里,一直存在着利益的差别、冲突甚至根本对立。这时,"A 的机会对 B 意味着一种成本(放弃的机会),反之也一样,那么同时考虑双方的成本是不可能的。"①既然成本都无法确定,也就不可能通过总的成本与收益比较,计算出制度报酬或绩效来。所以,他们的制度绩效理论是不能成立的。

三、制度变迁的方式

1. 制度变迁方式的选择。制度变迁的方式分为诱致性制度变迁与强制性制度变迁。

诱致性制度变迁:诱致性制度变迁是指现行制度安排的变更或替代,或者是新制度安排的创造。它由个人或集体,在响应获利机会时自发倡导、组织和实施。诱致性制度变迁必须由某种在原有制度安排下无法得到的获利机会引起。从初始制度均

---

①　施米德:《财产、权力和公共选择》,上海三联书店 1999 年版,第356页。

衡,到制度不均衡,再到制度均衡,周而复始,这个过程就是人类制度变迁的过程。引起制度不均衡的原因很多,新制度经济学家把它归结为四个因素:①制度选择集合改变;②技术改变和社会生产力的发展;③要素和产品相对价格的长期变动;④其他制度安排改变。

一种制度安排是从一个可供挑选的制度安排集合中选出来的,其条件是,从生产和交易费用两方面考虑,它比这个制度安排集合中的其他制度安排更有效。要发生诱致性制度变迁,必须要有某些来自制度不均衡的获利机会。也就是说,由于某种原因现行制度安排不再是这个制度安排选择集合中最有效的一个了,作为一个整体而言,社会将从抓住获利机会(它由制度不均衡产生)的制度安排创新中得到好处。但是,诱致性制度变迁是否发生,主要取决于个别创新者的预期收益和预期成本的比较。对于创新者而言,不同制度安排的预期收益和预期成本是不同的。

强制性制度变迁:由于制度具有公共产品性,"搭便车"现象又是制度创新过程所固有的问题,所以,如果诱致性创新是新制度安排的惟一来源,那么一个社会中制度安排的供给将少于社会最优水平。所以,国家有必要推进强制性制度变迁来补救持续的制度供给不足。

强制性制度变迁由政府命令和法律引入来实现。与诱致性制度变迁不同,强制性制度变迁可以纯粹因在不同选民集团之间对现有收入进行再分配而发生。强制性制度变迁的主体是国家,国家的基本功能是提供法律和秩序,并保护产权以换取税收。作为垄断者,国家可以比竞争性组织(如第一行动团体)以低得多的费用提供一定的制度性服务。国家在制度供给上除了规模经济这一优势外,在制度实施及其组织成本方面也有优势。例如,凭借强制力,国家在制度变迁中可以降低组织成本和实施成本。

强制性制度变迁的有效性也受到许多因素的制约,这包括:统治者的偏好和理性、意识形态刚性、官僚机构问题、集团利益冲突和社会科学知识的局限性,等等。

强制性制度变迁与诱致性制度变迁之间有着密切的联系:强制性制度变迁与诱致性制度变迁是相互补充的:①当诱致性制度变迁满足不了社会对制度的需求的时候,由国家实施的强制性制度变迁就可以弥补制度供给不足;②制度作为一种"公共产品"也并不是无差异的,即制度是有层次性、差异性及其特殊性的,有的制度供给及其变迁只能由国家来实施,而另外一些制度及其变迁,由于适用范围是特定的,它就只能由相关的团体或群体来完成。后一类的相互补充并不是由成本—收益比较原则决定的,而是由制度的差异性决定的。

2.制度环境。特定制度的安排除了受制度供给主体的偏好影响之外,还取决于其他诸如文化、政治和经济等制度安排的制约。一般将特定制度之外的其他制度安排称为制度环境。文化环境和政治环境正是其中的两个主要制度安排。

(1)文化环境。一个民族的文化素质、文化氛围,与它的价值观和习惯一样,都是非正式制度安排。与正式制度安排一样,它们都是满足人的需要的"人造"工具。在制度变迁中,人的价值观、习惯和文化素质等都是中性的。尽管一个民族不能指靠他的文化素质来推动自身的经济增长,但是,一旦出现有利可图的机会,民族文化素质会改变,而且实际上它们正在改变。

(2)政治环境。对一个民族的经济增长来说,比文化素质更为重要的是政府政策——政治环境。由于政府提供的是经济剩余赖以建立的秩序构架,而如果没有由政府提供的这种秩序稳定性,理性行为就不可能发生。所以,政府的政策对经济增长的重要性是怎么强调也不为过的。但是,政府能对制度变迁、经济发展发挥多大的作用,则要取决于政府如何引导个人激励。在任何情况下,个人总是在寻找使他自己获得好处的机会。因此,为了经济的发展,有必要冒一定的风险去建立一种鼓励个人主动寻求创新机会的体系。但具有这种特征的制度安排——更确切地讲,在产品、生产要素和思想方面清楚界定并良好执行的产权系统——本来就是公共产品,它不可能由诱致性制度创新过程建立。如果没有政府一心一意的支持,社会上不会存在这样的制度安排,因此,良好的政治环境是制度变迁得以顺利实现的保证。

由上可知,制度经济学家是从所谓的"政治市场"上"交易费用"的比较来分析制度变迁的方式的。制度变迁方式的选择及其有效性取决于交易费用的高低和统治者的理性与偏好。由于诺斯等制度经济学家是以唯心史观来分析制度变迁的,因此,他们也就不可能看到生产力在制度变迁中的根本性决定作用,从而也就无法正确地解释制度变迁的主体、动力、绩效与方式等一系列问题。

尽管如此,制度学派关于制度变迁的理论仍然不失它的借鉴意义。我们知道,制度可以被定义为社会中个人所遵循的行为规则。在既定的社会制度下,制度可以被设计成人类对付不确定性和增加个人效用的手段。虽然制度学派是以个体主义分析方法来展开自己的制度理论分析的,但他们在对制度的分析过程中,对个体行为进行了较为深入的分析,这对我们在一定制度背景下进行个体行为分析有很好的借鉴作用。我们姑且把马克思从社会基本矛盾角度分析的制度称为制度一般,而制度学派所论及的诸如政治、经济、文化等各种具体制度视为制度个别。则马克思的制度理论具有根本性的指导作用。我们在进行根本性制度创新时,要依据经济社会状况,要按生产力发展的要求来设计与安排;我们对改革评判的标准,也就是看是否有利于社会生产力的发展。只有从这一高度来评判改革,才能使改革有正确的方向。从制度的个别来说,改革中的各项具体制度又必须考虑到具体的情况,如生活习俗,文化观念等因素。如我们在进行税费改革时,各地的具体制度安排在服从减轻农民负担这一总的目标要求的情况下,可以因时、因地制宜,不搞一刀切,即具体的制度安排有一定的灵活性。这里,实质上是要分析制度个别的差异性,弥补整体性分析方法的不足。生产资料所有制决定着社会制度的变迁,经济社会结构制约着个体的经济行为,但政治、经济、文化等因素也影响着具体的制度安排。如同样是资本主义制度,当代资本主义国家的制度安排却呈现出巨大的差异性,这正是制度个别的表现形式。

由上述制度的划分,我们可以设定制度一般为根本性经济社会制度即制度背景或环境,而制度个别是这个制度一般内部的具体制度安排。这样,作为对制度一般的完善,则通过制度个别的改革与创新来实现。

如果我们从生产力水平由低到高的发展规律来分析制度变

迁,从上层建筑对生产力发展的反作用来认识制度变迁的绩效,则无论从制度一般还是从制度个别看,制度创新都能产生绩效,这已经为制度变迁史所证实。从制度一般来说,任何一次根本性的制度变迁,都推动了社会生产力的发展。即使是资本主义这种剥削制度的变革,也在一定程度上促进了生产力的发展。正如《共产党宣言》所说的那样:"资产阶级在它的不到一百年的阶级统治中所创造的生产力,比过去一切世代创造的全部生产力还要多,还要大。"①在封建社会,每一次农民起义导致的封建王朝的更替,也都程度不同地推动了社会生产力的发展,创造了大小不等的制度绩效。从制度个别来说,任何一次具体的制度创新,都产生了不同的绩效。如股份制这种企业制度的创新,就极大地促进了社会生产力的发展;某一技术制度的创新,提高了企业的利润;某种文化制度的创新,激发了作家的创作热情,使他创作出更多更好的文学作品,丰富了人们精神生活,等等。人类正是在这种不断的制度创新进程中谱写壮丽的文明史诗。

应该指出,制度绩效与制度绩效的分配是两个不同的概念。我们不能以制度绩效的分配状况为标准来评判制度创新绩效的有无与大小。一种制度创新,只要能促进社会生产力的发展,创造出更多的社会财富,那它就是成功的。当然,我们也应该看到,制度创新收益的分配也会反过来影响制度创新的绩效。在以私有制为基础的社会里,由于制度创新绩效的绝大部分为少数人所占有,广大的人民群众不断同剥削制度进行斗争,大大降低了制度创新的绩效。在以公有制为基础的社会里,由于不存

---

① 《马克思恩格斯选集》第一卷,人民出版社 1995 年版,第 256 页。

在根本的利益冲突与对立,制度创新的绩效有可能实现帕累托最优状况。但是,这并不等于说社会主义国家就不存在利益差别与冲突,因为可能性并不等于现实性,要将这种可能性变为现实性,还需要相应的制度安排。事实上,即使在社会主义制度下,不同阶层的利益差别是客观存在的,改革中制度创新绩效的分配也存在着不均衡甚至是不公平的现象。例如,农民阶层就没有平等地分享到改革开放以来我国经济发展的成果,农民收入的增长远远落后于城市居民收入的增长速度。当前我国收入差距不断扩大的分配格局表明,我们在收入调节方面还缺乏科学、合理的制度安排。因此,我们在农村税费改革中,要从最大限度地减轻农民负担,增加农民收益的角度出发,尽可能地让广大农民平等地分享经济发展的成果。必须大胆进行制度创新,努力实现社会公平,以此促进农村经济社会的快速、持续、稳定发展,在减轻农民负担的同时,通过发展经济,逐步增加农民收入。

综合上面的分析,我们不难看出,西方制度经济学家把制度起源归结为孤立个人之间的自由契约。如果把他们的制度理解为制度个别,似乎还有可借鉴之处,但如果理解为根本性的社会制度,则完全是错误的。马克思主义认为,生产力的发展导引出生产关系的形成,也就是根本性制度的起源;生产关系的矛盾运动导引出第二层次的制度起源,即政治、法律、道德规范等制度在内的上层建筑。[①] 我们在借鉴西方制度变迁理论时,一定要坚持马克思主义的唯物史观,把生产力标准作为衡量制度变迁

① 参见林岗、张宇:《马克思主义与制度分析》,经济科学出版社 2001 年版,第 262 页。

的决定因素。

四、科学借鉴西方制度变迁理论

西方制度变迁理论,产生于资本主义社会制度下的市场经济环境之中。特定的经济社会环境,以及西方学者自身主观条件的特殊性,使西方制度变迁理论具有两重性:一方面,这一理论属于资本主义的意识形态,是为资本主义制度服务的;另一方面,这一理论又在一定层面、一定的具体领域,反映了现代市场经济的一般性规则与要求。因此,我们既不能一概否定,也不能照搬照抄西方制度变迁理论,而应该科学地吸收其中的合理成分。

我们可以从不同的角度借鉴西方制度变迁理论。结合本书的研究主题及农村税费改革的实际,笔者主要借鉴了其中三个方面的理论:(1)关于制度变迁的初始条件的理论。西方制度变迁理论重视初始条件的作用,把初始条件视作决定制度变迁方向的根本因素。这启示我们,要充分认识既有的经济社会条件,从实际出发确定农村税费改革的目标及改革的进程,不能急于求成。当然,西方制度变迁理论把制度初始选择的差异归结为意识形态或文化的差异,则是完全错误的。(2)关于"路径依赖"理论。与第一点相联系,西方制度变迁理论认为,路径依赖的"惯性"会将制度创新牵引到旧的轨道上来,使新制度中掺杂大量旧制度的因素,甚至使新制度"换汤不换药"。我们借用这一概念,去除其初始条件(文化差异决定论)决定论的内容,赋予其原有制度的惯性、人们的思维定式等新的内涵,分析说明我国原有的计划经济体制对制度变迁的影响,农村税费改革要跳出计划经济思维模式,顺应市场经济的要求,在公共经济的框架下实施制度变迁。(3)关于制度变迁主体利益的理论。西方制度变迁理论认为,人们之所以进行制度变迁,是因为制度变迁能给他们带来潜在收益。借鉴这一理论,我们认为,必须从制度变迁主体对利益特别是经济利益的关心上,激发人们进行制度变迁的积极性,并通过制度变迁不断增进制度变迁主体的利益。

虽然西方制度变迁理论有可借鉴之处,但是,它在本质上与马克思主义制度变迁理论是完全对立的。马克思主义制度变迁理论作为反映社会历史发展规律的科学,是指导无产阶级进行革命与建设的强大思想武器;西方制度经济学虽然在某些方面反映了现代化大生产和发达市场经济国家经济运行的一些一般规律,但它在本质上体现着资产阶级的价值观和利益要求,是为资产阶级和资本主义制度服务的。

马克思主义认为,社会制度的变迁是不以人的意志为转移的,生产力是引起制度变迁的决定性因素。当生产关系和上层建筑阻碍生产力发展时,代表先进生产力的阶级就会起来实施制度变迁,为生产力的发展开辟道路。制度变迁是渐进式与革命式的统一,在阶级社会里,制度变迁最终都要通过阶级斗争来实现。诺斯等西方制度变迁理论学者,由于在心灵深处认为资本主义制度是可以通过改良而永恒地存在,所以他们认为制度变迁以渐进式为主,革命式变迁不会也不可能发生。尽管他们分析具体问题时,作了"渐进式"变迁和"革命式"变迁的划分,以及与之相应的"连续式变迁"和"非连续式变迁"的划分①,但他们反复强调,制度变迁"很少是完全非连续性的,制度变迁一

①　参阅诺斯:《制度变迁纲要》一书中有关制度变迁方式的论述。

般都是渐进式的"。总之,他们把制度变迁的途径设定为只有量变没有质变的平稳的渐进式的道路。

可见,两种制度变迁理论有着根本性的区别。因此,在坚持马克思主义制度变迁理论的基础上借鉴西方制度变迁理论时,要对其为资本主义制度服务的本质有清醒的认识,要彻底去其糟粕,正确借鉴其中合理的因素,为我所用。

第四节 制度变迁理论与中国经济体制变迁

农村税费改革中的制度变迁,是我国经济体制改革进程中制度变迁的有机组成部分,对中国经济体制变迁进行分析,是准确把握农村税费改革中制度变迁的前提。因此,有必要对中国经济体制变迁过程进行分析。

自经济体制改革以来,我国的经济建设及各项社会事业,取得了举世瞩目的成就。通过 20 多年经济体制改革的大胆实践,我们一方面探索出了中国特色的改革与创新之路,积累了丰富的经验;另一方面,随着改革向深度与广度发展,一些矛盾与问题在新的形势下也变得日益尖锐与复杂,需要我们在实践中加以解决。本节以马克思主义制度变迁理论为指导,借鉴西方制度经济学理论,对中国经济体制改革过程进行阐释与述评,以进一步揭示农村税费改革的理论与实践规律。

一、中国经济体制变迁实践进程述评

众所周知,我国的经济体制改革与变迁是从农村开始的。

改革之所以发端于农村,绝不是偶然的,而是由农村特定的制度变迁的初始条件决定的。

从制度变迁的需求来说,为优先发展工业战略服务的一系列制度安排,使国家的利益分配格局长期偏向城市,农村经济得不到应有的发展,农民生活水平得不到应有的提高。农民在这种困境中,强烈要求改变现状。因此,农民作为制度变迁的主体,具有通过制度创新获取正当利益的动力,并主动地进行自下而上的诱致性制度变迁。从制度供给方面看,农业生产的经营形式易于改变。一家一户式的经营方式,既符合中国农民历史上形成的家庭经营的习惯,又比较容易成为新制度的实现形式,制度变迁的成本较小,机会成本也不大。正是这种显而易见的制度变迁潜在收益的存在,使广大农民实施了制度变迁,创造性地实行家庭联产承包责任制。从 1978 年安徽省开始试点到 1983 年底全国推行,这一制度变迁极大地提高了农民的生产积极性,促进了农业生产特别是粮食生产的发展,到 1984 年,我国的粮食生产达到了历史最高水平。

随着粮食生产的发展,为保证粮食供应而实行的统购统销制度也迫切需要改革。于是,国家在 1985 年适时地进行了农产品流通体制改革。从当年起,除个别品种外,国家不再向农民下达农产品统购派购任务,而按照不同情况,分别实行合同定购和市场定购。农产品流通体制改革,调整了国家与农民的利益关系,使城乡关系、工农关系发生了新变化。国家开始改变通过农产品的统购统销,从农民手中转移农业剩余的做法,而随着粮食等农产品价格的上调,城市居民从农产品的消费中获取国家福利的制度安排已经不复存在,利益格局开始发生变化。

家庭联产承包责任制的推行,提高了农业生产的效率。与此同时,农村也出现了大量的剩余劳动力。发展乡镇企业,能够为这些剩余劳动力广开就业门路。因此,乡镇企业这种在改革前就存在的企业形式,在进入20世纪80年代后,得到了快速发展。作为多元产权主体结合起来的新型企业制度,乡镇企业具有历史负担轻、运行成本低、经营机制灵活等优势。在国家政策的扶持下,乡镇企业顺应当时的买方市场,取得了巨大的成功,其产值一度与国有经济平分秋色。但随着市场格局的变化,乡镇企业在20世纪90年代后步入了低谷。

实行家庭联产承包责任制后,农民有了土地经营权,这就为农户按市场机制从事生产经营活动创造了条件。但是,分散的农户面对市场经济的汪洋大海,无法适应千变万化的市场需求。也就是说,家庭联产承包责任制虽然创新了农业经营制度,但并没有解决农户分散经营与市场经济的接轨问题。因此,20世纪90年代初,农村又进行了农业产业化改革。其基本内容是:以农户经营为基础,以"龙头企业"为依托,以经济效益为中心,实现产供销一条龙,农工商一体化,使农业生产经营产业化。"龙头企业"在农业产业化经营中,成为农户与市场之间的桥梁和纽带,其灵活的组织形式,为农户参与生产经营提供了多种多样的方式。农户既可以直接参与经营,也可以以土地经营权入股,实行股份合作制。可见,农业产业化是建立在家庭联产承包责任制基础上,为克服承包制固有的缺陷而进行的农业经营制度的变迁。它使农村形成了以家庭承包经营为基础、统分结合的双层经营体制。通过土地经营权的流转,这种双层经营体制还可以实现适度的规模经营,有利于土地资源按市场机制的要求,实现优化配置,从而提高土地利用效率。

城市经济体制改革,主要是针对国有企业的改革。它主要经历了三个阶段:

第一阶段,放权让利。这一阶段改革的理念是,国家对企业管得过多过死,因此,要扩大企业自主权,实行工业经济责任制。这些改革提高了企业与职工的生产积极性,促进了国有企业经济效益的提高。随后,又实行了两步"利改税",其主要内容是,由上缴利润改为利税并存,再到完全上缴所得税。在"利改税"的同时,对国有企业的固定资产投资,实行"拨改贷"。这两项改革,既调整了国家与企业的分配关系,也形成了新型银企关系。

第二阶段,承包经营责任制与租赁经营责任制。为改善企业经营状况,国家从 1987 年开始,在国有大中型企业中实行承包经营责任制。其主要内容是"包死基数、确保上缴、超收多留、歉收自补"。

对小企业则实行租赁经营责任制。这两种形式的改革,有利于激发经营者的积极性,但容易导致经营者的掠夺式经营,不利于国有企业的长远发展。

第三阶段,建立现代企业制度。国有企业的承包制改革,借鉴了农村承包经营责任制,但国有企业的经营方式与农业生产的经营方式有很大的差别。国有企业实行承包经营的结果,并不理想。因此,1994 年召开的党的十四届三中全会,明确提出,国有企业改革的目标模式,是建立产权清晰、权责明确、政企分开、管理科学的现代企业制度。随后,国有企业开始了以股份制为主要形式的公司治理结构的改革,从而实现了国有企业组织形式与现代市场经济的接轨。

由上述分析不难看出,我国经济体制改革经过二十多年的实践,已经探索出了具有中国特色的改革发展之路,积累了宝贵的经验。

1. 改革以制度需求强烈、变迁成本小的环节为突破口。如上所述,农民在衣食不保的困境中,有强烈的制度变迁要求。因此,打破原有的制度安排,实施制度创新就成为改革的必然的选择。农民作为制度变迁的主体,在原有人民公社体制下,从国家得到的少,而为工业与城市的发展贡献的多,在坚持土地集体所有的前提下,实施经营方式的变迁,将经营权承包到户,不但不会影响农业生产,反而因提高了农民的生产积极性,粮食产量大幅度增加。这既解决了农民的吃饭问题,也大大改善了城市居民的农产品供给状况。可见,承包制改革,在一定意义上具有帕累托效应。因而这种选择的交易成本和机会成本都比较小。

2. 培植制度变迁的多元化主体,充分发挥政府在制度变迁中的重要作用。从改革进程看,家庭承包经营、农产品流通体制、乡镇企业的发展、农业产业化等不同阶段的改革,农民、国有粮食企业、地方政府、中央政府,都是制度变迁的主体。由于每一项改革实质上都是利益格局的调整,在既得利益阶层力量小的领域,制度变迁的阻力相对较小;在既得利益大的领域,制度变迁的阻力就大。而且,随着改革的深入,制度变迁将会在更大程度上对既得利益进行调整,改革的阻力也会随之增大,这就必须发挥政府在强制性制度变迁中的作用。同时,要从维护最广大人民群众物质利益的角度出发,培植多元化的制度变迁主体。

3. 走渐进式的改革道路。从计划经济体制向市场经济体制变迁,有两条不同的道路,一条是激进式的,又称"休克疗法",其特点是在很短的时间内,彻底放弃原有的经济体制,实施完全市场化的经济体制。但它使经济社会出现巨大转折,引起社会动荡不安。苏联、东欧等国家走的就是这条道路。另一条是渐进式道路,其特点是,在保持经济社会生活相对稳定的前提下,在人们可承受的限度内,由易到难、由局部到整体、由单项到综合,逐步进行改革。我国的改革走的正是典型的渐进式道路。实践证明,这是一条符合中国国情的非常正确的改革之路。

二、中国特色制度变迁理论的艰苦探索

我国的经济体制改革,是从"摸着石头过河"开始的。这一方面说明,在中国这样一个社会主义人口大国进行改革,不能操之过急,只能采取稳妥的方针,由浅入深,由局部到全局;另一方面也说明,改革理论准备不足,一开始只能逐步积累经验,通过实践探索中国特色的制度变迁理论。事实上,我国经济体制改革之初,我们党就开始了对社会主义制度变迁理论的艰苦探索。

党对中国特色制度变迁理论的探索是从生产关系层面的制度变迁开始的。依据马克思主义生产力与生产关系的理论,我们党认为,改革前我国的生产关系不适应生产力的发展,因此必须对生产关系及上层建筑进行改革,以促进生产力的发展。这就从根本上指明了制度变迁的必要性,明确了我

国经济体制改革的性质，即我国经济体制改革是社会主义生产关系的完善和发展，绝不是要改变生产关系的性质。在改革生产关系的同时，还要对上层建筑进行相应的改革，即要进行政治体制改革。

在经济体制层面上对制度变迁理论的探索，就是确定经济体制变迁的目标模式。我国制度变迁的目标模式，是建立社会主义市场经济体制。可见，党对中国特色制度变迁理论的探索，是以市场化改革为目标取向的，它实质上也就是对社会主义市场经济理论的探索。这一艰苦探索经历了一个不断深化与发展的过程。

1978 年召开的党的十一届三中全会确定，要对高度集中的经济管理体制进行改革。1980 年前后，邓小平同志多次在谈话中，充分肯定"大包干"的做法，指出"农村搞家庭联产承包，这个发明权是农民的。"①认为包产到户，效果很好。1982 年元旦，经中共中央批转的《全国农村工作会议纪要》，最终肯定了包产到户的社会主义性质。1982 年党的十二大提出了建设有中国特色社会主义的理论，强调从我国的国情出发，从物质文明与精神文明两方面建设有中国特色的社会主义。在经济体制方面，提出要发展多种经济形式，坚持计划经济为主、市场调节为辅的原则。1984 年 10 月，党的十二届三中全会通过的《中共中央关于经济体制改革的决定》，明确提出社会主义计划经济是有计划的商品经济，这为逐步转入市场经济开辟了道路。1987 年召开的党的十三大，提出了社会主义初级阶段的理论。这一理论

① 《邓小平文选》第三卷，人民出版社 1993 年版，第 382 页。

是我党一切方针政策的基本依据,从而明确了我国经济体制改革的初始条件。1992年召开的党的十四大,明确提出我国经济体制改革的目标,是建立社会主义市场经济体制。这就从理论上确立了我国经济体制变迁的目标模式。各种具体经济制度的变迁,都必须适应社会主义市场经济的要求,与市场经济接轨。至此,中国特色制度变迁理论的基本框架初步形成。2003年10月召开的党的十六届三中全会,通过了《中共中央关于完善社会主义市场经济体制的决定》。《决定》提出了完善市场机制,实施制度创新的目标任务与决策部署,并针对当前农村改革发展中存在的突出问题,从统筹城乡发展的高度,提出了深化农村改革的部署和措施。《决定》强调要深化农村税费改革,加快推进综合配套改革。

对中国特色制度变迁理论的探索,并不是一帆风顺的,其间经历了多次波折与争论。1978年关于真理标准问题的大讨论,揭开了中国特色制度变迁理论探索的序幕。1980年前后,对农村"大包干"性质问题的争论,社会各界的意见分歧很大,有的人甚至认为,"大包干"是搞资本主义,所谓"辛辛苦苦三十年,一夜回到解放前"。1992年前后,关于市场经济是"姓资"还是"姓社"问题的争论,更是引起了社会各界的高度关注。一些人把市场经济与社会主义对立起来,把市场经济等同于资本主义,认为搞市场经济就是搞资本主义。中国的改革到底向何处去?在这紧要的历史关头,改革开放的总设计师邓小平同志,在南巡讲话中明确指出,市场经济不等于资本主义,社会主义也可以搞市场经济,计划和市场都是经济调节的手段。党的十四大根据邓小平同志南巡讲话的精神,确定我国经济体制改革的目标是建立社会主义市场经济体制。至此,市场经济终于在中国取得了合法地位。

三、在实践中发展中国特色制度变迁理论

实践需要理论的指导,理论也需要在实践中发展。中国特色制度变迁理论,指导着我们实施制度变迁的实践,与此同时,这一理论也有待于在改革实践中丰富和发展。

客观地说,中国特色制度变迁理论作为一个理论体系,还很不完善。之所以如此,根本原因在于,中国改革与制度变迁的实践还处在深化的过程之中,不完善的实践,必然产生不完善的理论,这也是历史与逻辑一致性的具体表现。就我国改革与制度变迁的实践来说,还存在着以下主要问题与缺陷:

首先,在改革与制度变迁主体的培植上,没有从增进主体的利益上,以实现帕累托最优为手段来壮大制度变迁主体。这一点突出表现在城市改革方面。由于有关社会保障与救济等制度安排不到位,城市出现了以下岗工人为主体的贫困阶层。这些人对国有企业的改革有抵触情绪,其中有的人甚至把自己目前的处境,归咎于改革。这就在一定程度上加大了改革的阻力,而国有企业改革如果不能得到广大职工的支持,是不可想像的。

其次,行政体制改革不适应经济体制改革的要求。生产关系的改革,必然要求上层建筑相应地进行改革。我国的行政体制虽然也随经济体制进行了改革,但改革的进度滞后于经济体制改革,这就影响了经济体制改革的进一步深化。

第三,分配制度缺乏创新,收入差距不断扩大。改革开放以

来,我国居民的收入水平有了大幅度的提高。但与此同时,不同阶层、不同地区、不同部门居民的收入差距也在不断扩大。据世界银行测算,1978 年中国人均收入的基尼系数是 0.33,1995 年为 0.445,1998 年为 0.456[①],1999 年为 0.457,2000 年为 0.458,2001 年为 0.459[②],这不仅超过了国际公认的中等合理差距水平,而且超过了 1990 年美国家庭收入 0.43 的基尼系数。近几年来,收入差距扩大的现象不但没有改观,还呈进一步加剧之势。收入分配不合理,不但不利于扩大消费,实现国民经济的良性循环,而且会加剧社会矛盾,严重影响社会稳定。

第四,渐进的单项推进式改革,难以实现综合性制度变迁的绩效。并且,由于单项改革之间的相互牵制,单项改革本身的绩效也难以充分实现,改革的成本也因此越来越大。这使得深化改革的进度与力度,在很大程度上取决于政府能否担负起巨大的改革成本。

实践中存在的问题,也制约着理论的发展。事实上,目前我国理论界有关这些问题的研究并无实质性进展与突破。这说明,加强改革的理论研究,为解决这些问题提供理论依据,已经成为深化改革的当务之急。因此,必须在改革实践中大胆探索,以丰富和发展有中国特色的制度变迁理论,并以之指导我国的经济体制改革与制度变迁向纵深发展。

作为我国经济体制改革的重要领域与环节,农村税费改革要克服上述难题的困扰,也必须进行理论与实践两方面的创新。

---

① 数据来源:胡家勇:《转型经济学》,打印稿,第34页。
② 数据来源:杨宜勇:《如何理顺居民收入分配》,《中国证券报》2002 年 8月 29 日。

第五节 农村税费改革中的制度变迁分析

农村税费改革是顺应社会主义市场经济和推进农村民主法制建设的要求,从根本上治理针对农民的乱收费,切实减轻农民负担,建立规范的农村分配制度,巩固农村基层政权,调动和保护农民的积极性,促进农村社会稳定和农村经济持续健康发展,并最终实现城乡一体化发展的一系列的制度变迁,是"农村的第三次革命"。本节主要对农村税费改革中制度变迁的主体、动力、方式、绩效的检验标准等问题进行初步分析。

一、税费改革中制度创新的主体与动力

所谓制度创新主体,是指有意识地推动制度变迁的个人、团体或机构。制度变迁的主体要把握时机,确立制度变迁的目标与方式,设计具体的方案,并主导变迁过程,促进新制度的产生与巩固。

马克思主义认为,人民群众是历史的创造者,是先进生产力的代表。当旧的生产关系与上层建筑所形成的制度阻碍生产力的发展时,人民群众就会起来进行根本性的制度变革。在社会主义社会,党和政府代表着人民群众的利益,当生产关系与上层建筑不适应生产力发展时,党和政府与人民群众一道,成为制度创新的多元主体。农村税费改革的主体正是各级政府与广大的农民群众。因此,改革中要充分尊重农民群众的意愿,相信群众、依靠群众,走群众路线。

　　促进农村生产力的发展是这次税费改革中制度创新的根本动力。目前,我国农村经济已经进入新的发展阶段,但农村分配制度与基层行政机构的现状,已经不适应农村生产力的发展。具体表现在,乡镇机构的膨胀及农村公共产品供给资金的短缺,导致基层政府向农民乱收费,严重挫伤了农民的生产积极性,阻碍了农村生产力的发展。因此,必须对现行农村分配关系进行创新。

　　农村税费改革既然是对分配制度进行创新,必然要改变原有利益分配格局,这就会影响到制度创新主体对农村税费改革的态度。所以,农户、县乡财政和国家对税费改革的态度会有所不同。

　　农户是税费改革的最大受益者,因而积极参与税费改革。包干到户之后,农业的非常规增长带来了连续六年农村经济和整个国民经济的高速成长。随着20世纪80年代以来农村经济的增长和增长结构的变化,特别是90年代中西部地区大规模"打工经济"的发展,农村基层财源和税源结构发生了巨大变化。但是,农村的税制并没有随之做出相应的转变,以至各种公共开支缺少相应的税收来源,致使其负担转嫁到农民头上。因此,农户对于这次以减轻农民负担为首要目标的农村税费改革非常支持,他们所关心的是怎样才能使这项制度合理化、法制化,以确保其负担不出现反弹。

　　县乡财政在这次税费改革中损失最大,尽管他们是此次税费改革的实际执行者,但其所面临的实际困难将导致他们的改革积极性难以保证:①税费改革前,分税制的实施已使县级财政的实际收入增长困难。分税制实施前,地方财政的"包干制"在很大程度上刺激了地方政府尤其是乡镇政府增收创收的积极性,但1994年开始实行的分税制使这种格局发生了比较大的变化,县、乡级财政受到明显的影响。以财政为例,县级地税收入全部归入地方财政,但增值税的75%交中央财政。与增值税相比,地方税种的征收成本非常高,这会直接影响地方政府的财政收入,而且,地方税中的所得税又受地方企业效益的影响。进入20世纪90年代,以前作为县级财政主要支柱的县属国有企业效益直线下滑,到目前几乎无赢利可言。因而,整个县级财政收入便越来越倚重于所属乡镇财政和非国有经济。大部分工业不发达县特别是中西部地区的县级财政,始终没有能够从根本上扭转"吃饭财政"的状况。②税费改革的实施使乡镇财政更加举步维艰。改革前,在乡镇工业欠发达的地区,县、乡财政收入主要靠乡统筹费这笔专项资金;改革后,取消了原有的"三提五统",在乡镇企业总体状况不容乐观的情况下,县乡财政陷入收不抵支的困境。如何提高乡镇财政收入,保证其职能的履行是一个急需解决的问题。

国家从经济发展和社会稳定两个方面考虑,积极推进税费改革,是此次费改税制度的提供者和重要实施者。由于"二元经济"的客观存在,虽然我国经济得到了快速发展,但工农业之间的剪刀差、城乡之间的差距不但没有缩小,还有进一步扩大的趋势。农村经济的停滞不前,不仅妨碍了整个国民经济的健康运行,使工业发展缺乏前进的动力,而且在入世的大背景下,我国农业的发展水平与国外的巨大差距,也给我国的国家安全和社会稳定造成了不利的影响。因此,国家作为制度供给的重要主体,发挥强制性制度变迁时滞短、见效快、成本低的优势,及时地推行农村税费改革。从短期看,因为农业税属于地方税,对国家的税收没有直接影响,国家没有收益。但从长远看,税费改革增加了农民收入,推动了农村经济的发展,对整个经济的拉动效应不可估量,国家也是制度变迁受益主体之一。

分析农村税费改革中制度创新主体的态度差异的意义在于,我们在改革实践中,要充分认识到影响改革的不利因素,发挥意识形态的引导作用,把不同主体的认识统一到促进农村生产力发展这个根本性目标上来。与此同时,我们要高度重视制度创新与变迁的绩效分配问题,要从宏观上强化收入政策的调控作用,注重收入分配的公平、公正问题,特别要对改革中出现的困难阶层与群体进行帮扶与救助。只有这样,才能为农村税费改革的顺利推进创造有利条件。

二、农村税费改革是自上而下的强制性制度变迁

从制度变迁的方式看,农村税费改革是一种强制性制度变迁。事实上,自上而下的强制性制度变迁更加符合经济学原理。制度作为一种公共产品,"搭便车"是其所固有的问题。即使在经济中出现了制度不均衡、外部利润以及制度变迁的预期收益大于预期成本等诸多有利于制度变迁的条件,由于"搭便车"的存在,经济主体(农户和基层组织)可能不会进行诱致性制度变迁。此时,政府应凭借其强制力、意识形态等优势,以强制性制度变迁替代诱致性制度变迁,增加制度供给,降低制度变迁的成本。

此次农村税费改革,实质上主要是农户与县、乡、村的利益再分配问题。由于既得利益集团势力较大,没有上级政府的支

持和强制推进,单靠农户作为制度创新主体的努力,无法与既得利益集团抗争。农村现实生活中,尽管农民的负担十分沉重,但农民也只能采取上访、让土地抛荒等这些消极的形式抗争,而无力主动进行制度创新,就是很好的例证。

1978年实行的大包干能够得到农户、集体和国家的一致认可,不仅是因为这项改革可以极大地解放生产力,促进生产力的发展,而且更重要的是,它可以同时增加农户、集体和国家三方的利益,实现整个社会的帕累托改进。因而那次改革的阻力较小,不论是农户、集体还是国家的积极性都比较高。但此次农村税费改革是一个重新调整农户和县、乡、村利益分配比例的过程,县、乡、村的利益受损,其收入较税费改革前有大幅度地减少,其改革的积极性不高,作为改革的实际执行者,有可能影响改革的顺利推行。因此,农村税费改革只有国家通过法律、法规以及行政命令的形式强制实施,才能保证改革全面、彻底的推行。

以往的诱致性制度变迁对农民收入的推动作用日益减弱。1978年以来的农村经济体制改革,实质上是以诱致性制度变迁为主的制度变革过程。如家庭联产承包责任制、乡镇企业股份合作制、各种形式的专业技术合作社、农业产业化经营,等等,都是诱致性制度变迁。它使政府逐步承认了农民对剩余产品的索取权,在一定程度上释放了农户长期以来受压抑的积极性。农户成为农业生产、投资、交换、分配和消费的基本单位,成为相对独立的农业经济主体,可以在一定条件下追求利润最大化。农村商品市场体系初步形成,市场机制在配置农村资源的基础性作用得到发挥。但是,随着农村市场环境的变化,在诱致性制度变迁基础上形成的农村基本经营制度也暴露出不少弊端,其效用不断减弱。

①土地占有规模狭小,大大限制了农业劳动生产率和农业商品率的提高。虽然家庭联产承包责任制能够使农户采用精耕细作的劳动集约方式来提高土地生产率,但它在客观上不利于资本、技术、劳动等生产要素在更大范围内的有效配置,不利于传统农业向现代农业转型。

②生产经营方式分散,极低的农民组织化程度与千变万化的大市场之间存在尖锐矛盾。农业生产面临自然风险和市场风险,农户家庭作为农业生产的基本组织,要同时承担这两种风险。农业的弱质特性决定了一家一户的小农经营势单力薄,很难抵御自然风险和市场风险。

③土地流转制度不完善,影响农户的长期经营行为。产权理论告诉我们,产权是一组权利,包括所有权、使用权和收益权等。大包干对土地制度的安排是集体拥有所有权和部分收益权,农户拥有使用权和大部分收益权,这对农户来说实际上是残缺的产权。这不仅不利于实现土地的规模经营,使土地向农业生产能手集中,也不利于鼓励农户投资和保护有限的耕地资源。

现有制度变迁的交易成本居高不下,导致制度供给不足。美国经济学家威廉姆逊认为,制度,无论是正式制度(规则)还是非正式制度(习俗、行为)都存在着市场交易成本。在一定的社会生产方式下,若现存制度的市场交易成本偏高,必然会诱致对新制度创新的需求,但同时变迁制度本身的高成本会抑制新制度的产生。事实上,对农业制度供给产生影响的不仅仅在于现存制度本身的交易成本,而且对现存制度变迁这一行为的高成本也抑制了新制度的供给。我国农业税收制度自 1958 年确立以来,40 多年没有变动。究其原因,并不是对农业税收制度的变迁、农村义务教育投入机制变迁、县乡财政体制变迁等没有需求,而是变迁制度的成本太高,波及面太大,导致自下而上的诱致性制度变迁缺乏动力,造成制度供给不足。

需要特别加以说明的是,我们在这里借用西方制度经济学中"交易成本"的概念,已经去除了其原有的"政治市场"交易费用的内涵,而赋予其制度创新的阻力、影响及制度运行的成本与效率等新的内涵。

三、农村税费改革的路径具有依赖性

1. 制度变迁的路径依赖

路径依赖类似于物理学中的"惯性",它是指在制度变迁中存在着报酬递增和自我强化的机制。诺斯把它解释为:历史确实是起作用的。这种机制使制度变迁一旦走上了某条道路,它的既定方向会在以后的发展中得到自我强化。所以人们过去做出的选择决定了他们现在可能的选择。沿着既定的路径,经济和政治制度的变化可能进入良性循环的轨道,迅速优化,也可能顺着原来的错误路径往下滑,甚至被"锁定"在某种无效率的状态之中而导致停滞。同时,路径依赖还常常将制度创新牵引到旧的轨道上来,使新制度中掺杂大量旧制度的因素,甚至成为旧制度的变种。

这里,我们借用西方制度经济学路径依赖的概念,赋予其新的内涵,特指原有制度的惯性、人们的思维定式、政府运行方式的局限等因素对制度创新的影响。

2. 我国农村经济制度变迁路径依赖的表现

我国农村经济制度变迁从土改、大包干到税费改革,每一次制度变革都极大地解放了生产力,制度变迁的效果非常明显。但这些新制度的路径受初始制度的影响,带有明显的旧制度痕迹,制度变迁显示出路径依赖特征。

(1)以政策而不是以法律的方式来规范土地制度的问题依然存在。不论是土改还是家庭联产承包责任制都存在先出台政策后修订法律的问题。农民的土地使用权在1982年得到了政策上的许可,但直到1986年的《土地管理法》和1987年的《民法通则》才作了较为模糊的规定。此次农村税费改革依然是依照《中共中央、国务院关于进行农村税费改革的试点工作的通知》来具体部署的,由于缺乏法律的依据,在县、乡财政未走出困境之前,如何确保农民负担不反弹乃是一个亟待解决的问题。

(2)土地有偿转让机制的作用仍没有得到发挥。自1978年实行大包干以来,经过二十多年的发展,我国农业的经营规模停滞不前,依然实行以农户分散经营为主、集体统一经营为辅的统分结合的双层经营模式,土地流转体制没有有效运行。一方面,许多农民已在乡镇企业或城市做工,不再参与农业生产,但由于土地承包权放弃的补偿机制没有建立起来,这部分农民不愿意放弃现有的承包地;另一方面,依然以农业生产为主业的农民希望增加承包地数量,但实现规模经营的愿望又很难实现。同时,一些地方在第二轮土地承包中走过场,工作不细致,农民虽然实质上保有土地使用权,但缺乏必要的合同手续和公证程序,导致土地使用权的合理流动和农业税纳税人确定的困难。

长期分散的土地使用权状态和农村的文化背景,又增加了公共性农业生产过程的交易费用,如农田水利建设的协调和组织难度较大。同时,承包资金的权属、土地要素的收入分配与农业税收间的冲突和均衡问题也显得很突出。这些问题对农村劳动力流动、农民收入增长和农村收入分配关系将产生重大影响。尽管中共十五大明确提出土地使用权可有偿转让,而且在《土地管理法》中也能找到土地流转的相关法律依据。但是,我们土地改革的出发点之一,却是以家庭承包方式将农民留在土地上继续从事农业生产,以避免农业隐性失业人口变成社会显性失业人口。只要改革的出发点不调整,这一核心制度的供给就不可能跳出对原有路径的依赖。

3. 导致我国农业制度变迁路径依赖的原因

(1)路径选择的低成本偏好。由于制度创新的高风险性和外部性,制度的供给主体在选择变迁目标时偏向于沿原来改革方向继续前进,因为这样风险小、成本较低。但由于制度变迁中存在着一种自我强化的机制,这种机制使制度变迁一旦走上某一路径,它的既定方向会在以后的发展中得到自我强化。这也是我国农业制度变迁总是带有计划经济的痕迹,难以取得进一步变更的重要原因。

(2)制度意识的刚性滞阻。制度意识的刚性滞阻,在于政府的偏好与局限、制度意识刚性、利益冲突等。我国农业制度创新,几个方面的因素都在起作用:首先是政府对社会稳定与政治稳定的考虑。我国政府赋予粮食、棉花的政治功能与社会性质远远超过了经济功能。过多地赋予土地就业、生存和社会保障功能,会导致土地经营制度、土地产权制度和农产品流通制度以社会和政治稳定为主要目的,而不是以经济效率为主要目标,这不符合市场经济的要求。其次是政府存在行政指令偏好的局限。由于计划经济在特定时期内积累社会财富、促进经济建设方面的优势和过去的成就,加之政府调控市场经济的经验不足,以及与基层的信息不对称,政府存在行政指令偏好,其对计划型制度具有顽强的依赖性。第三是传统体制所造就的既得利益集团为了分享垄断权利,必然维护已有的制度安排,如原有的粮食、棉花流通体制,就是为了维护粮食部门、供销社和城市居民的既得利益。这种既得利益集团的存在,加大了制度变迁的成本。所有这些均成为农村税费制度创新及配套改革的制度意识刚性阻滞。

（3）诱致性改革的固有缺陷。长期采用诱致性改革模式容易导致改革难以彻底,核心制度难以突破,强制性制度供给长期滞后,制度需求缺口大。究其原因:一是改革主体来自于基层,变迁力量弱,无法突破核心制度。基层改革主体所处的地位,使其对涉及重要制度的创新力不从心。二是个人或者企业作为改革的主体,在基本的制度需求解决后,制度创新的动力就会趋减,往往会不自觉地从改革主体的位置上退下来,从而使创新缺少主体。这表明需求诱致性制度变迁无法解决所有的制度供给问题。三是制度变迁模式为自下而上,无法获得强制性制度安排。由于需求诱致性制度变迁的程序是自下而上的,而自下而上的制度方式本来就存在着制度供给滞后问题。对于农业制度这种带有典型公共产品性的制度,有时必须进行强制性的核心制度供给,这是自下而上的制度供给程序无法满足的。

四、农村税费改革中制度变迁的关联性及绩效的检验标准

马克思主义制度变迁理论告诉我们,分配关系的变革源于生产资料所有制的变革,而分配关系一旦发生变革又必然要求生产关系其他方面乃至上层建筑也进行变革。农村税费改革从分配关系切入,直接带来了分配制度的变革。而巩固分配制度创新的成果,则需要有相关制度的配套改革与创新。这既包括农村内部的相关制度创新,如农村土地使用权的合理流转、粮食流通体制的改革等,也包括全局性的宏观经济管理体制的改革,如财政体制、金融体制的改革,等等。

不仅如此,农村税费改革作为对农村生产关系的重大调整,它还要求上层建筑进行相应的变革。比如,乡镇机构就要进行改革。只有彻底改变"生之者寡,食之者众"的不合理现象,才能消除加重农民负担的制度性因素。农村税费改革的上述制度变迁的关联性,是认识和推进这场改革所必须把握的。

农村税费改革成败的检验标准,从根本上说,就是看它是否促进了农村生产力的发展。凡是有利于调动农民生产积极性,能促进农村生产力发展的改革与创新,就是成功的,就要坚定不移地实施,反之就是不成功的,就要坚决制止。决不允许借改革之名,行坑农害农之实。因此,要加强对农村税费改革过程的组织领导与监督检查,严防改革措施的歪曲与走样,切实保障改革目标的实现。

五、农村税费改革中制度变迁的基本原则

1. 效率优先原则。所谓效率优先原则,是指制度变迁应该

按市场经济的要求,以有利于提高资源的利用效率为第一准则,从而实现资源的有效配置。制度变迁的根本动力在于生产力的发展,而实现资源的有效配置正是生产力发展的内在要求。因此,农村税费改革中的制度变迁,首先要以促进效率的提高为基本原则。

2. 兼顾公平原则。实现社会公平是社会主义制度的本质要求。农村税费改革中的制度变迁必须贯彻这一原则。这里的公平是指人们要有平等的机会,即机会均等,而不是指结果平等。如果认为公平就是要结果平等,那就意味着每个人的收入水平不受其工作实绩的影响,这就势必导致平均主义。所以,这里的兼顾公平原则,是指要通过制度变迁,为每个人创造平等竞争的机会,即机会均等。

3. 保持稳定原则。我国人口的70%生活在农村,农村税费改革涉及面广,可谓牵一发而动全身。因此,实施制度变迁的同时,要力求保持农村社会稳定。在进行分配制度变迁的过程中,要做艰苦细致的工作,各项改革措施要力求稳妥,防止大起大落。要通过发展经济不断为制度变迁创造条件,适时进行农业税收制度的彻底改革,及其他相关制度的创新与变迁。

我国改革开放以来所取得的举世瞩目的成就,充分显示了制度变迁的巨大绩效,揭示了制度变迁的必要性与意义。农村税费改革,从根本上说是要在公共经济的框架下进行综合性制度变迁。

如果说在改革开放之初,我们是"摸着石头过河"的话,那么,在改革已经进行了二十多年的今天,随着改革向广度与深度发展,从理论上系统总结经验,形成中国化的制度变迁理论并用以指导改革的进一步深入,已经成为改革实践的迫切要求。

农村税费改革并没有一套现成的理论,这就需要我们在马克思主义制度变迁基本理论的指导下,吸收现代市场经济相关理论特别是西方制度变迁理论的合理成分,结合我国农村的实际,在改革实践中大胆探索与发展。通过实践发展理论,再以理论指导实践。

第三章　农村税费改革的
初始条件

　　制度变迁的初始条件对制度变迁有重大的影响,任何一种制度变迁都有其特定的初始条件。客观地认识初始条件,准确把握现实环境,是顺利实施制度变迁,扩展制度变迁绩效的前提。因此,必须对农村税费改革的初始条件进行客观科学的分析。

　　2000 年开始的农村税费改革作为一次重大的制度变迁,有着深刻的国际、国内背景与历史渊源。从国际上看,欧美日农产品贸易战不断升级,国际市场上农产品竞争日趋激烈。随着我国加入 WTO,有关农产品的贸易条款将逐步生效,我国农业将面临现代化大农业的直接冲击。从国内看,我国农业已经开始进入新的发展阶段,但农村乱收费严重影响农业的发展和农村社会的稳定。我国历史上农村税费改革的经验启示我们,当税费混乱,农民负担沉重的时候,就必须进行税费改革,而每一次农村税制改革,都在一定时期内、一定程度上促进了农村生产力的发展。

第一节　农村税费改革的国际背景

我国农村税费改革是在极其复杂的国际经济背景下展开的。由于世界经济持续低迷,国际贸易竞争加剧,以农产品贸易为主要内容的贸易摩擦此起彼伏。随着我国加入 WTO,我国农业面临着更大的冲击。惟有进行改革,才能增强我国农业的国际竞争力。

一、国际市场农产品竞争加剧

农业作为传统的基础产业,一直被人们视为落后的产业部门,并与落后的国家相提并论,以致有"落后的农业国家"之称谓。之所以如此,主要是因为传统农业的生产技术、生产方式落后,从而劳动生产率低下。不发达国家专门从事农产品的生产,向发达国家出口农产品,一度成为世界贸易中的普遍现象。然而,随着现代大农业的产生与发展,现代科学技术特别是生物工程与基因技术在农业中的发展与推广运用,上述格局发生了根本性变化。原来一些出口农产品的不发达国家,由于农业生产技术落后,农业劳动生产率低,以及自身人口的较快增长,逐步变成了农产品的进口国,而原来一些进口农产品的工业发达国家,由于加大了对农业的投资,将先进的科学技术运用于农业生产的过程中,农业劳动生产率得到了极大的提高,农产品的产量大幅增加,并成为世界农产品主要出口国,如美国、欧盟、加拿大等。农产品贸易格局的这一根本性变化,使世界农产品贸易竞争日趋激烈。主要农产品贸易国之间贸易关系的不平衡,时常引发贸易争端,如欧盟和美国之间,为了农产品贸易问题一直争执不休。

　　发达国家之间的农产品贸易竞争激烈,发达国家与发展中国家的农产品贸易的火药味更浓。特别是发达国家凭借现代化农业的优势,挤占国际农产品市场的份额,向发展中国家大量倾销农产品,其中包括转基因农副产品。同时对发展中国家的农产品则以各种非关税壁垒予以抵制,如欧盟、日本对我国出口的农产品以极其严格的技术标准进行抵制。我国出口日本的大米,日方规定的检验项目多达56个(一般国家仅9个项目),因此多次发生我国出口日本的大米因所谓残存农药过多而退货的事件。我国出口日本的家禽,其卫生标准竟高出国际卫生标准500倍。欧共体为统一其大市场所采取的282项措施中,仅动植物检疫的措施就有81项。美国强行要求中国进口其疫区的水果和小麦,而我国出口美国的陶瓷产品因稻草包装有违美国动植物检疫规定而被勒令销毁。[①] 可见,发达国家的非关税壁垒已成为我国农产品出口的巨大障碍,它使我国出口到发达国

---

① 资料来源:张静河:《WTO农产品协议:规范与承诺》,黄山书社2000年版,第206页。

家的农产品数量大为减少。

面对国际市场的冲击,我们必须及时制定对策,提高我国农业应对国际市场的能力和农产品在国际市场的竞争力。

二、加入 WTO 对我国农业的冲击

国际农产品市场的激烈竞争,也充分反应在 WTO 的历次重要谈判、特别是有关农产品的国际贸易规则的谈判中。经过近 50 年的谈判与协商,直到乌拉圭回合结束后,才最终签署了《农产品协议》。这个协议的主要目标是,在 1993—1999 年之间,使农产品的支持和保护措施得到实质性的减少,以纠正国际农产品市场的扭曲,从而建立一个公平的、以市场为主导的国际农产品贸易新体制。按照这个协议,将形成以下几方面的约束机制:减少和规范国内农业生产支持(国内补贴)、削减直接的出口补贴、改善市场准入条件和动植物环境卫生等规则、建立单一关税制的农产品进出口调节标准。凡是 WTO 成员国,都必须遵守这一协议,凡申请加入 WTO 的国家或地区,都必须以此协议为法律基础,与协议相关的成员方进行多边谈判,并承诺遵守这一协议,才能加入 WTO。我国已于 2001 年 11 月的 WTO 多哈会议上,被接纳正式成为 WTO 的成员方。为加入 WTO,我国进行了长达十五年的谈判,与美国等多个主要农产品出口国进行了多边谈判,并于 1999 年 4 月与美国签署了《中美农业合作协议》。我国政府在市场准入等方面做出了自己庄严的承诺,包括关税减让、大宗农产品的关税配额减让(即承诺让出本国粮食市场的 3% 配额,否则不得加入 WTO)、低关税配额的分配和使用(即要求将一定比例的初始配额分配给私营进口商,

以保证所有进口配额都得到利用)。

加入 WTO 对我国农业的影响是十分广泛的,我们可以从短期与长期两个阶段进行分析。从短期看,主要是美国部分农产品品种对我国农产品市场的冲击。美国农业生产有十分优越的自然条件,其耕地达 1.9 亿公顷。过去几十年来,美国一直对农业进行巨额补贴,农业生产的技术含量高,并实现了高水平的农业现代化,这使美国的粮食出口量占世界粮食出口量的50% 左右。美国凭借农业强大的竞争力,极力推动农产品贸易的自由化。这必将对已成为 WTO 成员方的我国农业产生重大影响。当前,美国的小麦、肉类及柑橘类水果会对中国农产品市场形成冲击。从长期看,加入 WTO 对我国农业的影响主要是:

首先,我国大宗农产品如小麦、玉米、大豆、棉花、菜油、食糖等产品的国内价格已经高于国际市场的 20% 以上。随着我国关税的逐步降低,这些大宗农产品将大量进入中国市场,从而会给国内相关农产品的生产带来巨大压力。

其次,WTO 要求放弃所有非关税保护手段,只能把关税作为农产品市场准入的保护措施,而我国不具备将原来的非关税措施转化为关税的条件。按 WTO 的规则,关税成为惟一保护手段后,各国原有的非关税措施应转化为相应的关税值,同时纳入关税逐步减让的体系。农产品关税确定的方法是:

某种农产品的关税 = 该产品国内市场平均价 – 国际市场平均价

WTO 确定的减让期为 1986—1988 年,其时,我国大部分农产品的市场价格远远低于国际市场的价格。用当时的价格作基数,我国农产品的进口关税就会成为负值①。在这种情况下,我们也就不可能实行非关税措施的关税化。因此,我们只能通过谈判来确定关税税率。这样,我国的农产品保护关税的税率会很低。

第三,随着进口农产品的数量的增加,国内农产品的价格将进一步走低,从而会使农民的收入下降,农民对农业的投入会进一步减少,农业生产将面临投入资金少、技术水平低、生产力发展缓慢的恶性循环的局面。许多农民会弃耕而成为游离劳动力。这样,农村剩余劳动力将进一步增加,就业压力会进一步增大。

第四,大量进口粮食将使国内粮食生产和流通进一步受国际市场粮食价格波动的直接影响,从而加大了我国的粮食风险,危及国家的粮食安全及我国社会的稳定。

综上所述,加入 WTO 将使我国农业直接面临国际大农业的挑战和冲击,这一挑战和冲击主要来自 WTO 农业协议的约束。因为,农业协议是以实现全球农产品贸易自由化为目标的,农业协议的生效将引起世界农产品市场价格、市场准入、进出口贸易格局以及农产品国际贸易规则发生显著的变化,这些变化将不可避免地传递和影响到越来越国际化的中国农业。农业协议的生效要求中国履行加入 WTO 农业谈判中所承诺的义务。总的来说,农业种植业特别是粮油生产将受到国际农产品市场价格和产品品质的双重冲击。3—5 年内,我

---

① 参阅张静河:《WTO 农产品协议:规范与承诺》,黄山书社 2000 年版,第200 页。

国稻谷、小麦、大豆、玉米、油菜籽、棉花的商品率有可能下降，价格下跌。预计全国由于农产品的进口增多，将新增农村剩余劳动力 600 万—1000 万人，相应有 0.6 亿—1 亿亩耕地的农产品失去市场。

从出口的角度来分析，我国农产品在国际市场上竞争力不强，出口份额小，外向度低。究其原因，剔除农产品加工的因素外有五个方面：一是经营规模小，形不成规模效益。美国、欧盟、日韩的经营规模分别是我国的 500 倍、50 倍和 5 倍。二是土地密集型产品失去价格优势。2000 年，几种主要农产品的国际市场价均低于国内市场价，见下表。三是土地税赋重。不少发达

主要农产品价格比较①　　　　　　　　　单位:元/公斤

品种	国内市场平均价	国际市场平均价	部分国家市场价格
大米	2.00 （粳米标一）	1.437	1.900 （泰国大米离岸价）
小麦	1.341 （三等白麦）	1.062	0.9 （美国 1#硬红麦离岸价）
玉米	0.931	0.789	0.745 （美国 2#玉米离岸价）
大豆	2.276	1.538	1.518 （美国 1#黄豆离岸价）
大豆油	5784	2.694	3.678 （荷兰豆油工厂交货价）
菜籽油	5.786	2.294	3.678 （荷兰菜籽油厂家货价）

国家农业不纳税，而我国农业税费较重。四是流通环节费用高。

---

　　①　国内数据来自于国家经贸委的有关资料，国外数据来自海关的统计。

由于农产品流通中间环节多,经营体制缺乏活力,中间环节费用约占价格的 20%—30% ,而发达国家一般不到 10% 。五是质量不高。我国大豆、油菜籽出油率比进口产品低 5 个百分点以上,玉米的含水率高 5 个百分点,大米的直链淀粉含量低 5 个百分点,小麦面筋含量少,制成面包体积小、掉渣,且专用小麦品种少。

三、我国农业的现状不适应国际市场的要求

我国作为一个农业大国,建国以来一直实行以农补工政策,加之我国农业生产先天条件不足,我国农业目前仍停留在小农经济的生产模式上,并呈现以下特征:

第一,土地资源的稀缺使我国农业的微观主体生产规模小、生产成本高。近年来,我国农业的生产成本不断上升,每年平均上升 10% 。由于我国土地资源稀缺,人均占有量只有世界平均占有量的 1/3。为了在有限的土地面积上获得维持占全世界 1/4 人口的基本粮食供应,我们在技术因素方面,更多地选择了土地替代型技术,大量使用化肥、农药等现代农业生产要素来支撑粮食产量。我国每公顷土地的化肥使用量已高达 270 公斤,高出世界平均水平的 200% 。其结果是,增加了农业生产的成本,降低了农产品的质量。随着城市化的发展及交通能源等基础设施的建设,占用的耕地逐年增加,而"三北"地区土地沙漠化的发展也十分惊人。这些因素,使我国的可耕地每年以相当于一个中等县的面积减少,这必然会加剧农业生产成本的上升。

第二,农业比较利益偏低,成为典型的弱质产业。农业比较

利益偏低的成因是多方面的。从政策方面看,主要是我们长期推行以农补工的政策,从农业中抽出资金(主要以工农产品剪刀差的形式)到非农产业,使农业投入严重不足。从农业自身的原因看,则是由于农业先天条件差,不能实现规模经济,无法获取与其他产业相同的回报。改革开放以来,我们为改变农业比较利益偏低的问题,多次采取提高农产品购销价格的方式进行调整,但并没有能够从根本上解决农业比较利益偏低的问题。原因在于,解决这一问题的关键是发展规模经济,提高农业的劳动生产率,加大财政对农业的支持力度。为此,必须对农村经济管理的相关制度进行改革与创新。

第三,政府支持力度小,农业的国际竞争力弱。农业作为一个弱质产业,即使在西方现代市场经济高度发达的国家,政府也并未把农业完全推向市场,而是长期推行政府对农业的扶持政策。如,美国和欧盟给农业生产以各种补贴和优惠贷款,对农业科技成果的研究与推广、水利基础设施建设、生态环境的治理等给予了大量的投入,推动了农业的技术进步和劳动生产率的提高。美国政府在联邦预算中设立了农产品价格补贴基金,由农业部负责运作。农业部在下一个农业生产年度开始之前,根据上一个农业生产年度的市场和库存情况,制定和公布农产品的目标价格。如果农产品的市场价格低于政府的目标价格,差额由农产品价格补贴基金补足。美国大型水利基础设施由联邦政府和州政府进行投资,中小型水利基础设施由农场主个人投资或多人联合投资,农业部和内政部给予资助。欧共体国家为了保护和扶持农业生产,早在1962年就制定了共同农业政策,对农产品实行类似美国的目标价格和干预价格的补贴,补贴额占欧共体预算的50%,80年代末甚至达到80%。①

美国和欧盟还对农业教育和科研投入大量经费,如荷兰每年农业预算的25%用于农业教育。法国设有15所国立农业大学和150多所国立农业中专。美国农业预算中除了给农场主的补贴外,还设有农业科技研究与推广、资源保护与土地管理、水源与水利、农业资源改造、农业区域开发、灾害救济与保险等项目。20世纪70年代中期以来,美国对农业科技的投入达150亿美元。

我国由于经济基础相对薄弱,工业化水平还不高,国家财力有限,不可能像西方发达国家那样,由政府对农业提供高水平的支持。在WTO《农业协议》规定的国内农产品补贴的基准期,即1986年至1988年,我国政府对农业的支持甚至是负数,因为这时我国还以剪刀差的形式从农业转移资金用于发展工业等产业。这也就使我国今后对农业的支持,即使有财力保障,也因受《农业协议》的限制而不可能大幅度提高,而只能在基准期农业生产总值的10%以内。

当然,随着我国经济的发展,财政支农的能力以及工业反哺农业的能力会不断增强。在《农业协议》的规则下,我们可以利用其Green-Box(绿箱)条款,改变对农业的政府支持方式与方法。按这一政策,我国政府可以提供一般性农业生产服务、自然灾害救济补助、农业资源闲置补贴等。同时,我们还要加大对农业教育与科研的投入,提高农民的文化素质和农业生产的科技

---

① 上述资料引自许经勇:《中国农业经济改革研究》,中国金融出版社2001年版。

含量。要加大对农村公共基础设施的投入,改善农业生产条件,从而从整体上提高我国农业的国际竞争力。但是,在现行制度安排下,农业与农村的现状显然难以得到改变。因此,必须进行制度创新。

第二节　农村税费改革的国内经济背景

农村税费改革不仅有着复杂的国际背景,而且有着深刻的国内背景。随着我国农业发展进入新的阶段,农村经济中长期积累下来的许多问题日益显现出来。只有进行改革,才能从根本上解决这些问题。

一、农村经济发展进入新的阶段

我国广大农村经过二十多年的改革,社会生产力获得了解放,农产品供给能力有了极大提高,农民生活有了显著改善。随着农村经济的发展和我国社会主义市场经济进程的加快,我国农业和农村经济已经步入一个新的阶段。这具体表现在:一是农产品结构性剩余已经出现,部分农产品明显过剩。以安徽省为例,1979—1998 年,安徽省粮、油、棉、肉、水产品产量年递增率分别为2.9%、9%、4.8%、9.8%和18%。农产品供给能力的迅速增长,不仅满足了全省居民对农产品的消费需求,而且结构性剩余业已显现,部分农产品出现过剩。截止到 1999 年底,安徽省粮食(不含国家专项)、油脂、棉花库存分别达 1150.2 万吨、3.2 万吨和 23.66 万吨。均为 1995 年库存的 1.7 倍以上。

二是农民增收与农业丰收之间的相关性减弱。与 1978—1994 年明显不同的是,农民增收不依赖农业丰收、总量增长的相关性已不明显。在大宗农产品增幅波动趋稳的态势下,农民收入增幅持续直线下降,并进入低速增长期。一些地方增收与增产呈逆向变化。安徽省 1999 年,粮食增长 7.0%(为历史上第二个高产年),油料增长 51.9%(创历史最高水平),肉类增长 3.7%,禽蛋增长 8.1%,水产品增长 5.3%。但据安徽省农调队抽样调查,全年农民人均现金收入增幅仅为 0.3%,其中来自家庭经营性现金收入下降 2.2%。三是农业对资本和科技的依赖程度明显增强。据农业部门统计,安徽省农业生产中物质投入消耗由 1990 年的 34.1%,上升到 1998 年的 45%,年末户均拥有生产性固定资产原值由 1993 年的 1520 元上升到 1998 年的 4023.42 元,科技对农业的贡献率由"八五"的 36.2% 上升到 1997 年的 42%。① 四是农业与非农产业的关联度越来越大。随着市场经济的发展,资源的配置和生产要素的流动在工农之间、城乡之间相互渗透、相互促进,农业与非农业的关联度越来越大。农业的发展与工业、通讯、流通、金融、环保、外贸、科技等部门密切相关。农产品市场的拓展、农产品链条的延伸、农产品结构的升级,都越来越多的需要非农产业的支持,而非农产业的发展又依赖于农业的支撑。

上述分析表明,我国农村经济发展已进入一个新的阶段,这一阶段最为突出的是农民收入增长缓慢与农产品消费需求不足之间的矛盾,这已成为农村经济发展新阶段的主要矛盾。

---

① 数据来源:根据安徽省统计局有关数据计算、整理。

二、农民收入增长呈阶段性下滑的特征

改革开放以来,农村收入增长经历了几个不同的阶段。1978 年至 1984 年为第一阶段,是农民收入快速增长阶段。6 年间农民人均纯收入由 133.57 元增加到 355.33 元,年均增长 17.7%(扣除物价影响仍达 15.9%),现金纯收入年均增长 23.9%。这一阶段农民收入增长的主要原因在于,改革农业经营管理体制,实行家庭联产承包责任制,调动了亿万农民发展农业生产的积极性,粮食产量大幅增长,与此同时国家又大幅度提高了农产品的收购价格。

1985 至 1988 年为第二阶段,是农民收入缓慢增长阶段,其间农民纯收入缓慢增长。扣除物价上涨因素后的农民人均纯收入实际增长只有 1.9%。

1989 至 1991 年为第三阶段,是农民收入的徘徊停滞阶段,其间农民人均纯收入实际增长 0.7%。

1992 至 1996 年为第四阶段,是农民收入恢复性增长阶段,其间农民人均纯收入年均实际增长 5.6%,现金纯收入年均增长 24.4%。[1] 这一阶段主要靠农产品特别是粮食两次提价,同时国家增加农业投入,促进了农民收入的增长。

1997 年开始的第五阶段,农民收入增幅持续下滑。由于整个消费市场的疲软,再加上农业结构调整缓慢,农产品出现结构性剩余,促使农产品价格全面、大幅、持续走低。安徽省粮食局、供销社、农业厅提供的部分农产品市场价格数据表明,早籼稻、

---

① 上述资料来源:根据相应年份《中国统计年鉴》数据整理。

粳稻、小麦市场价格持续五年走低,自 1997 年以来,农产品价格几乎全面下跌,降幅在 10%—45%。1998 年安徽省农副产品收购价格指数仅为 93%,是 1978 年以来的最低点。与此相对应,农民收入增长幅度越来越小。安徽省农民人均纯收入 1998 年为 1863.06 元,较上年增长 3%;1999 年 1900.3 元,较上年增长 2%;2000 年 1934.6 元,较上年增长 1.8%,增幅呈逐年下降之势。①

三、农民税费负担重的问题日益突出

自 20 世纪 90 年代开始,农民的税费负担呈现出日益加重之势,农民负担的增长超过农民收入的增长。根据农业部的资料,1994—1999 年 5 年间,全国农民人均交纳的农业税由 25.3 元增加到 45.9 元,年均增加 12.65%,高于同期全国农民人均纯收入、人均家庭经营纯收入的增长速度(分别为 12.6% 和 10.43%)。1999 年,全国农民人均纯收入较上年增长 2.2%,但人均农业税负担却较上年增加了 5.8%②(以上数据均未扣除物价因素,如果考虑到农产品价格下降、农业生产资料价格上涨等因素,则农民的实际税负更重)。

农业税还只是农民负担的一部分,相对来说还比较规范,而真正成为农民沉重负担的,主要是各种名目繁多的乱收费。关于农民负担问题,我们将在下一节详细分析。

---

① 根据《安徽统计年鉴(2001)》和安徽省农村经济社会调查队住户处提供资料计算、整理。
② 资料来源:马晓河主编:《我国农村税费改革研究》,中国计划出版社 2002 年版,第 3 页。

四、乡村两级债务沉重

由于超前建设、盲目发展乡镇企业、基层政权机构人员众多、包袱沉重、乡级税收空转、村级借款缴税费等多种原因,当前乡村两级负债情况严重,经济欠发达地区尤为严重。农业部1997年对10省的调查显示,乡镇和村级的平均负债规模,已经分别达到400万元和20万元①。从有关部门对安徽省阜阳市2000年底以前形成的各种债权、债务清查情况看,阜阳市八个县区的177个乡镇、4117个行政村基本上都有负债。乡村两级债务总额多达286995.79万元,其中乡级187282.83万元,村级99712.96万元,平均每个乡镇负债1058万元,每个村负债24.2万元。若按人均计算,全市农民每人负债378元。从债务来源上看,乡村债务中来自银行、信用社、合作基金会的借贷款本息54596.15万元,占乡村债务总额的19.1%;向外单位借款本息39890.86万元,占13.9%;向个人借款本息43826.16万元(其中高于国家利率的借款本息乡级6155.82万元,村级18454.47万元),占15.3%;应付未付款148682.62万元(其中乡应付干部教师工资83788.67万元,占44.7%。村应付村干和教师工资8550.1万元,占8.6%),占51.8%。从债务用途上看,乡级债务中办企业的投资11597.82万元,占债务总额的6.2%;用于农业开发的投资28100.21万元,占15%;兴建公共设施的投资41556.24万元,占22.2%;弥补日常开支82318.45万元(其中由于支付人员工资58993.94万元),占44%;其他23710.11

---

① 资料来源:《经济研究参考》2000年第81期,第45页。

万元,占总额 12.7%。在村级债务中,用于生产性支出 30163.68 万元(其中办企业的投资 8026.57 万元,村集体生产经营支出 19650.92 万元),占总额的 30.2%;公益性支出 24365.39 万元,占 24.4%;管理费用 12223.75 万元,占 12.3%;上缴税费 18466.52 万元,占 18.5%;其他用途的 14493.62 万元,占 14.5%。乡村债务问题已经成为增加农民负担,制约农村经济发展,影响农村稳定的主要因素之一。

上述分析表明,随着我国农村经济发展进入新的阶段,农村经济中存在的一系列问题,严重阻碍了农村经济的进一步发展。

第三节　农村税费与农民负担现状

在农村进行税费改革,首先要对农村税费与农民负担现状有一个全面准确的把握。为此,必须进行客观的分析。

一、农民负担的表现形式

关于农民负担的内容,主要有两种不同的观点。一种意见认为,农民负担可分为直接付费支物的显性负担,即中央、省、地、县、乡、村各级的税、费、提留、集资、捐款,以及间接支付的工农业产品价格"剪刀差"等隐性负担。另一种意见认为,农民负担主要包括两类:一是农民为集体提供的生产性积累和消费性积累;二是农民为社会所做的贡献。前者包含扩大再生产基金、农民自身的文化福利设施等;后者包括对国家应尽的义务,及对社会公益、行政管理、公共设施等应做的贡献等。我们基本上赞

同第一种意见,结合农民各种负担的性质、表现形式等方面,将
农民负担的内容划分为农业税赋、合同内负担、社会负担和隐性
负担四个方面。

1. 农业税赋

农业税赋是指根据国家有关法令条例和政策,依法向农民
征收的货币或实物。向国家缴纳税金,是每个公民应尽的义务。
农民向国家缴纳的税金主要有农业税、农业特产税、耕地占用
税、牲畜屠宰税等。农民对税金的态度是"种田纳税,天经地
义","皇粮国税,不交有罪"。显然,这不是减轻农民负担的主
要矛盾。从新中国成立以来中国农民一直向国家交纳农业税。
问题在于,我国农业税的征收范围和比率,除农业特产税是 20
世纪 80 年代中后期出台的政策之外,其余均是在 20 世纪 50 年
代按当时的情况和条件制定的。当时的背景是,新中国成立的
时间不长,计划体制的框架初步确立,需要巩固;在农村经济、财
政收入总量和增量中,农业、粮食占据举足轻重的地位;农业的
纳税主体主要是农业合作社。确定农业税征收范围是"种植粮
食作物的土地";征收标准是"粮食作物常年产量"的一定百分
比。这在当时,无疑是正确、合理的。但随着各方面条件的变
化,各地区的土地面积、土壤丰度、粮食作物常年产量、农村经济
结构等都发生了很大的变化;各地农村经济发展的速度、水平和
效益,与 50 年代也有很大的不同,这就使得几十年一贯制的农
业税计征范围与计征标准同各地农村经济发展现实之间出现了
巨大的差距。在传统的粮食产区,历史上土地开发利用较充分,
粮食常年产量较高,农民实际负担的农业税就重,反之则轻。农
民将土地用于生产关系到国计民生但经济效益和比较利益较低

的粮食等作物,按照法律规定却要承担重税。相反,将土地用于发展乡镇企业和农村其他经济效益好的高收益产业,却只承担相对较轻的法定税负。因此,相对于传统乃至新增的农区而言,特别是对于粮食生产而言,法定农业税收负担中出现了一些不合理因素,而且逐步演变成为一种不合理的负担。此外,农业税征收过程中,以征实物计税,以货币计征,税中有税,多数地方实际上不是以户为单位据实计征,而是先确定税收任务总额,然后从上到下层层分配任务,这显然是极不合理的,也完全违背了税收的公平原则。

在农业特产税税制及其征管方面,也存在不科学、不合理问题。1983年国务院颁布的《关于对农林特产收入征收农业税的若干规定》,对征税对象、征收范围、税率等均做了规定,税率一般定为5%—10%。1993年2月,国家又调整了税率和有关免税的政策。但由于农林特产税税源广泛,征税对象价格变动大,税率类别多,税额计算复杂,客观上导致征收困难;加之地方政府和税务部门的简单化作风,各地在农林特产税的执行过程中,普遍存在提高计征比例、扩大征收范围和重复征收等问题。有的地方采取了按种植养殖面积、数量,甚至按人头平摊的简单方法征收,造成农民税负不均;有的地方还出现了部分农民没有特产生产或收益也要交纳特产税的现象,使特产税变成了农民的不合理负担;有的地方还把农林特产税层层分解到县、乡,作为地方财政包干收入,并与基层干部工资挂钩。另外,就特产税的征收环节来说,也普遍存在重复征税问题。有的地方出现了对同一产品既征农业税,又征农林特产税的现象。例如,使用耕地种植水果、挖池养鱼,既要交农业税又要交特产税。还有的地方出现了对同一产品在不同生产环节都要求交纳农林特产税的现象。例如,自用鱼苗、苗木,虽然不出售,但也要交税。而且鱼苗、苗木长成后又要再次征税。这种重复征税的办法很不合理,农民意见很大。征收办法的不规范,还造成不同纳税人之间的苦乐不均。

2. 农民的合同内负担

联产承包责任制改革以后,农村废除了人民公社制度,分配方式发生了重大变化。如第一章所述,农民对村、乡承担的费用项目有:公积金、公益金、管理费(含干部报酬),以及乡村两级办学、计划生育、优抚、民兵训练、修建乡村道路,再加农村义务工和劳动积累工等,统称为村提留、乡统筹费和劳务负担。因为村提留、乡统筹费两项费用一般都列入农民与集体经济组织签订的农业承包合同内,所以也叫合同内负担。通常又把农民直接承担的村提留和乡统筹费称作农民直接负担,或简称为"三提五统"。

具体地说,村提留是指,行政村每年依法从本集体经济组织成员生产收入中提取的用于本组织内维持或者扩大再生产,兴办公益福利事业和日常管理开支的费用。包括公积金、公益金和管理费三个项目,即"三项提留"。其中,公积金用于农田水利基本建设、植树造林、购置生产性固定资产和兴办集体企业;公益金用于五保户供养、特困户补助、合作医疗保健以及其他集体福利事业;管理费用于村干部报酬和管理开支。乡统筹费是按照国家有关法规和政策规定,由集体经济组织向所属单位和农户收取的一种费用。它主要用于安排乡村两级办学、计划生育、优抚、民兵训练、修建乡村道路等民办公助事业,即"五项统筹"。对合同内负担,原本没有一个全国统一的比例。1990年2月,当国务院下发《关于切实减轻农民负担的通知》,第一次提出以乡为单位收取的乡统筹不得超过上年人均纯收入5%的限额比例时,全国农民实际人均负担约占上年人均纯收入的7.88%。从合同内负担看,农村税费改革前普遍存在乡统筹费挤占村提留、管理费挤占公积金的现象。从管理费的使用情况来看,按照有关规定,一般对村支书、村主任、村专业会计(兼村文书)等主要村干部实行定额补贴,其他群团组织干部(包括民兵连长、团支书和妇联干部等)也享受一定的误工补贴。由于地域性和村人口数量的差异,用于村干部报酬的管理费的人均负担是不同的。在一些经济不发达的贫困乡村,仅此一项就足以成为农民的沉重负担。

除"三提五统"外,农民还要承受劳务负担。劳务是农村义务工和劳动积累工的简称。其中,义务工主要用于植树造林、防汛、公路建设、修缮校舍等,按标准工日计算,每个农村劳动力每年承担5—10个;积累工主要用于农田水利基本建设和植树造林,每个农村劳动力每年承担10—20个。农村税费改革前,由于各地在执行法律、法规规定上的偏差,事实上较为普遍地将劳务负担人为地变成了农民的不合理负担。国务院《农民承担费用和劳务管理条例》第十五条明确规定:"农村义务工和劳动积累工以出劳为主,本人要求以资代劳的,须经村集体经济组织批准"。但是,许多地方农民劳务负担的履行方式不是以农民直接提供劳动力为基本方式,而是强行"以资代劳",有的甚至由地方人民政府、有关部门发文做出统一规定,推行"以资代劳"。这就从根本上改变了要求农民承担劳务负担的初衷,也浪费了丰富的劳动力资源。正是强制性的"以资代劳"和要求农民超标准承担劳务,改变了农民法定劳务负担的性质,使之变成了农民的不合理负担。

3. 社会负担

农村税费改革前,名目繁多的乱集资、乱摊派、乱罚款十分普遍,大大加重了农民的负担,广大农民对此极为不满。由于这些费用的征收主体来自社会方方面面的政府机关与事业部门,且征收依据不明,财务管理混乱,故我们把它称之为社会负担。由于它主要表现为乱集资(摊派性质)、乱罚款、乱收费,故又被称之为"三乱"。

社会负担内容杂乱、数额巨大,征收方式具有随意性,农民形象地称之为"无底洞"。在有些乡、村,罚款、报刊摊派等,每年都有强制规定的计划任务,这些任务的完成情况与乡村干部的考核指标挂钩,致使"三乱"之风越刮越猛。据调查,税费改革前,农民的社会负担已占农民人均纯收入的5%—7%。这个"无底洞"如得不到及时、有力的封堵,将会导致农民负担的过度膨胀,严重挫伤广大农民的生产积极性,危害农村经济发展和农村社会稳定。

4. 农民的隐性负担

所谓隐性负担,主要是指农业生产资料价格上涨使农民支出上升,及农产品价格低于其价值为内容的工农业产品的不等价交换(即工农业产品剪刀差)。全国解放后,国家面临着在战争废墟上建设社会主义、实现国家工业化的战略性任务。在这一特定的历史背景下,农业不得不承担起为工业提供原始积累的重任。我国不可能像早期资本主义国家那样,通过掠夺殖民地的办法去完成自己的原始积累，而主要靠我国自己的积累来实现国家的工业化。为此做出最大贡献的是占人口总数70%以上的农民。几十年来，广大农民通过剪刀差的形式为国家工业化提供了大量资金。据有关资料，新中国成立以后的五六十年代，工农业产品价格剪刀差绝对值每年一般都在100—200亿之间，到20世纪70年代后期达到每年400亿左右。到80年代初，农民仅通过工农业产品剪刀差的形式向国家提供的积累，占到当年农民人均纯收入的60%以上。一些地方实行的农业税征实政策，对于国家稳定粮食价格，从而稳定基本生活消费品的物价水平是十分必要的。但同时又导致粮价走低，农民减收，隐含了广大农民对国家的贡献。目前我国农民的生产、生活对市场的依存度相当高，特别是对生产资料的依存度在物质成本构成中高达80%。因此农民必须出售很大比例的农产品，才可能支付农业生产资料所需资金。例如粮食，1999年平均每亩的物质费用为131.64元，需要支付购买生产资料的现金为109.45元，占总成本的83.14%。全国按16亿亩粗略测算，此项费用总金额在1750亿元左右。如果粮价按0.5元/斤的均价计算，则农民就要出售3500亿斤粮食才能拿回成本。此外政府如再征收600—800亿斤的粮食实物税费，占到了粮食市场总需求量的1/5到1/4（"三提五统"的很大一部分事实上也是以实物形式上缴），总量达到4100—4300亿斤，大大超过了3000亿斤左右的全社会市场需求总量。这表明，在农产品供给剩余的条件下，农业税费征实实际上挤占了很大一部分市场，加大了市场上的无效供给，压抑了市场价格。国家从农业拿走多少资金合适，应根据我国的具体国情来定，但决不能随着工业化的进程逐年增加从农业中转移的资金。目前,我国一方面已经基本建立起较为健全的工业体系和国民经济体系,另一方面农业在市场经济条件下又表现出明显的弱质性。国家现在不仅不应该再从农业挖走资金,而且应该以工业反哺农业。

二、农村税费是当前农民负担的主要内容

在上述农民负担的四种类型中,农民的隐性负担是政府在特定的经济发展战略指导下,通过相应的制度安排直接让农村承担的。由于这种负担以全体农民为承担对象,且在形式上并不需要农民直接支付费用,因而具有隐蔽性,农民不能直接感受到这种负担。农业税(含农业特产税等涉农税种)、合同内负担及以"三乱"为主要内容的社会负担共同构成的农村税费,是当前农民负担的主体和主要内容。特别需要指出的是,由于行政事业性收费规范性差、随意性大,容易泛滥失控。这些收费权限分散,税外费立项不必经过立法机关批准,各部门的收费项目层出不穷。较规范的最多定个规章制度作为收费依据,不规范的则随便发个内部文件就能向农民伸手要钱。收费立项权分散化的结果,使收费项目越来越多,农民负担越来越重。税外费已成为农民负担的重要内容,也是加重农民负担的重要源头。农村税费改革除规范农民交给国家的税收外,应重点治理合同内负担和社会负担形式的针对农民的各项乱收费。

三、减轻和规范农村税费的必要性分析

农民人均纯收入是反映农村经济发达程度的重要指标。农民人均收入的高低,直接影响着农民生活水平和农业扩大再生

产能力。按照国家统计制度,农村常住居民家庭纯收入,是指扣除从事生产和非生产经营费用支出、缴纳税款和上交承包集体任务金额以后所剩余的,即是可直接用于生产性、非生产性建设投资、生活消费和储蓄的那一部分收入。农民负担所涉及的购买生活资料支出、上交税赋、"三提五统"费用,正是应从农民总收入中扣除掉的部分。因此,在其他条件不变的情况下,农民纯收入与农民负担是此消彼长的关系,负担重了,收入自然就会下降。

加重农民负担会直接影响农民的经济行为。具体地说,加重农民负担的经济影响主要表现在三个方面:

一是农民负担重,使收入增长缓慢,直接影响到农民的生活水平。当前农民收入水平已从一个较快增长时期进入了一个缓慢增长时期。以安徽省为例,"九五"期间,农民人均纯收入表现出两大特点:其一是增长速度逐年放慢。由 1996 年增长 23.4%、1997 年的 12.5% 降为 1998 年的 3.0%,1999 年的 2.0%,2000 年的 1.8%。其二是农民收入的构成发生重大变化。劳务报酬收入(包括打工收入)占纯收入的比重由"八五"末 1995 年的 18.0% 增加到 2000 年的 28.3%;家庭经营纯收入所占比重由 1995 年的 75.28% 下降到 2000 年的 67.1%;来自农业的纯收入所占比重由 1995 年底的 53.8% 下降到41.5%[①]。牧业收入、工业收入、其他二、三产业收入比重均有不同幅度的增长。但近年来随着就业形势的变化,农民得自非农产业的收入占农民收入的比重虽然逞递增之势,但收入增长速度却逞递

---

① 资料来源于相关年份的《安徽统计年鉴》及安徽省统计局的有关资料。

减之势。这就直接制约了农民生活水平的提高。

二是加重农民负担,直接影响到农民对生产的投入。在目前农村居民总体收入水平不高的情况下,因加重负担引起的农民收入水平相对下降,必然会影响农民对农业生产的投入。农民不得不把有限的收入用于满足其基本生活消费的需求。因此,加重农民负担直接影响了农户对扩大再生产的投入。

三是加重农民负担,会对国民经济产生不利影响。农业在整个国民经济中处于基础地位,农业不能稳定发展,最终会影响国民经济的稳定和发展。新中国成立以来我国国民经济发展过程中出现的几次重大波折,从根本上说,都是因农业出现问题引起的。加重农民负担,使农民收入水平相对下降,农村市场处于相对萎缩状态,有支付能力的社会总需求不足,直接影响国民经济的良性循环。

加重农民负担不仅对农村经济及国民经济发展产生上述消极影响,在当前农村经济发展进入新阶段,我国经济社会步入转型期这一特殊历史时期,下述因素还进一步使农民负担成为当前突出的社会政治问题:

第一,十一届三中全会后我国农村普遍实行了家庭联产承包责任制。农民不再是集体经济组织内的生产者,而成为相对独立的生产经营者。他们对土地享有使用权,直接享有生产经营带来的利润。增值属于自己的那份资产,成为农民利益的核心。农民生产经营地位及对财产所有权关注度的变化,使农民对税费负担的敏感性增强。

第二,农民对来自社区外的税费征收认同程度很低。我国农村1961年确立的"三级所有,队为基础",实际上是大队和小队两级所有制。之所以这之后进入一个相对稳定的时期，一个重要原因是国家用纠正平调、彻底退赔、只按率收粮的办法，宣布退出农村社区利益，与农民划清经济关系，从而在一段时期获得了农民对当时制度安排的认同。说明农民对这种不超出社区经济利益范围的制度安排有较高的认同度。改革开放后的1984年，农村税收体制上出现了完全脱离国情的政策：建立乡级财政。由于大多数乡仍然是以地生财，所以这就大大强化了"税亩摊丁"制度。其征收的比例也大大高于60年代以后的人民公社时期。国家税收工作的重心不是向第二、第三产业推进，向城乡一体化迈进，反而转向了第一产业。同时在乡级设立财政（指以地生财），与农民传统认同的"内重外轻"的社区意识，即"租重税轻"，产生了根本性矛盾。其结果增加社会内部摩擦，加大了税收征收成本。

第三，福利性"均田制"本身包含很高的成本。从理论上讲，不考虑人的因素，土地仅仅作为生产的经济要素来配置，其产出的经济剩余量无疑会较高。解放初，新中国承接下来的传统农业结构，按当时的币值测算，其经济剩余总量大约在50亿元左右，国家财政集中了不到30个亿。这个量在1953年占全国财政收入不到20%。但土地改革及后来的集体公有的均田制，事实上已经把大部分土地上的经济剩余让过剩人口消费掉了，或者说，地租被作为人口的福利性费用分配了。按最低的贫困线即人均一年消费680元估算，即使不从农业生产环节上征收1分钱，事实上农村每年至少已经承担了2040亿元以上的人口社会保障费用，这是均田制必须支付的成本。这笔费用无疑具有全局性意义。稳定是国民经济发展的基本前提，大量过剩人口的稳定需要巨额费用。均田制支付了国家经济增长的巨额稳定费用,当然也就再无力去交税费。近些年来,国家按高于市场的保护价收购农民的粮食,这在本质上是农民以自身的贫穷迫使国家承担一部分农村的社会保障费用。这与西方一些发达国家对农业的支持与保护是有区别的。

农民负担问题的凸现表明,农民负担不仅仅是一个经济问题,而且是涉及全局的政治问题。改革、发展、稳定,这是我国经济社会发展的基本方针,其中稳定是前提条件。在改革开放的形势下,没有稳定就没有一切。要实现国家的稳定,最根本的是人心稳定,基础稳定,而最关键的又是占人口70%以上的农民群众的情绪稳定。所以,历代清醒的政治家无不对这个问题高度重视,他们都深深懂得"民犹水也,水可载舟,亦可覆舟"的道理。农民负担过重会对社会稳定造成以下几个方面的影响:一是造成干群关系紧张。现在我国农民的生活并不富裕,甚至有一部分还处在贫困状态。在每年所得的两千余元收入中,农民除了上交村提留、乡统筹费外,还要应对来自方方面面的乱集资、乱摊派、乱罚款。难以承受的重负必然影响到农民的思想情绪。不管负担来自何处,农民直接感受到的是基层干部从自己手里收钱。这样,负担越重,农民对干部的意见就越多,农民与干部的距离也就越来越大,从而使干群关系越来越紧张。二是不利于基层政权和基层组织建设。我国农村基层政权设置在乡(镇)政府一级。它是乡人民代表大会选举产生的管理本行政区域内政治、经济、文化等各项行政事务的国家行政机关。农村的基层组织是村委会,它属于乡政府管辖下的群众自治组织,是乡政府的直接工作对象,但不是乡政府的派出机构。实践证明,哪里的基层政权和基层组织建设工作抓得好,哪里的社会秩序就好,各项工作就蓬勃发展。反之,哪里的社会秩序就差,各项工作就会受到影响。因此,基层政权和基层组织建设,对全国农村社会稳定和经济发展具有极其重要的作用。加重农民负担的源头大多出自部门,而到了基层,都变成政府要求了。由于收款占去了乡级干部相当大的精力,甚至是主要精力,乡镇政府无法正常行使各种职能,甚至使基层政府职能处于弱化状态,这就严重影响了基层政权建设。此外,由于收粮、收钱是上级下达的硬任务,但却没有相应的措施和手段,也谈不上有法可依。这种状况,难免助长干部的长官意志、强迫命令、工作粗暴等不良作风,同时还会在基层党组织内滋生个人主义和以权谋私等腐败现象,有的地区还因加重农民负担引发了恶性案件。三是引发农民集体上访。这不仅影响农民自己的生产活动,也影响了政府部门的正常工作秩序,损害了党和政府的形象,成为影响社会稳定的重要因素。

可见,农民税费负担重不仅是当前我国社会突出的经济问题,而且是涉及全局的重大政治问题。无论是从促进农村经济和整个国民经济发展的要求看,从保持农村社会的稳定看,还是从加强农村基层政权建设的要求看,都迫切需要我们对农村税费进行规范和改革。

第四节　农民税费负担沉重的原因分析

准确把握加重农民负担的成因,是搞好农村税费改革、顺利实施制度变迁的前提与关键。对于加重农民负担的原因,理论界的观点大致有这样几类:一是乡村干部腐败说;二是基层政府好大喜功、超前发展说;三是部门利益驱动说;四是体制改革滞后说。这些观点虽然从不同的层次与侧面剖析了农民负担的成因,但未能从本质上对这一问题做出系统的说明。我认为,农民税费负担沉重的现状,是多种因素长期累积的结果。这些因素归结起来,本质上都属于制度性因素或是制度因素作用的结果。正是原有的一系列不合理的制度安排,不断加重了农民负担。而之所以实行这样的制度安排,又是为适应国家优先实现工业化的战略的需要,并为这一战略服务的。

一、长期推行优先实现工业化发展战略是根本性原因

众所周知,建国之初,共和国面临的国际环境与国内落后的现实,促使第一代领导人选择优先实现工业化的发展战略。为保证这一战略的顺利实施,就必须进行一系列的制度安排。通过这些制度安排,国家的各种资源被源源不断地从其他部门转移到工业部门,我国也成功地在较短的时期内建立起门类齐全的工业体系。

在特殊的历史背景下,我国选择优先实现工业化的发展战略,无疑是正确的,实践证明也是成功的。但是,一个国家的经济发展战略决不能是一成不变的,而应该随现实条件的变化而相应调整。问题恰恰在于,优先实现工业化的发展战略在我国推行长达半个世纪之久。其结果是,在工业得到长足发展的同时,农业却得不到应有的发展。具体表现在,农业剩余被不断转移到工业部门,农业只能维持简单的再生产。与此同时,国家还让农民承担了许多本应由政府承担的公共产品供给成本。这样,一方面农业经济得不到应有的发展,农民的收入也就不可能得到应有的提高;另一方面,农村公共产品的供给成本直接由农民负担,这就必然会不断加重农民负担。只是由于经济体制改革前,农村实行的是"三级所有,队为基础"的管理体制,国家对农业的索取,特别是农业税费的征收,是通过集体组织实现的,农民自身不能直接感受到。而经济体制改革以后,原来的农村管理体制不复存在,农民作为相对独立的经济主体,直接成为农业税费的征收对象。在国家原有经济发展战略没有改变,甚至在某种意义上还得到强化的情况下,农民的负担也就会不断加重,以至不堪重负。

二、城乡分割体制是加重农民负担的重要制度根源

国家要实施上述发展战略,就必须把人、财、物等资源集中用于城市工业,阻断资源在城乡之间、工业与农业之间逆向流动,否则,工业化的优先权就得不到保障。因此,建立起城乡分割的体制就成为历史的必然。城乡分割体制是指城市和乡村被人为地隔绝开来而形成的城市工业、乡村农业的二元结构体制及相应的具体制度安排。50年代,为了保障国家工业化的优先发展,我国在采取一系列向工业倾斜政策的基础上,同时实施了一系列城乡分隔、工农分离的城乡管理政策。这些政策的实施,对保障我国工业化的发展起到了积极的作用,但它们的长期存在却使我国形成了典型意义上的城乡二元结构体制。它不仅使我国的城乡发展面临深层次的历史性体制障碍,而且也使其成为当前农民负担居高不下的又一个历史性的制度根源。

党的十一届三中全会后,我国着手改革与传统战略相适应的宏观政策环境,调整和协调工农关系。提高农副产品结构价格、缩小工农业产品价格剪刀差;改革统派购制度,减少从农业提取的工业化、城市化资金积累;出台了一系列调整农村经济结构、拓展农村劳动力就业空间、发展乡镇企业和农村非农产业、建设小城镇、允许农民进城务工和经商、推动农村城市化等政策措施。这使得工农关系和城乡"二元结构"的旧有格局有一定程度的改观,初步出现了城乡经济相互渗透、相互推动、协调发展的新局面。但是应该看到,目前我们还没有从根本上改革城乡分隔的体制。城乡分割体制的延续对我国农民负担加重的影响主要表现在两个方面。一方面导致了农业剩余产品超量超时的流失,不能及时转化为对农业的投入,在电力、公路、信贷、水利建设、邮电通讯和其他基础设施建设等方面,决策的城市化倾向比较严重,城乡之间基本上是"一国两策"。这就造成农业和农村发展的迟滞;另一方面使农村居民和城市居民在就业、教育、卫生、社会福利及参与国家的经济社会生活等方面出现了一系列不平等的待遇。这种不平等的待遇不仅体现在日常的经济社会生活中,而且也体现在一些现行政策规定中。这些都说明,城乡分割的二元结构是当前我国农民负担沉重的重要制度根源。

三、经济体制改革中具体制度安排存在缺陷

我国经济体制改革中一些具体制度安排方面存在的问题,也是加重农民负担的重要原因。

1. 分税制改革不彻底,财政包干体制和税费提成制度影响

较深。

从1980年开始到90年代初期,我国进行了多次较大幅度的财政体制改革。这些改革有一个共同的特点,那就是各级财政在划分预算收支的基础上,实行分级包干,属于财政包干体制。财政包干体制使各级地方政府成为相对独立的利益主体,导致地区攀比、画地为牢、盲目投资、重复建设等低效率现象的产生。它不仅往往导致那些本应由国家财政开支的项目,被层层转嫁到农民身上;而且增加了各级政府运行成本和城乡公共建设对投入的需求。因此财政包干体制成为当时导致农民负担不断加重的重要制度根源。此外,当时的财务管理体制,允许一些行政执法部门对罚款和收费进行提成,助长了一些部门和个人收费和罚款的积极性,也成为加重农民负担的重要因素。

从1994年开始实行的分税制改革,是我国财政体制的一项重大改革。经过几年的运行,分税制改革取得了积极的成效,但有待完善之处也是显而易见的。我国现行的分税制改革,主要是在中央和省之间进行的,省级以下的改革较慢。这项改革在各级政府之间,较多地注意了收入的划分,但在事权划分上仍不规范。由于分税制改革不彻底,特别是省级以下现行财税体制的运行仍然具有财权与事权不对称、各部门自求平衡的特征,财税包干体制的痕迹仍很明显,甚至在某些方面,财政包干体制的特征还得到了进一步强化。例如,不少地方各级政府不仅层层下达了税费征收任务,还经常根据税费收取的一定比例,对乡村干部进行提成奖励。因而,在现行财政体制下,各级政府甚至政府各部门,往往会采取以下两方面的行为:

(1)尽可能地上收财权,下放事权。各级政府部门往往倾向于将那些收入多、增长潜力大的税种收入全部或高比例上收；将那些需要投入多、难度大的事权，向基层下放。其结果是，一方面增加了乡村支出，削弱了乡村的财力，增大了开支缺口；另一方面，导致在乡村两级，往往无财权而有事权，只得向农民和乡镇企业伸手。

（2）千方百计广辟财源，自上而下层层自行出台名目繁多的行政事业性收费，以及政府性基金、集资、罚款等，事事都向农民伸手，以实现"养人"和"建设"。在一些地方，现行财政体制的运行，甚至进一步强化了各级地方政府追求财政"增收"的欲望。为尽可能提高本级财政的留成，各级政府都给其下级下达了不断增长的财政收入目标和上缴任务。特别是在乡村两级，由于任务完成的情况同部门利益和乡村干部的个人利益捆在一起，乡村干部往往受到较强的激励去关心税费的收取，甚至为此进行各种超常的努力，采取非常的手段。实施分税制改革后，农业税、农业特产税被划归地方税种，地方政府增强了这些税收征管工作的积极性，再加上地方税农业附加的因素，广义农业税的实际征收税率与分税制改革前相比，不但没有降低，还有相当幅度的提高。

2. 农业税制改革滞后，农业税收入的正常增长不适应农村公共支出迅速增长的需要。

现行的农业税制主要沿袭了 1958 年制定的《中华人民共和国农业税条例》框架。自农村改革以来，我国农村经济的运行环境、产业结构、乃至纳税主体都发生了根本性的变化，整个国家的税收体制也经历了全面改革。但是，除一些微调措施外，农业税制基本上还是几十年一贯制，已经越来越不适应农业和农村经济社会发展的需要。

(1)农业税制老化,不适应农村经济发展和结构调整的需要。农业税的征收主要针对种植业,特别是粮食生产,这就导致农民从事种植业与从事林牧渔业相比,从事第一产业与从事第二、第三产业相比,税收负担往往畸轻畸重。传统的粮食产区相对于非粮食产区,税收负担过重的问题也比较突出。从严格意义上讲,农业特产税是农业税的一部分,并不是一个独立的税种。当初设立这一税种的目的,在于调节农林特产收入,平衡农林特产与粮食作物生产的负担,稳定粮食生产。随着粮食生产的稳定提高,设立该项税种的条件已经部分消失。从实践来看,农业特产税据实征收难、征收成本高的问题也比较突出;许多地方的农业特产税,大都用于平衡地方财政预算收支,没有返还农业,扶持粮食生产。因而现行农业特产税政策,不利于调整农业产业结构和提高农民收入。

(2)计税土地与实际土地面积严重脱节,"有地无税"和"有税无地"现象日益严重。计税常年产量一定几十年不变,使农业税实际上变成了包税制。增设农林特产税以后,广义的农业税重复征收和漏征现象并存,问题比较突出;加之农业税和农林特产税性质含混不清,不利于实现农业税负的公平性、合理性,难以有效发挥税收对农业发展、农业结构调整和农村收入分配的调节作用。

(3)农业税计税常年产量,严重低于实际产量。地方政府通过农业税筹集的资金增长乏力,不能满足农村公共支出迅速增长的需要,被迫转向在农业税之外,开辟新的税费收取渠道。特别是在那些经济结构以农业为主、农业税成为地方财政主要收入的地区,这一点尤为突出。

3. 现行农村提留统筹制度和有关政策规定,在一定程度上使农民不合理负担合法化,形成不公平的农村税费关系。

随着70年代末、80年代初联产承包制的实施,农村提留统筹制度也随之确立下来。但是,从根本上说,这种农村提留制度仍然对应于人民公社体制下"三级所有、队为基础"的框架,以及以农业为主的经济结构。与这一制度相应,农民负担也主要包括交给国家的和留给集体的两部分。80年代初期废除了人民公社体制以后,农村提留统筹制度并没废置,并沿袭至今。按照《农民承担费用和劳务管理条例》,村提留、乡统筹费属于集体资金。这意味着存在乡村两级集体,而没有把乡镇作为一级政府。因此,从逻辑上看,这等于只是把过去人民公社的"三级所有、队为基础",变相转换为"三级所有、户为基础"。可见,现行的农村提留统筹制度,实际上沿用了"三级所有、队为基础"的收益分配方式,导致了一些不合理的制度合法化。从运行实践上看,它一定程度上扰乱了农村分配关系,与废除人民公社制度的改革现实相矛盾;导致了税、租、费关系的紊乱,为增加农民负担提供了可能性。

4. 分配制度改革滞后,农民收入增长缓慢,收入差距扩大,相对加重了农民负担。

经济体制改革后,我国农民收入水平较之改革之前,有了较大幅度的提高。但自20世纪90年代中期以来,我国农民收入增长也存在以下几方面的突出问题:

一是农民收入增长速度越来越慢。1995—2000年,农村居民人均纯收入年均实际增长4.7%,比改革开放20年来的平均增长速度慢近 2 个百分点。分年度看,1997 年为 4.6% ,1998 年为 4.3% ,1999 年为 3.8% ,2000 年为 2.1%。呈逐年下降之势。① 从农民的农业收入看,据国家统计局的数据,农民从农业生产中所得到的收入 1998—2000 年,已连续 3 年出现负增长。2000 年比 1999 年该项收入下降的幅度达到 4.3%。

二是农民收入的增长与经济发展的总体水平不相适应。经济发展对农民收入增长的促进作用在逐步减弱。1979—1999 年,GDP 对农民收入增长的弹性系数为 1.13,1990—2000 年降为 0.49。

三是农民之间以及农村居民与城市居民之间的收入差距越来越大。首先从农民与城市居民的收入情况来看,收入差距进一步扩大。城乡居民收入 1978 年为 2.56:1,2000 年为 2.79:1。其次,在城乡居民收入差距逐步扩大的同时,农民收入的地区间差异、个体间差异也明显扩大。1995 年,东、中、西部地区农民人均收入分别为 2127 元、1403 元和 1060 元,东部地区农民收入分别比中、西部高 725 元和 1067 元;到 2000 年,上述数据分别变为 2994 元、2030 元和 1556 元。东部农民人均收入几乎是西部农民人均收入的两倍。②

造成农民收入增长减缓的主要原因,一是农业和农产品的比较效益不断下降,大宗农产品供过于求,价格呈现下降趋势。由于种植业生产的比较效益低,造成农业和农民增产不增收。1984—1993 年 10 年间,我国的粮食产量由 4073 亿公斤增长到

① 资料来源:国家统计局课题组:"十五"时期农民收入增长的宏观条件及分区对策。
② 国家统计局课题组:"十五"时期农民收入增长的宏观条件及分区对策。

4564 亿公斤,平均年增长速度为 1.2%;棉花由 626 万吨下降为 376 万吨,平均年减产 4.7%。而工业品平均每年以 15% 以上的速度增长,其比较效益是农业的几倍或十几倍。二是农业投资减少。80 年代中期以来,国家对农业的投资逐步减少,由 1983 年占国家基建投资的 9% 以上,逐步下降到 1987—1990 年的 3% 左右。2000 年全国用于农业方面的固定资产投资总额为 6695.88 亿元,而国家财政用于农业方面的投资仅为 766.89 亿元,占 11.45%。在国家对农业投资减少的情况下,农民也因种种原因对农业的投资增长开始逐步减缓,农业生产的发展受农业投资的制约,投入不足,不可避免地导致农民收入的减缓。三是我国政府对农业的补贴过少。农业是市场经济中的弱质产业,发达国家对农业都有各种形式的补贴。随着社会主义市场经济的发展,我国如果不逐步加大对农业的补贴,必然使农业和农民收入水平相对下降。四是物价水平的变化,使农民收入增长的很大一部分实际上被物价上涨的因素抵消了。

与此同时,随着经济的发展,农村出现了居民收入差距不断拉大的情况。有已经富裕起来的几十万元户、百万元户甚至千万元户,也有大批尚未解决温饱的困难户。同时,地区之间发展不平衡的现象在加大。我国西北陕、甘、宁、青、新五省区,面积约 307 万平方公里,占全国总面积的 32%。经过多年的努力,这些贫困地区的农村经济虽然也有长足的发展,但与东南沿海发达地区比较,仍然存在较大差距,是我国尚未脱贫人口的集中分布地区。所以,不要说增加农民负担,即使把乡村两级"三提五统"控制在上年纯收入 5% 的界限内,对不同收入水平的农民带来的影响也是不同的。对富裕的农民而言,承受合理合法的负担,可能既不会影响其扩大再生产的能力,更不会影响其生活水平的不断提高;对实现了温饱的农民而言,可能不影响其正常的生活安排,而对进一步扩大再生产或多或少要受到影响;对贫困的农民而言,生活和生产都将因无力承受税费负担而受到严重影响。农民收入差距的拉大以及地区间发展的不平衡,不仅使不同地区和不同的农户对负担的承受能力差别扩大,而且还容易引发其他方面的问题。如在对农民富裕程度的认识上,有些人只看到农村中富裕起来的农户,只看到农村发达地区,而忽视了我国农村中还有许多落后的地区和贫困的农户,因而片面认为,农村改革后,农民富了,增加一些农民负担没什么,结果使负担的口子越开越大,严重地加大了农民的负担。这些问题在一些地方反复出现,说明正确认识农民收入差距的扩大与农民负担加重的关系,对减轻农民负担是至关重要的。

四、行政体制改革相对滞后,计划体制的色彩依然浓厚

我国 20 多年来的体制改革,重点是在经济体制层面上展开的。行政体制层面的改革,有的启动时间不长,有的配套措施不力,因此整个行政体制的运行还带有浓厚的计划体制色彩。虽然市场经济体制已经初步建立,但与市场经济相适应的行政体制,仍处于襁褓之中。这就直接带来以下几个方面的后果:(1)政府职能转变慢,地方政府直接介入微观经济活动。在人民公社时期,乡村干部催种催收;现在村干部不仅要催种催收,还要征税收费。(2)行政体制的运行,管理色彩较浓,服务色彩较淡,甚至一些服务性职能也往往通过管理方式去履行。(3)政府行为不规范、部门权力无约束,各部门片面追求上下对口的倾

向较为普遍。(4)主要依赖强化行政措施而不是靠制度建设来减轻农民负担,其结果是治标不治本。因此,行政体制改革相对滞后,成为加重农民负担的重要原因。具体表现在:

第一,政府机构膨胀快,运行费用消耗大。从政府运行的一般规律看,由于公共服务费用筹集的分散性和利益分配的集中性,加之政府部门的工作性质,具有一定程度的垄断性,政府部门往往具有较强的追求自我扩张的倾向。这种倾向如果不能得到有效的抑制,必然导致政府机构膨胀,人员增加,"吃饭经费"消耗大。这种情况在县、乡两级政府机构和农村自治组织村民委员会中都得到了反映。

第二,农村公共产品的供给,对需求的动态适应性不强,供给过剩和部分短缺现象并存,形成增长无序的状况。由于行政体制改革相对滞后,计划体制的色彩较浓,对农村公共产品供给起决定作用的,往往不是农村社区内部的需求,而是来自社区外部自上而下的行政指令,供给决策程序基本上是自上而下的,如来自上级政府部门的收费和达标升级活动等。政府部门的自我扩张倾向的作用,往往导致农村公共产品的供给以政府为主体,对来自民间方面的供给积极性调动不足。农村公共资源使用过程中缺乏有力的外部监督机制,使农村公共资源使用中的浪费以及政务冲击村务的现象、农村公共产品的生产和供给过程中政府部门的逐利行为等,得不到有效的制约。并且,现行行政体制中的地区分割、部门分割以及与此相对应的地区、部门利益的相对独立性,还导致了农村公共产品供给中地区之间、部门之间竞相攀比的现象。这些因素的综合作用,往往导致农村公共资源的使用和公共产品的供给,不仅效率低下,而且增长无序。

政府的运行费用和农村公共基础设施的供给成本，最终都要由微观经济主体来承担。农户是我国最大的微观主体群。因此，上述两方面的实践问题，最终必然会引致农民负担的增加。而在地区之间，由于经济结构的差异，上述问题产生的影响往往不尽相同。在乡镇企业比较发达的地区，政府的运行费用和农村公共产品的供给成本，可以通过乡镇企业或其贡献的财政收入来消化。因此，在这些地区，至少从现象上看，农民负担往往显得不重。但在那些经济不发达、特别是以农业为主的地区，政府的运行费用和农村公共产品的供给成本，只能主要依靠农民缴纳的税费来承担。在这些地区，农民负担就会不断加重。

五、我国农村税费制度的交易成本高

历史上，我国由于农村人口庞大、农业剩余少，农民作为纳税主体，不仅数量多，而且过于分散，政府征收农业税费的交易成本高到无法实施的程度。因此，历代统治者才允许农村基层长期维持"乡村自治"。自秦代建立"郡县制"以来 2000 多年里，政权只设置到县一级，国家最低管理到县级，这是一个重要的原因。

1. 解放前的农村自治与税费问题。旧中国土地约 30%—40% 归地主所有，农民租种土地一般向地主交纳约 50% 的实物地租，地主占有的土地大部分是好地，产出率高，可以获得约占总产量 25% 的粮食，理论上应该向政府交纳约占总量 10% 的田赋。① 因此，解放前农业剩余主要由地主与国家分享。同时，由

---

① 参阅严中平：《中国近代史资料》一书中的相关论述。

于地主占有农业剩余,而作为农村纳税主体,其人口仅占农村总人口的不到8%,所以城乡之间农产品交易成本较低。依托于城市的政府在农村的交易对象主要是地主,而地主可以通过收取地租,无成本地占有农业剩余,并且由于自身人口少、消费少,而且必须卖出粮食才能交纳税费,于是地主成为向城市输送大部分农产品的规模流通主体。地主阶级除了剥夺农民的反动性之外,客观上的社会作用在于,他们既是农产品的流通主体和农村的主要纳税人,又是农村实际自然产生的管理者。所以,解放前国家对农村自治社会不提供公共产品。"乡村自治"就成为"乡绅自治"。在农村实行传统的乡村自治条件下,政府既不必要对全体农民征税,也不必要直接控制农民。由于政府并不直接管理亿万农民,管理成本较低;不向农村提供公共产品,税费征收的制度运行成本相对较低。当时的问题主要是两个方面,一是长期的内外战争使军费开支几乎占财政开支的50%,此外还有各种"壮丁"、"兵差"和其他负担,迫使农村基层良绅退出,劣绅上台,才能执行催粮逼款的任务。二是政府在小农经济剩余很少的条件下,也要富国强兵,追求工业化,在农村只好采用"征借"的方式提前相当长时间预收税款,这成为当时政府超额索取农业剩余的主要途径之一。

2. 新中国建立之初政府与分散农民的交易成本问题。解放初期,农民按社区人口平均分配了对土地的占有和收益权,地主消失了,这本来应该使政府的管理成本上升,但当时乡镇不设政府,只设立由上级政府派驻并支付全部开支的乡(区)"公所";干部下村处理公务,一般只安排"派饭"到户,由政府按伙食标准支付给提供食宿的农户,因此,管理成本没有明显增加,但是,政府与分散农户之间在农产品上的交易成本却大幅度增加。这个时期,政府征收农业税费的实质不是参与地租分配和为公共产品开支提供财政支持,而是国家进行工业化建设必须掌握足够的粮食。1952 年全国土地改革完成,当时约有 4 亿多农民成为农业税负的纳税主体。尽管这期间农民因为刚刚无偿得到土地,愿意积极交售公粮,但由于纳税主体从农村人口的8%—10%变成了90%,农村税费制度的运行成本必然大幅度提高。1952 年土改完成的当年就出现粮食短缺,1953 年 9—10 月在农业生产连续 3 年大幅度增长的情况下,粮食问题反而愈益严重起来,政府不得不强制推行统购统销。1955 年农村全面实现农业合作化。1956 年针对各地征购"过头粮"问题,中央调整了政策,以合作社为核算单位实行"三定"(定生产、定收购、定销售),这才大幅度降低了政府与农民的交易费用。正如薄一波所指出,"这样,合作化以后,国家不再跟农户发生直接的粮食关系。国家在农村统购统销的户头,就由原来的一亿几千万农户简化成了几十万个合作社。"①1958 年全国进一步实现人民公社化。这种集体化制度使土地由农民私有变成社区集体公有,交粮和纳税的主体也由 4 亿农民变为 1955 年的 400 万个合作社和后来 1958 年的 7 万个人民公社。这才相对解决了政府与分散农民无法交易的问题。

3. 在农村税费征收上中央对地方利益的让步加重了农民负担。新中国成立之初,中央政府不得不应对严重的城市失业、

---

① 薄一波:《若干重大决策与事件的回顾》,中共中央党校出版社 1991 年版,第 277 页。

通货膨胀,以及后来的工业化发展等重大经济问题。那时中央政府既无力顾及地方财政开支,也无法顾及地方建设。因此,长期以来中央对地方政府参与农业利益分享十分宽容。建国以后,允许地方在征收农业税正税的同时,按一定比例征收农业税地方附加。1950年《新解放区农业税暂行条例》规定农业税地方附加的比例,最高不得超过正税的15%,1951年变为20%,1956年为22%,1957年为15%。最终这一比例被1958年颁布的《中华人民共和国农业税条例》以法律形式固定为15%。尽管一直有最高限额的规定,但由于它不能满足乡村财政开支的需要,因而农村各种摊派相当严重,农民负担问题也随之产生。据财政部估计,1950年全国农村摊派约为3亿元,1951年达5.74亿元(相当于当年全国农牧业税21.69亿元的27%),1952年为1.5亿元,1953年为8318万元,1957年为1700万元[①]。这种下降主要是由于兴办农业合作社以后,一部分摊派转向集体开支。到"文化大革命"期间,平均每年的杂项负担相当于农业税的60%—80%。

4. 改革以来农业税费制度的交易成本有增无减。农村实行家庭联产承包责任制后,我国多数地区实行按照土地承包面积摊派大部分税费任务的办法,这时农村税费制度才与土地收益分配、乡村公共产品开支和乡村行政管理制度发生比较明显的相关。1958年我国政府颁布了《中华人民共和国农业税条例》,当时确定的税收原则、计税标准、课税对象等内容,本来都是根据当年全国实现人民公社化以后的实际情况制定的,但是迄今为止,中国现行农业税负制度仍然以此为基础。因此,政府

---

① 参见《中国农民负担史》。

实际上面临两难选择:由于 80 年代初期"大包干"时土地按人口均分,这一制度的推行,已经基本恢复了分散的小农经济,如果继续执行原来的制度,就需要重新建立社区合作经济组织,已代替分散小农作为纳税主体;而如果按照国际通行的原则建立税费制度,就不得不再次直接面对 9 亿农民进行交易,则交易费用会十分高昂。事实上,农村"大包干"后,国家一方面继续实行原有农村税费制度,另一方面又未能建立起社区合作组织,因而只能依赖农村基层组织(乡、村)直接向农民征收税费,致使现行农村税费制度的交易成本畸高。

总之,导致农民负担不断加重的根本原因,在于我国长期实施优先发展工业化的经济发展战略,及为这一战略服务的一系列制度安排。改革后,这一系列的制度安排不但未能从根本上得到改变,反而由于改革中制度供给的不到位和存在的缺陷,使这些不合理的制度因素得到强化。正是这种不合理的制度安排,使农业税费成为农民的沉重负担,并在多种因素共同作用下逐渐累积到农民不堪重负的地步。

当然,我们也应该注意到,在有些地方,乡村干部以权谋私,借征收农村税费之机搭车收费,为私人或小集团谋取不正当利益,这也直接加重了农民负担。尽管这种现象只是少数,但影响极坏,农民群众深恶痛绝。必须严肃查处,坚决纠正。

第五节 我国历史上农村税费改革的启迪

税费问题既是一个经济问题,又是一个政治问题,始终受到历代统治者的关注。客观地说,税费改革并不是现在才有的,自夏、商、周王朝赋税制度产生以来,历史上经历了几次重要的税费改革。对历史上的税费改革进行回顾,无疑对我国正在进行的税费改革具有重要的借鉴作用。

一、唐代的"两税法"

唐代推行的"两税法"首开中国费改税的先河,是历史上影响较大的一次税费改革。两税法的出台有深刻的历史背景:第一,安史之乱爆发后,社会政治动荡,财权下移,财税管理紊乱,原有的"有田则有租,有户则有调,有身则有庸"的租庸调法无法继续实行下去。第二,中唐以后,由于土地买卖限制日宽,土地兼并日益严重,少数人集中了大量的土地,均田制受到严重破坏。失去土地的农民大量逃亡,并归附于庄园主成为隐户,导致国家失去了纳税户,国家财政陷入危机。第三,在正税失控,官禄、兵饷日增的情况下,统治者对广大百姓横征暴敛,乱收费一发不可收 。第四,收费没有固定期限,征收时间、征收次数随意性极强,百姓随时都面临交费的威胁,生产和日常生活受到严重影响。于是,在建中元年(公元 780 年),唐德宗不得不接受宰相杨炎(公元 727—781 年)旨在解决财政危机、归并杂费的建议,实行两税法改革。两税法的主要内容:一是归并税目,把当时混乱繁杂的税种合并统一起来,归并为户税与地税两种;二是集中征收时间,一年分夏秋两次征收;三是费改税,将各种名目繁多的收费全部改为正税,一同并入两税中。

通过"两税法"改革:一是简化了征收手续,归并了收费项目,集中了纳费时间,改变了过去"科敛之名凡数百"及百姓"旬输月送无休息"的状况,使人民得到了便利,体现了"方便"和"经济"的原则。二是通过归并收费项目,规范收费管理,控制了收费的范围和数量。三是中央统一控制了税源,扩大了税基,增加了中央的财政收入。

二、明代的"一条鞭法"

明代的"一条鞭法"是继唐代两税法后,我国封建社会又一次较大的税费改革。"一条鞭法"的改革背景是:第一,实行了八百余年的两税法,到明代已弊病丛生,难以继续执行下去。第二,土地兼并日益严重,迫使农民破产逃亡,使人户和田赋实征亩数大量减少,靠户税和田赋两税为主的政府财政收入也因之锐减。第三,财政危机日深。首先是俸禄支出庞大,入不敷出。其次是为了防御北方少数民族和东南沿海倭寇的侵犯,国防支出庞大。不亟图整顿,已难以为继。第四,在财政体制被破坏,财政经费供应严重不足,各级机构难以正常运转的情况下,从中央到地方不得不在两税之外纷纷擅征各种杂费,以费度日,致使予取予求,中饱私囊,收费管理失控,百姓负担越来越重,民怨沸腾。在这种背景下,万历九年(公元1581年),明王朝接受内阁首辅张居正(公元1525—1582年)的建议,实行一条鞭法改革。"一条鞭法"就是把各种徭役、田赋和各种杂费,并而为一。其基本精神大致可归结为四点:一是合并各项税赋项目为田赋一种,以田亩为对象,一次征收;各种名目的收费、摊派、额外附加等也合并成一条,归入田赋,税费合一,一次征收。二是将扰民最重的役并入田赋之中。三是征课的田赋一律折合银两交纳。四是不再由地方的"里长"、"粮长"办理征收管理,而由地方官史直接征收后解缴国库。

实行"一条鞭法"改革：第一，经过化繁为简、税费合一，改变了名目繁杂的征收内容，达到了统一税制、省费便民的目的，在一定程度上起到了稳定和发展社会生产的作用；第二，增加了中央的财政收入，万历十年至十五年（公元1582—1587年）太仓积粟1300余万石，国库积银600多万两，出现了"太仓所储，足支八年"、"公私积储，颇有盈余"的状况；第三，加强了中央财权的集中统一，规范了收费管理，在一定程度上限制了地方政府越权收费和地方官吏巧立名目、敲诈勒索、强取豪夺的腐败行为。

三、清代的"火耗归公"

火耗是明清地方政府私自征收、自筹自用的一种附加费。自从明代中叶实行一条鞭法后，各地普遍实行田赋征银，因民间交纳的大多是零碎银两，各州县政府借口上缴税银需熔为整块，有火炼之耗损，所以在征收田赋时，要加征火耗费。实际上，熔铸碎银的损耗很小，每两平均耗损也就是一至二分，即百分之一至二，然而地方官吏在征敛时要多于此二十倍以上，每两要加耗二至三钱，即附加费要达到正税的百分之二十至三十，有时更高。清初，征收火耗较明代有过之而无不及，人民不堪重负。清廷曾严厉禁止征取火耗，但"禁之而不能"。主要原因就在于自明代以来，火耗收入一直是供应地方经费开支尤其是弥补官俸不足的重要来源。地方加征火耗既是吏治不清的一个重要因素，又是侵蚀中央税赋的一个主要漏洞。

正是在这种情况下，山西巡抚诺敏、布政使高成龄等人于雍正二年(公元 1724 年)提出火耗"提解归公"的改革建议,为雍正皇帝所采纳。雍正亲自参与改革方案的制定,并明确提出,火耗要逐步减少,且不能归入正税,而要保持其临时性和地方性。"火耗归公"的主要内容有两项:一是将火耗改为正式的附加税,各省统一税率和征收数额,由省统一征取,州、县代收,提解布政司库,地方官府不得另外私派。二是把原来由地方坐收坐支的火耗银,改为统一上缴国库,再由中央下拨一部分银两作为地方官吏的养廉银和地方行政开支的"补助",同时必须接受中央的查核和督察,务要花销明白,支出清楚,多余的要上交。

"火耗归公"改革取得了明显成效:一是加强了中央财政的集中统一,使一向归地方支配的耗羡收入管理权牢牢地控制在中央财政手中。二是有效遏制了地方官吏私自滥征加派之弊,整饬了吏治。耗羡归公后,由于中央把各省征收的耗羡银从过去的暗取改为明收,并使数量和用途固定化,不得再私自加派,从而使康熙末年以来的滥征加派之风得到明显遏制。三是减轻了老百姓的负担。"火耗归公"改革后,耗羡额一般固定在10%左右,各地所收耗羡量比以往州县私征时减轻了许多,百姓的负担因而在一定程度上有所减轻。四是大幅度增加了中央财政收入。火耗归公后,中央财政收入随之充裕起来。到雍正末年,国库存银由康熙末年的八百万两增加到六千多万两,清王朝的国力大大增强。

"火耗归公"改革的短期成功,在很大程度上得益于雍正至高无上的皇权和强悍的作风。乾隆即位后,原有的积弊又死灰复燃,火耗不但没有按照雍正当初的设想最终完全取消,反而再度加重。①

四、历史的启迪:以制度创新走出"黄宗羲定律"

我国古代历史上的三次税费改革虽然发生在不同的历史时期,但却有着许多相似之处。主要表现在:

首先,改革的背景相似。大都是由于原有的财税体制弊病丛生,难以继续执行下去;收费名目繁多,数额巨大,管理失控;贪官污吏滥用职权,坐收坐支,中饱私囊;国家财政状况危机日深;农民不堪重负,破产逃亡。

其次,改革的内容与方式相似。基本上是清费改税,统一税制,化繁为简,官收官解。改革的方式,主要是依靠强制的行政力量,通过各级政府的行政号令实施。并且,这些改革基本上是税费制度的单项改革,没有能够从根本上认清财税体制弊病产生的原因,从而也就不可能采取既治标又治本的综合性措施来革除积弊。

第三,改革的效果大体相同,既省费便民,规范了收费管理,扩大了税基,增加了中央财政收入,加强了中央财权的集中统一,又在一定程度上限制了地方政府越权收费和地方官吏巧立名目、强取豪夺的腐败行为,有利于整饬吏治。因此,改革短期效果明显。

第四,改革的最终结局相同。我国历史上每次税费改革,在实施之初,都大大地降低了农民的负担,改善了农民的生活状

----

① 参阅李俊慧:《从"火耗归公"看费改税》,《经济学消息报》2000 年 5 月 19 日。

况,促进了社会生产力的发展。但是,在改革推行一段时间后,加重农民负担的因素又不断强化起来,并最终导致农民负担增加到比改革前更高的水平,走向了原定改革目标的反面,即明清时期的思想家黄宗羲所说的"积累莫返之害"。这也就是人们所说的"黄宗羲定律"。

我国历史上的税费改革给我们的启示主要有以下几点:

1. 正确认识农民税费负担沉重的原因是税费改革能否最终取得成功的前提。历史上的农村税费改革,由于没有准确把握税费制度出现问题的根本原因,未能消除现实中存在的加重农民负担的制度性因素,因而最终都跳不出"黄宗羲定律"的怪圈。事实上,之所以会加重农民负担,除了政府官员的机会主义行为外,主要是因为行政机构膨胀,各级政府财政入不敷出,为解决财政困难,维持政府机构的正常运转,只得加征税费。

2. 农村税费问题既是经济问题,更是重大的政治问题。当农民税费负担沉重时,农村税费改革就势在必行,因此必须坚定改革的决心、信心与紧迫感。近些年来,由于种种原因,针对农民的乱收费、乱集资、乱摊派十分严重,给国家的政治、经济、社会发展都带来了十分严重的危害。因此,农村税费改革势在必行。

3. 涉及农民的税费改革应当尽量简单明了。中国的最大国情,就是农民比例大、文化素质较低。因此,所有涉及农民的改革都要简单明了,否则就可能失效、失败,甚至节外生枝。

4. 要以制度创新的方式实施税费改革。历史上的税费改革主要以政策法令的形式,靠行政机构的强制力推行,而没有进行相应的综合性制度变迁,致使改革大多只能见效于一时而不能长久。因此,我们在农村税费改革中,要进行综合性制度变迁与创新,要坚持改革的彻底性,既要治标又要治本,而且最重要的是治本。要从根本上消除加重农民负担的各种因素,严防农民负担反弹,使改革的政策措施法律化、制度化。

农村税费改革面临的国际国内环境表明,改革目标的价值取向、方案的制定与实施,都要有利于增强我国农业的国际竞争力,有利于我国农业的现代化与国际化。鉴于我国农村经济发展进入新阶段后所面临的矛盾,特别是其中的农民收入增长缓慢、税费负担沉重的问题,我们要把减轻农民负担、增加农民收入作为改革的首要目标。

农村税费改革能否最终取得成功,关键取决于对农民负担成因的认识,只有准确把握成因,才能制定出正确的对策。分析表明,农民税费负担的现状是由多种因素长期累积的结果,但归根结底是由不合理的制度安排造成的。要从根本上解决农村的税费负担沉重的问题,就必须实施制度变迁。这也正是我国历史上的税费改革给我们的启迪。

特定的初始条件,决定了农村税费改革中的制度变迁具有实践性、渐进性和综合性三大特点。实践性在于,税费改革没有现成的理论的指导,我国的经济社会发展又很不平衡,各地的改革不可能有统一的模式,必须在改革实践中大胆探索。渐进性表现在,农村税费改革不具备激进式(革命式)变迁的初始条件,而只能分阶段推进。综合性在于,农村税费问题不仅仅是由农村税费制度本身引起的,而涉及为特定的经济发展战略服务的一系列的制度安排,各种制度之间存在的关联性决定了农村税费改革不是农村税费制度的单项创新,而是一个系统工程。

第四章　农村税费改革的
实证分析

　　农村税费改革是以农村税费为核心制度的综合性制度变迁。制度变迁主体的生成、动力的积聚、方式的选择、方案的制定与实施、绩效的取得与评判,都有一个发展与演进过程。对税费改革实践进行实证分析,也就成为本书的重要内容。本章着重对安徽省的农村税费改革进行实证分析,并与江苏、甘肃等省的农村税费改革进行分析比较,力图揭示农村税费改革的一般规律性。

第一节　农村税费改革的指导思想、
目标和基本原则

这次农村税费改革,是在政府主导下的自上而下的强制性制度变迁,它有明确的指导思想、目标和基本原则。

一、农村税费改革的指导思想

这次农村税费改革的指导思想是:按照社会主义市场经济发展和推进农村民主法制建设的要求,从根本上治理对农民的乱收费,切实减轻农民负担并保持长期稳定,建立规范的农村分配制度;进一步加强农村基层组织建设,巩固农村基层政权;调动和保护农民生产积极性,促进农村社会稳定和农村经济持续健康发展。

二、农村税费改革的目标

根据上述指导思想确定农村税费改革的目标,我们决不能把改革仅仅归结为少拿或多拿几个钱的问题。正如江泽民同志指出的那样:"减轻还是加重农民负担,绝不是少拿多拿来几个钱的问题,而是保护还是挫伤农民积极性问题,是促进还是阻碍农村生产力的问题,是增强还是丧失农民群众信任和拥护问题"。因此,我们必须从"农村第三次革命"这一高度来认识农村税费改革的目标,这样才能完整、准确地理解这一改革目标的真正含义。农村税费改革,首先要治理针对农民的各种乱收费,切实减轻农民负担,规范和改革农村税费制度。然后,通过实施综合性的配套改革与制度创新,促进城乡经济协调发展,全面建设小康社会。因此,农村税费改革的目标,可以分解为两个阶段目标,第一阶段的目标是减负,即通过清费立税,规范基层政府的行为,把农民的各种不合理负担坚决减下来,同时确保农村中小学教育经费支出与基层行政机构运转的正常支出。第二阶段是在第一阶段的基础上,通过制度创新,建立科学规范的分配制度、土地制度、金融体制及公共财政体制等,把农村的公共支出纳入国家的公共财政体系,形成农村经济发展与农民收入增长的良性互动机制,实现城乡经济的一体化发展,从而真正显示"农村第三次革命"的伟大意义。

确保农民负担得到明显减轻、不反弹,确保乡镇机构和村级组织正常运转,确保农村义务教育经费正常需要,是衡量农村税费改革第一阶段工作是否成功的重要标志。改革能否成功,最根本的是要看农民负担是否真正减下来了,农村生产力是否得到充分发展。提出"三个确保"作为阶段性工作标准,是因为只有先大幅度减轻农民负担,才能保证农村税费改革沿着正确的方向发展;只有确保乡村机构正常运转,基层干部才能集中精力推进改革并履行其他职责;只有确保农村义务教育正常经费支出,广大农民文化素质的提高才有保障,这也是农民的根本利益所在。如果在减轻农民负担的过程中,乡镇机构停止运转了,农村义务教育中断了,则农村税费改革也就无法继续进行了。因此,在改革中要处理好确保减轻农民负担和确保乡村管理机构正常运转、确保农村义务教育正常经费需要三个方面的关系。在农民负担明显减轻的同时,使农村基层政权建设、农村义务教育都能得到健康发展。

三、农村税费改革试点工作的基本原则

农村税费改革试点工作应遵循的基本原则主要是:

1. 从轻确定农民负担水平,并保持长期稳定。坚决取消对农民的各种乱收费,保护农民的合法权益。根据农民的实际承受能力,从轻确定负担水平,给农民以更多实惠。

2. 妥善处理改革力度与各方面承受能力的关系。在保证农民负担有明显减轻的前提下,注意兼顾其他方面的承受能力,使地方政府特别是乡镇政府和基层组织能够正常运转。

3. 实行科学规范的分配制度和简便易行的征收方式。采取以农业税收为主的方式,把农民负担纳入规范化、法制化的管理轨道,农业税征管工作要便于基层操作和群众监督。

4. 统筹安排,抓好改革试点的配套工作。农村税费改革试点工作要与精简乡镇机构、完善县乡财政体制和健全农民负担监督机制结合进行。试点地区要转变政府职能,调整支出结构,减少政府开支。

第二节　安徽省农村税费改革的主要内容与历程

2000 年 4 月开始的农村税费改革试点,是在安徽以省为单位进行的。之所以选择安徽省,不仅因为安徽省是农村改革的发源地,推行改革的基础条件好,群众创新意识强,还在于安徽作为农业大省,在全省 6200 万人口中,农村人口占 80% 以上,

具有一定的典型性,其农业生产的自然条件也具有代表性,有平原、圩区,也有丘陵、山地;有雨量充沛的沿江地区,也有缺水易旱的淮北平原。因此,首先在安徽省进行试点,对随后将在全国推开的税费改革具有普遍性意义。安徽省农村税费改革,经历了一个从宣传发动、方案选择、组织实施到督促检查、巩固验收的过程。

一、税费改革的主要内容

安徽省农村税费改革的主要内容可概括为:"三个取消、一个逐步取消、两项调整、一项改革"①,即取消乡统筹费;取消农村教育集资等专门面向农民征收的行政事业性收费和政府性基金、集资;取消屠宰税;逐步取消统一规定的劳动积累工和义务工;调整农业税政策,调整农业特产税政策;改革村提留征收使用办法。

1. 取消乡统筹费。取消现行按农民上年人均纯收入一定比例征收的乡村两级办学(即农村教育事业费附加)、计划生育、优抚、民兵训练、修建乡村道路费用。取消乡统筹后,原由乡统筹费开支的乡村两级九年义务教育、计划生育、优抚和民兵训练支出,由各级政府通过财政预算予以安排。村级道路建设资金由村民大会民主协商解决,乡级道路建设资金由政府负责安排。

2. 取消农村教育集资等专门面向农民征收的行政事业性

---

① 参阅:《安徽省农村税费改革实务手册》,安徽人民出版社 2001 年版,第 18 页。

收费和政府性基金、集资。取消在农村进行的教育集资,取消所有面向农民征收的行政事业性收费和政府性基金、集资。中小学危房改造资金,由财政预算安排。

3. 取消屠宰税。停止征收在生产环节和收购环节征收的屠宰税,原来随屠宰税附征的其他收费项目也一律停征。

4. 逐步取消统一规定的劳动积累工和义务工。全省用 3 年时间逐步取消统一规定的劳动积累工和义务工。2000 年每个劳力每年承担义务工和劳动积累工最高分别不超过 7 个和 13 个,2001 年不超过 5 个和 10 个。2002 年不超过 4 个和 6 个,2003 年起全部取消。"两工"取消后,村内兴办水利、修路架桥等集体生产和公益事业,遵循"量力而行、群众受益、民主决定、上限控制"的原则,实行一事一议,由全体村民大会或村民代表会议讨论,按多数人的意见做出决定。除遇到特大防洪、抢险、抗旱等紧急任务,经县级以上人民政府批准可临时动用农村劳动力外,任何地方和部门不得无偿动用农村劳动力。

5. 调整农业税政策。

(1)确定农业税计税土地面积。农业税计税土地面积,以农民第二轮合同承包、用于农业生产的土地为基础确定。对二轮承包后,经国家土地管理部门批准征(占)用的计税土地并已缴纳耕地占用税的,不再作为农业税计税土地;对于二轮承包后新开垦的耕地按规定免税到期的应纳入农业税计税土地。

(2)调整农业税计税常产。农业税计税常产以 1998 年前 5 年间农作物的平均产量为依据确定,并保持长期稳定。

(3)合理确定农业税税率。农业税税率仍实行地区差别比例税率。全省农业税税率最高不超过 7%,贫困地区农业税率从轻确定。

6. 调整农业特产税政策。按农业特产税税率略高于农业税税率、减少征收环节、农业税和农业特产税不重复交叉征收的原则,规定一个应税品目只在一道环节征税。对在非农业税计税耕地上从事应税农业特产品生产的,继续征收农业特产税。对在农业税计税土地上种植应在生产环节纳税的农业特产品,其应纳农业特产税税额小于农业税税额的,不征收农业特产税,只征收农业税;大于农业税税额的,只征收特产税,不征收农业税。

7. 改革村提留征收和使用办法。村干部报酬、五保户供养、办公经费,除原由集体经营收入开支的仍继续保留外,由农民上缴村提留开支的部分,改革后交纳农业税的,采用新的农业税附加方式收取;交纳农业特产税的,采取农业特产税附加方式收取。农业税附加比例最高不超过改革后农业税的20%。

上述措施对于卡住乡、村两级乱收费的口子,遏制农民负担不断上涨的趋势,在短期内无疑是有效的。一是将以"三提五统"为代表的行政事业性收费改成税,取消了基层政府直接参与农民收入分配的权利,农民负担状况原则上将由国家直接控制。二是标定产量、指定价格、核定税率,实行定额征收,从征收环节上锁定了农民负担。三是指定土地为农业税及其附加的单一征收对象,将旧农业税及"三提五统"全部摊入土地,既符合权利与义务对称的原则,又符合当前大批农村劳动力流入城市、客观上未从土地获得收入的事实。四是税改在征收形态上延续了旧农业税征收中实物征收和货币征收两种形态并存的局面,有利于农户回避风险。五是由于"三提五统"在多方面已经具有租税的特征,将规费改为农业税,名正言顺,具有较大权威性,有利于减少稽征成本。

二、改革实施的方法和步骤

按照中央农村税费改革总体部署,安徽省农村税费改革工作分三步进行。第一步:制定方案和配套措施,试点工作全面推开。第二步:分析、研究改革中出现的问题,进一步修改、完善试点方案和配套办法。第三步:检查试点情况,全面总结试点工作,为全国全面开展农村税费改革提供经验。按照上述总体步骤,2000年全省试点工作具体分五个阶段:

第一阶段:组织、发动、宣传。根据中央批准的《安徽省农村税费改革试点方案》,在全省范围内进行广泛宣传和发动。省农村税费改革领导小组办公室组织全省农村税费改革业务培训,组织新闻宣传部门开展多种形式的农村税费改革宣传工作。

第二阶段:制订方案和配套办法。各市地、县(市、区)根据中央7号文件及《安徽省农村税费改革试点方案》,结合本地实际,进一步制定本地的实施方案和实施细则。各市地将经审核后的所属各县(市、区)实施方案以及本市地总体实施方案,报省农村税费改革领导小组办公室。各级有关主管部门根据职责分工,起草相关配套改革措施方案,由省农村税费改革领导小组办公室统一修改、完善后,报经省农村税费改革领导小组批准。

第三阶段:审批方案。由省农村税费改革领导小组办公室根据中央及省的规定,对各市地、县(市、区)党委、政府上报并由当地党、政主要负责同志签字的改革方案进行审核,经省农村税费改革领导小组批准后,下发到各市地、县(市、区)。各县

(市、区)则相应做好对所属乡镇改革方案的审批工作。

第四阶段:组织实施。各市地、县(市、区)根据省农村税费改革领导小组审批的方案,在午季启动,秋季继续实施,同时继续做好各项宣传工作。

第五阶段:检查、总结。在实施改革的过程中,省农村税费改革领导机构和各地加强了对实施情况的跟踪调查,随时掌握改革试点情况,对执行过程中走样的及时进行纠正。为确保方案的严肃性,各级都建立了领导责任制,层层负责。午、秋两季征收任务完成后,由省农村税费改革领导小组办公室组织对各地改革工作进行了检查、总结。

安徽省是中央确定的全国惟一以省为单位进行改革的试点省份,安徽省的试点,是中央的试点,全国的试点。安徽省委、省政府高度重视,坚持按积极稳妥的方针,有计划、分步骤地推进试点工作。既做到了态度积极、措施得力,又尽可能稳妥推进、积累经验,以努力达到试点工作的预期目标。为此,安徽省还进行了相关的配套改革。

三、相关的配套改革措施

安徽省在农村税费改革试点过程中,为保证减轻农民负担这一首要目标的实现,主要采取了以下配套措施:

1. 规范农村收费管理,建立健全农民负担监督机制。实施税费改革后,全省各地对本行政区域内涉及农民的收费项目进行了全面清理。各地自行出台的收费、集资项目一律取消,并禁止以任何理由擅自向农民收费、集资和摊派。取消了涉及农民负担的各种达标升级活动,对批准保留的少量涉农收费,省农民负担监督管理部门会同有关部门报经省政府同意后,通过新闻媒体向社会进行公布,接受广大农民和社会各界的公开监督,提高了收费项目的透明度。同时,全省各地对经营服务性收费进行整顿。对乡镇有关站(所)不体现政府职能的收费,报有关部门批准后,逐步转为经营性收费,按照自愿有偿的原则,根据服务的质量与数量由双方协商付费。农村中生产用电、生产用水严格实行计量收费。规范了农民建房、婚姻登记、计划生育、农民子女入学、农村户籍、外出务工、农机监理等管理活动中的收费行为。在逐步取消"两工"期间,对保留的部分劳动积累工和义务工,严禁强行以资代劳。同时为防止农民负担出现反弹,各级党委和政府建立了有效的农民负担监督机制,设立了农民负担监督信息员、举报电话,切实加强了农民负担监管工作。

2. 精简乡镇机构和人员。转变基层政府职能,积极开展乡镇机构改革,按照转变政府行政职能,依法行政的要求,把基层政府从"收钱收粮"的繁杂事务中解脱出来,集中精力引导农民发展农业生产和农村经济,千方百计地提高农民生活水平。对现有乡镇机构和财政负担的人员,进行了精简清理工作,稳步实施了乡镇政府机构改革,大力清理整顿了以向农民收费为主要经费来源的事业单位。

3. 加强农村基层组织建设,提高民主法制意识。地方各级政府结合本地实际,制定了加强乡镇尤其是村级组织建设和民主管理的具体措施。它规范了政府办事程序和乡、村财务管理,精简了村组干部,并进一步核减了村组干部补贴标准。广大基层干部改进工作作风,"一事一议"筹资项目由村民大会讨论通过,对农业税的减免进行民主评议,并张榜公布,落实公开、公平、公正的政策要求。上述这些,有效地提高了农民依法保障自身权利及对农业税费计征工作的监督能力,强化了广大农民的民主意识,促进了《村民委员会组织法》的执行,推进了"村务公开、村民自治",加强了村级民主和法制建设。

4. 积极发展乡村级经济,努力增加农民收入。各级政府抓住农村税费改革这一契机,转变工作思路,调整工作重点,以市场为导向,通过制定区域内农村经济发展规划,引导农民合理调整农业种植结构,积极扶持和促进乡镇村集体经济的发展。引导乡镇分流人员积极参与农业科技服务和推广活动,加快建立农副产品流通市场和农产品生产、加工、营销服务体系,促进农副产品按市场经济规律流通。通过发展农业生产和农村经济,逐步增强乡镇及村级财力,增加农民收入来源渠道,促进农民增收,提高农村居民生活水平。

第三节　安徽省农村税费改革的
特点与阶段性成效

从 2000 年 4 月开始,到 2002 年底,经过两年多的实践,安徽省基本形成了自己的改革模式,并已经取得了阶段性成效。

一、安徽省农村税费改革的特点

安徽省农村税费改革试点模式的基本内容可以归纳为:取消三提五统、各种杂费、逐步取消劳动积累工和义务工,建立以农业税(含农业特产税)及其附加为主体的新农业税制。其特点可归纳为以下几个"变":变过去目的性明确的各种收费为现在统一的一般性农业税收;变过去的劳役形式(劳动积累工和义务工)的征收为现在的统为货币形式征收;变过去乡村干部到分散的农户家收税为现在农户到固定地点向税务部门集中交税;变村提留征收使用管理办法由村收村管村用为统收乡管村用;变过去村内兴办各种公共设施和公益事业由村委会决策为现在的村民自治公共决策。

二、安徽省农村税费改革初期的基本成效

通过税费改革方案及配套措施的推行,税费改革取得了初步成效:

1. 一定程度上减轻了农民负担。2000 年安徽全省减负幅度达 34%。以阜阳市为例,阜阳作为农民负担突出的地区,减负效果更加明显。从方案比较看,2000 年,安徽省批准阜阳市税费改革方案,农业税及附加费征收额为 51250 万元,比 1999年全市农民"税费合一"的方案 102724 万元减少 51474 万元;农民人均负担 64.87 元,比 1999 年人均负担 134 元减少 69.13元,减幅达 52%。从实际征收比较看,2000 年全市农业税及附加实际征收 41579 万元,比 1999 年全市农民实际负担农业税费 99425 万元减收 57846 万元;农民人均负担 54 元,比 1999 年人均负担 130 元减少 76 元,减幅为 58%。2001 年全市农业税及附加征收 46957 万元,灾歉减免 8188 万元落实到户后,农民人均实际负担比 1999 年的 130 元减少了 80.3 元,减幅为 62%。

2. 初步理顺了农村税费关系。在我国历史上,对农业税制有几次大的改革,其共同特点是"删繁就简"。"一条鞭法"之所

以能够长时间施行,其中很重要的一点就是将各种徭役、苛捐杂税归并为一条,简便易行。这也是农村社会分配制度改革中可资借鉴的成功经验。农村税费改革前,乡镇政府在体制规定之外,还有一大块不规范的收入来源,主要是以乡镇统筹资金名义征集的各种收费。这块收费的产生、存在和蔓延有着一定的历史渊源。农村实行家庭联产承包责任制后,为适应农村经济体制改革和农村分配制度的变化,巩固基层政权,应运而生了"三项村提留"和"五项乡镇统筹"资金项目。长期以来,由于县级财政处于十分困难的境地,对乡镇一级供给严重不足,而乡镇政府为了政权运转,及增强村集体组织调控功能,本着乡事乡办、村事村办的原则,向农民筹集资金,以弥补财政供给不足和乡村两级组织活动经费不足。此时,乡镇统筹资金成了弥补缺口的首选目标。与此同时,为扩充部门利益,政府许多部门及事业单位也都把手伸向农村,各自为政,导致统筹资金项目繁多,数额膨胀,管理不统一,收支不规范,从而进一步加重了农民负担,形成"一税轻、二税重、三税是个无底洞"的极不正常状态。税费改革中,对上述混乱状况实行釜底抽薪,有效地根治乱摊派、乱收费现象,政府与农民的分配关系通过规范的农业税和农村特产税来体现。由于上缴形式单一、规范,使农民易于接受,在一定程度上理顺了农村税费关系。

3. 加快了管理制度和运行机制创新,基本保证了县乡工资发放及基本运转资金需要。针对农村税费改革后县乡财政运转存在的突出困难,全省各级政府及涉及税改的部门都不断强化财政管理,加快了公共支出改革步伐。全面建立了县级"会计核算中心"、"政府采购中心",取消了单位账户,实行了集中支付,坚持保工资、保运转、保稳定的支出原则。落实了工资统发,逐人建立工资台账,消除了大量虚报、冒领人员,净化了工资性支出内容。把农村中小学教师工资上收县管理。严格按照"留足乡镇、缺口在县"的结算原则,实现了农村中小学教师工资由县级财政委托银行或邮政部门统发,保证了农村中小学教师工资按月正常发放。在确保各项财政资金的所有权和使用权不变的情况下,对乡(镇)财政性资金实行"乡财县管,县管乡用,收入上缴,支出下拨"的管理方式,有效地解决了扣款还贷还债等问题,减少了财政资金的风险,保证了工资正常发放。对村级财务实行"村财乡管,专户储存,专款专用"的管理办法,努力化解村级组织运转困难的矛盾。还建立了以"收支两条线,管理一套账,审批一支笔"为核心内容的"零户统管"制度,提高了财政综合调控能力,杜绝了资金管理混乱的现象,加大了支出的控制力度,为保工资、保运转提供了资金。

4. 规范了农村分配关系,提高了财税征管水平。改革前,农村分配关系不顺,县平调乡镇资金,乡镇挤占村级资金,村变相加重农民负担的情况经常发生,阻碍和影响了农村生产力的发展。实行农村税费改革后,开始从制度上理顺和规范农村分配关系,农业税归乡镇政府,实现了"交够国家的";农业税附加和"一事一议"筹资属村集体所有,规范了"留足集体的";取消各种乱收费,保证了农民合法权益,确保了"剩下都是农民自己的",初步形成了符合农村实际、农民认为较为合理的农村分配机制。全省各级农业税征收机构严格执行省委、省政府"八到户"、"十不准"的征管规定,做到了"驻站征收、户卖户结",规范了征管行为,优化了征管秩序。不断完善征收方法,增加流动征收网点,很多乡镇建立了农业税征纳大厅,实行了农业税收微机化管理。实行常年征收与集中征收相结合的征收方式。各级政府还组织开展了大规模的农业税收执法大检查,进一步营造了依法治税、依法纳税的社会环境。维护了农业税收的严肃性,保证了农业税收的稳定增长。

5. 密切了党群干群关系。在推进农业税费改革试点工作中,各级政府尤其是大多数基层干部严格执行税改"减轻、规范、稳定"的要求,坚决落实农民负担监督卡制度,规范了税收征管,纠正了乱集资、乱收费、乱摊派行为,进而规范了乡、村财务管理,推行了政务公开、财务公开,增强了群众观念和民主意识,提高了基层政权运行的透明度。在税改过程中,广大农民群众真正感到了负担的大幅下降,提高了对政策的关切度和改革的参与意识,增强了权利义务观念。长期以来因税费征缴关系不顺而积沉下来的干群矛盾,基本上得到消解,党群干群关系显著改善。

6. 促进了乡镇机构改革。为减少政府支出,各地都相应地对乡镇机构进行了初步改革。以阜阳市为例,乡镇财政主要来源于农村税费的阜阳市,此次改革使各县财政供给能力缩减一半,本就拖欠工资的各乡镇在财政压力下,不得不大刀阔斧地"减员减事减费减机构",以求建立财政供给能力对政府规模的刚性约束机制。全市乡镇党政机构由 1158 个精简为 374 个,精简率为 67.74%,分流人员 1038 人,精简率为 15.37%;事业单位机构由 2790 个精简为 1101 个,精简率为 60.54%,分流人员 13402 人,精简率为 74.4%。促进了基层政府职能转变,"减人、减事、减支"初现成效。2000 年安徽省在农村税费改革试点过程中,共清退乡镇富余人员 11 万人,减少财政支出近 6 亿元。乡镇行政编制精简 6100 多个,占现有编制的 10%;乡镇事业单位人员精简分流 40% 左右。

7. 促进了农村社会稳定。实施税费改革后,农业税收征缴关系明显改善,涉农违规收费得到清理,基层政府服务意识不断增强,农民人均纯收入有所增长,广大农民群众权益得到基本保障,对政策、对政府的满意度提高了,履行义务的责任感增强了。长期以来由于农民负担过重引发的严重困扰农村工作的涉农信访量和上访事件,在税改后显著下降。税改期间,原来涉农上访多的阜阳市,未发生一起因农民负担引发的恶性案件。民心顺畅了,基层政府的工作也就顺畅了,农村社会呈现出了稳定发展的局面。

8. 积累了有益的经验。安徽、江苏及甘肃等省的农村税费改革较全国其他省市先行一步,为其他省市区的改革提供了有益的经验:

(1)改革时机的选择要适时。目前农产品出现阶段性、结构性的过剩,农产品价格持续走低,影响到农民的增收,影响到农村经济发展的后劲,影响到扩大内需、开拓国内市场,也影响到农村社会的稳定。在提高农产品收购价格没有需求空间,调整农业经济结构需要个过程,农民增收的方法、渠道又还不广的情况下,进行农村税费改革,切实减轻农民负担,让农民休养生息,实际上也就是增加了农民收入,这正是农民迫切需要的,深得农民的拥护与支持。

(2)要科学地制定改革方案并适时调整。安徽省进行的农村税费改革,其核心内容就是将过去按土地和人头分别征收的农业税、"三提五统",统一为按土地征收的农业税和附加,一定若干年不变,固定了单位土地的负担水平,也就固定了农民上缴国家、集体的税费。这样,农民作为农业生产的主体,其生产成果扣除上缴国家、集体的固定份额后,完全归自己自主支配,生产越多、效率越高,获得的份额就越大,极大地调动了农民的生产积极性。根据市场的需要来调整农业经济结构,已成为农民自主、自觉、自愿的行为。

(3)改革要有良好的运行机制。坚实的组织保障机制,使得改革的速度和路径有可控性;统筹处理"三个确保"的关系,使改革震动效应在预期内;充分发动农民群众参与,使改革具有内在的优化演进机制和广泛的决策修正机制;改革成本大部分由政府负担,使改革能自上而下地平稳运作。2001年安徽省用于农村税费改革的专项转移支付19亿元,其中中央财政17亿元,省级配套2亿元。

(4)要注重基层民主与法制建设,以法律规范农民与基层组织的关系。从农民方面来看,由于按照市场经济的原则,用规范的税收固化了农民的负担,用法律来保障农村分配关系,进一步强化了农民的主体地位,农民种什么、种多少,完全可自主根据市场来定;就管理者——乡镇政府来说,由于堵住了其向农民"寻租设租"的路子,在既有的预算收入约束下必须量入为出,将工作的职能真正转到社会管理和提供公共服务上来。这次农村税费改革虽然是从规范分配关系入手,不同于20世纪80年代家庭承包经营改革从劳动资料入手,但都是强调并确立农民作为农业生产的主体地位,调动其经营的积极性、主动性,解放和发展了农村生产力。农村税费改革必将再次带来农村的巨变。

三、改革实施过程中由具体措施引出的新问题

虽然安徽省农村税费改革取得了阶段性的成效,但从农业的产业结构调整及农村经济可持续发展的要求看,改革后的税费制度仍然存在一些有待进一步研究、解决的问题。

1. 关于计税面积确定问题

安徽省农村税费改革试点中,计税面积是一个焦点问题。由于计税面积采用二轮承包面积计算,而二轮承包面积在安徽省多数地方直接由一轮承包转换而来,未经实地丈量、重分,这样在税改中容易产生两方面问题:一是"有税无地"情况,如征占用地中的少征多占、未征先占,承包地中的沿湖、沿河水淹地等。2000 年税改时,安徽省凤阳县遭受水灾,境内花园湖、高塘湖、天河水位升高,使沿湖、沿河的部分农民低洼承包地被淹,而相应的农业税却并未核减,一些矛盾随之产生。合肥市等城市郊区在税改时,这方面问题也较突出,包括合法征占用耕地、合理不合法占用耕地(主要指乡村道路及绿化、水利设施、学校及乡镇企事业单位占用耕地情况)、及非法占用耕地而未及时核减农业税的情况。二是"有地无税"情况,典型的如开荒地未纳入计税面积。虽然安徽省税改试点方案中规定,对于二轮承包后新开垦的耕地,凡按规定免税到期的应纳入农业税计税土地。但"按规定免税到期"是指几年? 通常的说法是 3 年,但这种规定弹性太大,在实际操作中往往走样,"有地无税"情况仍大量存在。据调查,全省各县的开荒地数量不等,数量较多的来安县和凤阳县就各有约 40 万亩。怀远县计税耕地面积 188 万亩,年

报数字 194 万亩,而土地详查数字为 237 万亩,可见也有大量开荒地。

从减轻农民负担出发,安徽省试点中未允许重新丈量耕地,从而将开荒地排除在计税耕地面积之外,出发点是好的,但方法却欠妥当。如果将乡村道路及绿化、水利设施、乡镇企事业单位建设等应排除出计税面积的占用耕地情况考虑在内,开荒地计入耕地面积后引起的计税面积增大,会有相当部分被抵消。剩余部分也可通过降低农业税税率的办法来达到减负目的,而不一定非要采取排除开荒地的做法。

上述情况导致的后果显而易见:一是"有地无税"情况会对山区县的坡耕地退耕还林和抑制滥垦林地产生消极影响。开荒地未纳入计税面积,虽然对平原地区来讲影响不大,这些不在册耕地的存在,尚不会对生态环境构成太大的威胁,但若今后在多山且"刀耕火种"未完全杜绝的西部省份推广,执行开荒地的 3 年免税期就等于鼓励无限期的滥垦行为,必然不利于坡耕地的退耕还林、退耕还草。"有地无税"情况会刺激开荒地面积的大幅增加,从而引发水土流失等生态灾难。二是"有地无税"情况会对退田还湖产生消极影响。如水淹地未能排除出计税面积,若今后在中西部的湖泊地区推广,会产生人为阻力。三是由于"有税无地"、"有地无税"情况的存在,使得通过农业税收监控的耕地面积变动情况失真,不利于我国的耕地保护和粮食安全。

上述三种情况都会对农村产业结构的调整和农业持续发展产生负面影响,不利于中西部地区的生态环境改善。要实现农村税费改革促进产业结构调整与农业持续发展的政策目标,在推广农村税费改革时,一定要将计税面积的确定作为重中之重,弹性指标(如开荒地的免税期)应尽可能去除,坚持"有地有税"、"无地无税"原则。目前,应当进一步完善这方面的税改措施与政策。

首先是修改有关条款以解决"有地无税"问题。应当考虑取消开荒地的免税期,实行当年开荒、当年纳税。防止税改方案中的弹性规定引发矛盾,同时引导农民少耕种边坡土地。做出这样的硬性规定很有必要,否则就无法解决在抛荒田面积大幅度增加的同时,开荒地却一再升温的问题。税改方案不能给这种趋利行为留下机会,给可能引发水土流失、破坏农业生态环境的行为打开方便之门。确定后的计税面积应尽可能地符合承包户的实际。对西部地区来讲,由于开荒地较多,山区生态系统又较脆弱,对计税面积的确定一定要引起足够的重视,以利于生态环境向好的方面转化。

其次是修改有关条款以解决"有税无地"问题。"有税无地"包括多种情况,可优先解决有利于保护农业生态环境的退田还湖、退耕还渔的农业税核减,或按其耕种意愿纳入"无固定收入土地"计税。对农村建设用地造成的"有税无地"情况,在安徽省试点中,部分地方财力情况较好的地区据实核减了农户的计税面积,缓解了这方面的突出矛盾。如合肥市郊区据实核减了6200亩。但大多数地区地方财力弱,据实核减,地方财政就会减收;不核减,农民不答应。这方面矛盾就比较尖锐。

我们认为,对诸如此类的合理不合法占用耕地现象,应在检查、清理的基础上分类处理:一是对乡镇企业、贸易市场、商店等乡镇二、三产业设施类的"生产发展型"耕地占用,应督促当事人尽快办理相关征占用地手续,并缴纳相应的耕地占用税。同时,据实核减承包农户的农业税,杜绝此类因少征多占、未征先占而致失地农户于尴尬境地的做法。还要改革不适应发展要求的资源税制。目前,耕地占用税税率虽高,但仅是一次性缴纳。与农业税相比,耕地占用税的税负太轻,起不到鼓励节约土地、抑制滥占耕地的作用。应当改革耕地占用税征缴办法,以保护耕地及保障我国的粮食安全,促进农业持续发展。二是对乡村范围内道路及绿化、学校、水利设施建设等的确属于乡村经济发展所必须的"社会公益型"耕地占用,处理的原则是既要满足乡村经济社会发展需要,也要鼓励尽量节约占用耕地。如果此类占地确属必需,那么其收益或效用应当能够弥补由于耕地减少带来的相应损失。也就是说,此类耕地的占用,其损益在乡村范围内应该是平衡的。从这一道理出发,也为了尽最大限度保护耕地,可由乡(镇)、村据实核减被占用承包地的农户的相应农业税,同时按等量(额)抵补方式,通过农村公益事业有偿收费的办法,由该公益设施受益范围内的全体农户出资抵补这一农业税缺额。抵补方式可采取"一事一议"解决。当然,如果乡村财力状况好,由乡财政和村集体财力抵补自然更好。从长远和全社会范围来看,如果将此类"社会公益型"土地占用严格限制在"必需"的范围内,其收益或效用一定不低于同量耕地农业生产收益。然而,由于此类公益设施"外在性"的存在,短期或仅从某一乡村范围来看,可能会收不抵支。怎样才能既有利于保护耕地,又不至于对农村环境建设和社会发展构成损害呢? 显然,这类耕地占用所减少的农业税全由国家财政或全由乡村组织(或受益区农户)负担均不合适或不合理,共同负担应是解决这一问题的原则。国家应当就此类乡村范围内的"社会公益型"耕地占用尽快研究制订新的税收办法,以利于新形势下的农村耕地保护和社会发展。我们认为,可否称为农村土地使用税,税率以略低于农业税为宜,征税对象和征收办法可专题研究。开征农村土地使用税后,此类土地占用的农业税缺额将不必再通过征收农村公益事业税(费)或"一事一议"办法解决。

2、农业特产税问题

这次安徽省农村税费改革对农业特产税政策也作了积极、有益的调整,如解决农业特产税与农业税交叉征收、多环节征收问题。但税改方案同时规定:对在农业税计税土地上种植经济作物并在生产环节纳税的农业特产品,其应纳农业特产税税额小于农业税税额的,不征收农业特产税,只征收农业税;大于农业税税额的,只征收农业特产税,不征收农业税。这就是说,在农业税计税土地上种植农业特产品的,两税相比取其大。省内多数人意见认为,这一规定不利于粮食主产区(农业特产品非集中产区)的农业产业结构调整。对于农业特产的非集中区,由于在农业税计税土地上生产的特产品税源不多且不稳定,征收有一定困难,有人建议在这类产区取消农业特产税。但如何区分"集中产区与非集中产区"? 这在实践中是一个极难操作的问题。

在农业特产品的集中产区,农业特产税由两个环节征收合并为一个环节征收后,原先流通环节征收的一部分税额转移到生产环节,如茶叶原生产环节征7%,收购环节征12%,税改方案调整为在生产环节征 8%—13%,安徽省取的是高限,征13%。这样做的结果:一是造成税改后茶农受益较少,而流通环节经销商获益较大;二是虽然总体来看,农业特产税集中产区的农民税改后负担总量有所减轻,但减负程度不大,在个别地区甚至出现了农户税费负担反而加重的情况。以林茶生产区的皖南祁门县为例:税费改革前涉农税费共 1184.3 万元,其中农业税 281.6 万元,茶特税 278.4 万元,三提五统 524.3 万元(不包括公积金),人均 80.03 元。税费改革后,只征收农业税、茶特税 1122.3 万元,其中农业税 370 万元,茶叶特产税 612.4 万元,农业税附加 74 万元,茶叶特产税附加 65.9 万元,人均 75.84 元,仅比税改前减少 4.19 元,减负率 5.24%①。调查表明,税改前该县"三提五统"基本是按人均摊派。税改后"按人口课费"转为"按田亩纳税",加上税率的提高,造成部分地多人少和以林茶生产为主的农户所缴特产税及附加超出其原先承担的"三提五统"费的情况。全县税改方案测算到户后,约有 20% 的农民负担有不同程度增加。

　　农业特产品集中产区税改后出现的部分农民负担加重情况,显然不符合公平税负的原则,也不利于农业持续发展,应当采取措施加以解决。

　　对农业特产品的非集中产区,据实征收费时耗力,也对农业产业结构调整有负面影响,可以考虑取消征收农业特产税,一律按农业税征收,使结构调整效益能为农民所获,从而有利于农业持续发展和农民增收。至于如何区分"集中产区与非集中产区",只能宜粗不宜细,大体可按山区县和非山区县划分。

　　鉴于农业特产税的上述问题,从 2003 年开始,安徽省取消了农业特产税,改征农业税,受到农民的一致好评。

---

　　①　数据来源:当地农经部门实地调查和统计部门的统计。

3. 取消"两工"问题

安徽省是个多灾省份,又是粮食主产区。多年来非涝即旱的严重灾情制约着全省农业的发展尤其是种植业生产。回归分析表明,20世纪90年代安徽省成灾面积增加1%,农业种植业产值下降0.2%,粮食产量下降0.24%,小麦产量下降0.53%。为加强农田水利建设和抗灾夺丰收,安徽省政府在1993年规定每个农村劳动力每年须承担义务工5—10个,劳动积累工10—20个,主要用于农田水利建设和抢险、植树造林等公益事业。从历史上看,劳动积累工和义务工制度对保持安徽省农业持续发展起到了重要作用。这次安徽省农村税费改革试点,要求在三年内逐步取消统一规定的劳动积累工和义务工。省内多数人意见认为。安徽省劳动力资源丰富,灾多灾频,农田水利基础设施仍显薄弱,再考虑到农民觉悟等实情,过早取消统一规定的劳动积累工和义务工制度,不利于发挥利用劳动积累来加强农业基础设施建设的优势。

保留统一规定的劳动积累工和义务工制度就意味着要解决以往存在的"强迫以资代劳"问题。我们认为,对农民外出打工已成气候的安徽省来讲,考虑到农村现实和劳动力市场的发育情况,对外出打工无法尽义务者,可考虑由承担劳务的农民或村组、乡镇政府出面,采取换工或劳务市场(主要在本乡镇范围内)成交的办法让他人代劳,禁止村组、乡镇政府收取"以资代劳"费,仅作中介,劳务报酬和结算则由供需双方自行协商确定。税改方案可就承担劳务数量做出规定,减少数量、只定上限,对无正当理由拒不承担劳务者视同拒缴农业税处理。也就是说,暂缓取消统一规定的义务工和劳动积累工,以利用劳动积累来加强全省农业基础设施建设,促进农业持续发展。

此外,在农村义务教育、乡镇机构改革等相关配套改革方面,也还存在一些需要进一步解决的问题。

四、针对原有方案的补充与完善措施

任何改革方案都不可能是十全十美的,必须在改革的过程中不断充实、修正与完善,而改革实践本身也正是发现问题与解决问题的过程。

对农村税费改革试点中出现的相关问题,安徽省委、省政府高度重视,并根据党中央、国务院的部署与要求,按照"巩固、完善、规范、配套"的思路,从 2001 年开始,就积极采取措施对原改革方案进行补充与完善。

1. 2001 年的主要措施

(1)进一步调整与完善农业税收及征管政策。认真核实农业税计税土地面积,据实增、减;适当调整农业税计税常年产量,实行上限控制;调整和完善农业特产税政策,对在农业税计税土地上种植经济作物的,只征农业税,下调农业特产税的税率,改进征收办法;进一步规范与加强税收征管,全面实行纳税登记制度和通知单制度,大力推行定时、定点、定额的"三定"征收办法;认真落实农业税减免政策。

(2)改革农村义务教育管理体制,建立农村义务教育投入保障机制。实施"以县为主、分级负责"的农村义务教育管理体制。义务教育阶段教师的工资管理一律上收到县。对农村中小学危房改造工程,从 2001 年下半年起,由省、市、县三级筹措资金。

(3)继续加大财政转移支付力度,保障乡村组织正常运转。增加对乡镇的财政转移支付及对村级的补助,对五保户实行乡村共管、以村为主,省财政按每人每年400元予以补助。

(4)精简乡镇机构,加强村级建设,推进各项配套改革。全省通过乡镇机构改革,乡镇机构数由原来的5—8个,减少到1—3个,行政编制精简10%,事业单位人员精简40.6%。同时,全省拟选派万名干部到村任职,并由省财政安排1.2亿元资金扶持村级经济发展。

(5)进一步规范涉农收费,健全农民负担监督机制。彻底清理涉农收费,规范农村报刊发行秩序,切实减轻村级订阅报刊负担。实行农民负担监督的"党政一把手负责制"。

2. 2002年的主要措施

(1)稳定农村税费改革基本政策,进一步完善农村税收制度。调整农业特产税政策,减少应税品种,降低税率;均衡农村不同从业人员的负担水平,对无地但在村内居住1年以上的农业人员,每人每年收取50元村内公益事业建设基金,纳入"一事一议"项目;建设"三定"基础设施——农税服务厅;推进税费政策法制化建设。

(2)全面规范农村收费管理,深入开展专项治理。先后出台了水利工程水费、农机监理收费和农村用电收费等涉农收费管理办法,基本健全了各项涉农收费制度。

(3)巩固农村义务教育管理新体制,加大"保工资、保安全、保运转"工作力度。全省中小学教师工资已全部上收到县统一管理,在实施危房改造的同时,调整农村中小学布局。

(4)继续推进各项配套改革,确保乡村组织正常运转。继续分流乡镇富余人员;消化历年欠发工资;积极探索化解乡村债务的有效途径和方法。

(5)进一步强化农民负担监督机制,继续坚持主要领导负责制和责任追究制;加大对违反农村税费改革政策行为的处罚力度;健全群众监督机制。

(6)加强农村税费改革的立法工作。2002 年 12 月 31 日,安徽省人大常委会审议通过《安徽省村内兴办集体公益事业筹资筹劳条例》,成为安徽省第一部农村税费改革的地方性法规。

3. 2003 年的主要措施

2003 年春,安徽省人民政府在研究 2003 年农村税费改革试点工作任务时认为,当前农民负担反弹的压力仍然很大,有些配套改革措施还不到位,政策还不完善,改革中还有死角和薄弱环节,有的政策本身还有不尽完善的地方。农村税费改革是一项复杂的系统工程,要充分认识改革的艰巨性,不能轻言改革成功。下一步深化改革的任务为:一、取消农业特产税,改征农业税。尽快在全省开始组织实施。二、继续深化和完善乡镇机构改革。重点是年底前完成分流人员安置工作。三、调整乡镇和村级规模。力争年底前完成调整任务。四、深化乡镇财政管理体制改革。制定乡财县管乡用试点办法,选择若干规模较小、财政收入较少的乡镇实行乡镇支出"报账制"试点。五、实行农业税收征管垂直管理试点。即将乡农税所(财政所)划归县农税局(财政局)垂直管理,负责农业税收征管。六、继续推进农业税收规范征管。开展"农村税费改革规范年"活动。七、继续做好化解村级债务工作。在认真清理债权债务关系、核实债务数额的基础上,分别不同情况,采取有效措施,逐步化解村级债务,力争取得明显成效。同时,严防发生新的不良债务。八、继续加强对农村各项收费的监管。各级政府和各有关部门要进一步规范行政行为,切实承担起涉农收费的监管责任。经过近一年的努力,到目前为止,上述 2003 年的税费改革目标任务已经基本完成。

农村税费改革由发动到不断完善的实践过程说明,改革是一个复杂的系统工程,改革方案须在实践中不断完善,人们对改革中出现的矛盾及解决问题办法的认识,也必将不断深化。

第四节　全国不同地区农村税费改革模式比较

2000 年 3 月安徽全省进行农村税费改革试点后,其他省市区也陆续开始了试点工作,有的是以省为单位进行的,有的则是以县(市)为单位进行的。这里我们选择江苏、甘肃两省为例,结合前面分析的安徽省改革试点,分别作为我国东部、中部、西部三类地区的模式,进行比较分析与归纳总结,以资相互借鉴,互相促进、共同完善农村税费方案,实现农村税费制度及相关制度环境的创新。

一、江苏农村税费改革模式

江苏省位于我国东部地区,属于经济发达地区。江苏省是申请自费于 2001 年进行全省农村税费改革试点的,其改革试点方案的主要内容是:

1. 取消乡统筹费、农村教育集资等专门面向农民征收的行政事业性收费、政府性基金、集资和屠宰税。对农民承担的劳动积累工和义务工,在确保比上年有明显减轻的前提下,收取一定的以资代劳金,用于村内公益事业。

2. 调整农业税政策。农业税按照农作物的常年产量和规定的税率依法征收,计税常年产量以 1994 年至 1998 年农作物的实际平均产量据实核定,计税土地面积以第二轮承包用于农业生产的土地面积为基础,对新增的耕地或因征占、自然灾害等减少的耕地,按照实际情况进行调整;调整农业税税率,将原农业税附加并入新的农业税,实行地区差别比较税率,最高不超过7%,贫困地区的税率从轻确定。

3. 严格按照农业税和农业特产税不重复交叉征收的原则,调整农业特产税政策。对在非农业税计税土地上生产的特产品征收农业特产税,对在农业税计税土地上生产的农业特产品征收农业税。

4. 改革村提留的征收使用办法。对村干部报酬、五保户供养、村办公经费,采取新的农业税附加、农业特产税附加的方式统一收取,且附加率不得超过正税的 20%;对村内兴办其他集体生产和公益事业所需资金不再固定向农民收取,实行"一事一议",根据需要与可能,由村民会议或村民代表会议决定。

5. 农业税及其附加的征收,按照钱粮两便、农民自愿的原则,可以征收代金,也可以征收实物。农业税计税价格以 1997 年至 2000 年五年内省政府确定的最低粮食保护价确定。农业税及附加统一由财政部门负责征收,也可委托粮食部门在收购粮食、结算粮款时代扣代缴。

改革后,江苏省合同内人均减负 36 元,较改革前减幅为

31.81%,合同内外负担人均减负 78 元,减幅达 50.4%。江苏省在推进农村税费改革中给予了一定的财力保障。2001 年全省直接用于农村税费改革的专项转移支付资金达 13.47 亿元;同时,为调整分税制体制而安排转移支付资金 10.8 亿元;另外,为支持苏北地区中小学危房改造和布局调整,从 2001 年起每年安排 2.5 亿元,一定三年。合计共安排转移支付资金 27 亿元。

二、甘肃农村税费改革模式

甘肃省位于我国西部,属于经济欠发达地区,是经国务院批准的 2002 年农村税费改革 16 个试点省之一。甘肃省的改革模式在中西部地区具有代表性,其试点方案的主要内容是:

1. 取消乡统筹费、农村教育集资等专门面向农民征收的行政事业性收费、政府性基金、集资和屠宰税。对农民承担的劳动积累工和义务工,从 2002 年开始逐年递减,到 2007 年全部取消。

2. 调整农业税、牧业税政策。农业税按照农作物的常年产量和规定的税率依法征收,计税常年产量以 1994 年至 1998 年农作物的实际平均产量据实核定,计税土地面积以第二轮承包用于农业生产的土地面积为基础,对新增的耕地或因征占、自然灾害、退耕还林(草)等减少的耕地,按照实际情况进行调整;调整农业税税率,将原农业税附加并入新的农业税,实行地区差别比较税率,最高不超过 7%,贫困地区的税率从轻确定;改革后的牧业税税负按照略低于新的农业税负担的原则确定,实行从量定额征收。

3. 严格按照农业税和农业特产税不重复交叉征收的原则

和《甘肃省农业特产税征收实施办法》,调整农业特产税政策。对在非农业税计税土地上生产的特产品征收农业特产税,对在农业税计税土地上生产的农业特产品可征收农业特产税,也可征收农业税;继续保留收购环节征收的农业特产税。

4. 改革村提留的征收使用办法。对村干部报酬、五保户供养、村办公经费,采取新的农业税附加、农业特产税附加和牧业税附加的方式统一收取,且附加率不得超过正税的20%;对村内兴办其他集体生产和公益事业所需资金不再固定向农民收取,实行"一事一议",根据需要与可能,由村民会议或村民代表会议决定。

5. 农业税及其附加的征收,按照钱粮两便、农民自愿的原则,可以征收现金,也可以征收实物。退出粮食定购保护价的地区和品种征收现金。农业税计税价格以1997年至2001年五年内省政府确定的最低粮食保护价确定,从2002年起一定三年不变。农业税及附加统一由财政部门负责征收,也可委托粮食部门在收购粮食、结算粮款时代扣代缴。

三、不同模式的比较分析

从上述三省农村税费改革的方案和实践来看,地方各级党委、政府都把农村税费改革工作作为事关农村稳定和发展的大事来抓,精心组织实施。它们具有以下几个方面的共同特点:

第一,科学制定改革方案,并以核实计税面积和常年产量为重点,扎实做好各项基础工作。各地按照中央政策规定,认真核定计税面积和常产,张榜公布,征求农民意见,得到农民认可。如安徽省针对改革中出现的"有地无税"和"有税无地"的现象,不断调整完善政策；甘肃严格农业税"三定"（定地、定产、定税）工作规程，坚持"张榜公布、三榜定案"，确保核定的计税土地和常年产量真实可靠。

第二，实行"党政一把手负责制"，保障强制性制度变迁的权威性；加大宣传力度，发挥意识形态在制度变迁中的重要作用。如安徽省在改革之初，即把地方各级党政"一把手"作为改革的第一责任人，亲自抓，负总责。同时运用多种宣传手段，广泛宣传税费改革的必要性与相关政策，还印刷了几十万份宣传材料，散发到农户手中，做到家喻户晓。

第三，积极推进相关配套改革，努力做到"三个确保"。为缓解农村税费改革后因财力减少造成的乡村财政支出压力，各地普遍进行了以"减人、减事、减支"为核心的配套改革。一是开展了乡村区划调整和机构改革。如，江苏乡镇机构精简612个，减幅为31％，乡镇机关行政编制精简20％，还撤并行政村13486个，减幅为36％。二是调整农村中小学校布局，改革农村教育管理体制。这主要是撤并中小学，清退代课教师、临时人员，提高师生比例。为确保改革后基层组织正常运转和农村义务教育正常经费投入，各地普遍实行教师工资由县财政统一发放，有的地方还采取了乡财县管、村财乡代管以及加大对贫困地区乡村转移支付力度等办法。

第四，加强督促检查，确保政策落实到位。从省（区、市）到县（市）层层成立了督查巡视组，及时纠正基层政策上的偏差，确保农村税费改革政策落实到位。2002年10月全国农村税费改革座谈会后，各地加大了督促检查力度，省对市、市对县、县对乡、乡对村的检查面都达到了100％。同时，各地普遍加强了信访工作,建立信访接待制度,做到件件有落实,事事有答复,努力化解改革中的矛盾和问题,群众上访现象明显减少。

当然,我们也应该看到,由于我国地域辽阔,农业生产条件千差万别,农村经济发展很不平衡,各地在改革中也要根据具体情况,采取不同的措施。如作为东部发达地区的江苏省,完全是自费改革;而作为中部经济不发达的安徽省,则主要是靠中央财政转移支付进行改革的。针对乡村债务沉重这一具体情况,安徽省在改革中还加大了清理乡村债务工作的力度。甘肃省作为西部不发达的畜牧业大省,则继续保留了在收购环节征收的农业特产税,并较好地解决了"有税无地"和"有地无税"问题。

农村税费改革经过在安徽等省的试点,随后将在全国全面推开。从试点经验看,在改革的初始阶段,规范税费收入是主要任务;随着改革的全面推开,不断完善改革措施则是主要任务。要做到在减轻农民负担的基础上,确保农村税费改革的成果。首先,改革的具体操作必须经受实践的检验,充分尊重群众的首创精神。我国地域广阔,各地农村情况不同,每项改革政策在落实过程中都需要结合当地实际,实事求是地搞好改革工作。只有这样,农村税费改革才具有广泛的群众基础,各项改革政策才能贯彻始终,试点工作才能健康进行。其次,妥善处理各方面利益关系,实现农村税费改革的阶段目标。能否确保农民负担切实减轻、不反弹,确保乡镇机构和村级组织正常运转,确保农村义务教育经费正常需要,这是农村税费改革是否成功的重要标志。改革实践说明,必须正确认识和妥善处理"三个确保"之间的关系,要在初步实现农民负担明显减轻这一首要目标的同时,确保农村基层政权组织有钱办事、照章理事和农村义务教育的稳定发展。再次,搞好配套改革,加强督促检查,是防止农民负担反弹,巩固农村税费改革成果的重要保证。从根本上说,农村税费改革能不能成功,取决于县乡机构改革等配套改革措施的成效。从安徽省等试点地区的实践看,要从根本上防止农民负担反弹,巩固改革成果,必须转变政府职能,精简机构、人员,完善县乡财政管理和农村教育管理体制。最后,以税费改革促进农村经济社会的全面发展,是解决"三农"问题的治本之策。在试点地区,随着税费改革的深入,过去多年存在的乡村经费紧张、教育投入不足、乡村债务负担沉重等一系列问题逐步得到缓解。实践证明,只有以税费改革为突破口,实施多方面的综合配套改革与制度创新,努力促进农村经济社会的全面发展,才能巩固农村税费改革的成果,既减轻农民的负担,又使农民收入有一个较大的提高。

从目前各地改革的实际情况看,在取得初步成效的同时,又都不同程度地遇到了一些普遍性的难题,需要通过深化改革来逐步加以解决。关于这一问题,我们将在本章的第六节分析。

第五节　农村税费改革拉开了制度变迁的序幕

安徽省农村税费改革取得的成效虽然还只是初步的,但它所揭示的改革的性质却是十分明确的,其意义是深远的。这一自上而下的强制性制度变迁已经拉开了我国"农村的第三次革命"的序幕。

一、农村税费改革是对农村生产关系的重大变革

在实行承包制之初,农民曾经用"交够国家的,留足集体的,剩下全是自己的"这句简单明了的顺口溜,说明实行承包制后国家、集体、个人三者之间的利益分配关系。20世纪80年代中期以后,随着收入增幅的下降,农民的经济承受能力明显降低,税费负担对农村社会的压力凸现出来,农民群众感到利益受到了侵害。负担过重成了束缚农村生产力发展的最大障碍。农村税费改革最核心的内容是依法调整国家、集体与农民的利益关系,把农村的分配制度纳入法制化轨道,重新激活了农民因负担过重受到挫伤的生产热情。2002年安徽省在遭受连续七八个月罕见的旱灾,粮食减产11%,粮价不断走低的不利局面下,农民人均纯收入却逆势增长了2%还多。这得益于农民对一些高效益品种投入的大幅增加。全省池塘养蟹面积一年猛增35%,收益增长108%;过去荒弃的洼地被农民大举投资开发,一年内有38万多亩低洼地被建成精养鱼塘,养殖面积比上年增加50%。

二、农村税费改革掀起了新一轮农业制度创新

农村土地二轮承包是在不触动既得利益的情况下,进行的增量改革和边际创新。这种改革方式不仅使改革主体——农民受益,也使农产品的消费者受益;不仅使改革的决策者与大多数社会成员的共同利益大于冲突性利益,而且使改革者的政治绩效倍增。但是,它没有满足新一轮制度创新的要求。形势的发展显示,只有对既有制度的存量进行革命性的调整、创新,才有

可能突破农业进一步发展的制度桎梏。农村税费改革引发了新一轮农业制度创新,表现在:一是以市场经济中"三农"发展状况作为大背景,使农业制度创新沿着市场经济所要求的目标前进。二是引入外部力量,依靠政权的行政推动来推进改革,重塑了制度创新的主体,改变了过去那种以农民为创新主体的需求诱使性制度变迁方式,从而把政府作为制度创新的主体。政府从整体上设计制度,在核心制度创新的同时,同步进行了配套制度改革。三是制度创新成本主要由各级政府、部门分摊,并逐步把改革成本分摊由农业内部向外部转移,从而降低了农民及农村基层组织参与制度创新的交易成本。

三、农村税费改革是农村社会权力与义务关系的重大调整

税和费都是政府参与社会分配的方式,但税和费的内涵和外延有所不同。税表现为一种权利和义务的关系。而费则表现为一种直接对应的经济交换关系。农村税费改革以前,农村村组干部是税费征收的主体。税费统征、税费混征导致税费不分、以费挤税。广大农民群众对应承担的义务以及依法应享有的权利不明不白,摆脱不了"记不清、烦透顶"的各种税费的困扰,农民成为中国经济发展中最大的弱势群体。税费混乱不仅导致了国家与农民个人分配关系的混乱,而且严重阻碍了农村经济的健康发展和农村社会的全面进步。因此必须严格规范政府的农村分配行为和收入机制,重新整合政府与农户的分配关系。要运用规范的税收手段来筹集政府资金,清理不规范和不合理的非税收入,以完备的法律体系来明确当事人的权利和义务,以税法来界定政府和纳税人在分配方面的权利和义务。农村税费改

革中的"三个取消、一个逐步取消、两个调整、一项改革",以农业税及农业税附加的形式,规范了政府参与农业收入分配过程中与农户个人间形成的分配关系,明确了农业税征收机构是征管的惟一合法主体。这就为合理调整和科学界定农村社会权利义务关系奠定了基础。

四、农村税费改革是农村民主法制建设的重要步骤

如果说农村税费改革以调整税费征管解决了"收金之乱",那么"一事一议"则解决了"办事之乱",树立起民主管理的风气。它使广大农民对涉及自身利益的公益事业的决策有了发言权,彻底改变了以往上级决策拍板、农民上工交钱的状况,使在市场经济发展中、在民主法制建设的浪潮中日益边缘化的农民群体又逐步重新回到了民主社会的中心。同时,随着农民民主意识的觉醒,其对自身利益的保障意识、对政府运作的规范要求有了显著的提高。顺应这一需要,农村税费改革中还进行了配套改革,积极推进村民自治,实行村务公开,并规范村务公开的内容、形式和程序。要求村务大事坚持大家提、大家定、大家办,不允许村干部或者少数人说了算,切实保证农民群众当家作主。凡涉及农民群众切身利益的大事,都要提请村民会议或者村民代表大会讨论决定。如村干部报酬标准、村内兴办集体公益事业筹资、向不承包土地而从事工商业的农民收取费用的标准等,都要经过民主程序决定。全面实行村级财务公开,大力推进民主理财制度。村集体经济组织应当以便于村民理解和接受的形式,将村级财务活动情况及其有关账目,定期如实地向全体村民公布,接受村民监督。财务公开的内容主要包括:财务计划、各

项收入和支出、各项财产、债权与债务、收益分配、代收代缴费用以及群众要求公开的其他财务事项。普遍建立了村级民主理财小组,农民参与制订本村的财务计划和各项财务管理制度,有权检查、审核财务收支账目,定期举行民主理财活动,像村集体企业改制、经营项目的承包办法和承包指标、集体财产的变卖和处理、大额开支等,都必须提交村民主理财小组审议,有效加速了农村民主法制化进程。

第六节　深化农村税费改革尚需
进一步破解的难题

随着农村税费改革工作的逐步深入,各地在改革实践中普遍遇到了一些共同的难题,一些比较突出的深层次的问题也逐步暴露出来,需要进一步认真研究解决。

一、农村税费公平计量难、征缴难

从税费公平计量来看,有以下几个方面的难点。一是计税面积难以核实到户。落实计税面积是完成农业税税收任务的基础。政策规定二轮承包土地面积为计税面积,但是多数地方的二轮承包土地面积不实(有的地方根本没有开展二轮发包),有些地方农村占用土地的情况十分复杂,有的经过审批,有的没有经过审批;有的核减了税费,有的没有核减;有的耕地面积按标准亩统计,有的按当地习惯亩统计。这些问题不理清,势必会出现"有地无税"或"有税无地"现象,"谁占用、谁负担"的原则就不能落实,计税面积就不能核实到户。还有,近年来一些地方土地摞荒现象比较严重,如何落实摞荒地的税收任务成了乡村干部异常头疼的问题。二是计税常产难以确定。计税常产是计税的重要依据,理应核实到户,但由于村村户户情况不一,承包的土地细碎肥瘦不同,操作到户非常困难,税赋不均难以避免。一些干部甚至乘机抬高常产,以达到多收税的目的。三是计税价格不好掌握。计税产量固定、计税价格不随每年粮价变动而调整、税率不变这三项原则是这次税改方案的重要内容。假定农业税计税价格每年随粮食价格的变动而调整,就不利于地方财政预算的编制和财政资金的调度,也影响农业税的适时征收和农民负担的稳定。但是根据农村税费改革的要求,在一定时期内保持计税价格的稳定不变,则计税价格与市场价格之间的价差就不好处理,要么农民有意见,要么财税部门有意见。例如按照安徽省政府的规定,阜阳市颍东区的计税价格为 1.22 元/公斤,但近三年来,小麦的保护价最高没有超过 1.10 元/公斤,对此农民很有意见。四是出现了新的负担不均。新的农业税及附加的课税对象是农业收入,以农业税计税土地面积乘上常年产量为依据计征,农民交纳农业税的多少,与农民耕种的土地面积有直接关系,这就产生了两个方面的问题:第一,有的地方出现了不种地的农民不负担或少负担,种地的农民继续负担和多负担的情况,从而出现了新的矛盾。第二,过去提留统筹费大多按土地面积、人口、劳动力的一定比例收取。改为收农业税后,无形中把原来一部分由人口和劳动力承担的费用转移到了土地上,种地农民缴纳税收的压力可能进一步增大。

改革后农村税费除了公平计量难,依然面临着公平征缴难。

征收机关需要面对的是千家万户,目前,农业税由粮站代扣,还比较好办,但其他税费的征收就比较困难。乡村这两级干部工作量的一半以上都用在了征收各种税费上。乡政府很难逐户每年每季去核实面积、产量、品种、品质、销量等等信息。改为行政村为单位后,村内户之间的差异仍然很大,操作上很难掌握公平。也正因为难,给具体征收留下了很大的自由空间和可钻的漏洞。只要各地、各村、各户存在不同情况,征收的漏洞就无法控制,公平就无法全面掌握,监控就难以实施。今天的农村社会,已不是计划经济时期的生产队,更不是过去单一的传统农业社会,其组织结构、产供销流程、人口高度的流动以及城乡经济生活的多变,使控制、管理的难度都大大提高。据调查,阜阳市颖东区平均每村都有 5% 以上的农户常年外出打工,因撂荒土地而不纳税;5% 左右的所谓农村钉子户、难缠户拒缴税费,从而影响了农村税费的公平征缴。

单一的农业税计税方法可能造成新的税负不公。这次税费改革按二轮承包的田亩负税,"税随田走"。过去的乡统筹费和村提留费是按人头计算的。现在,由于农户人均占地不均衡,出现了在"人多地少"的情况下农户负担大为减轻,而"人少地多"的农户负担减轻较少,有的甚至加重的情况。因为每个市、县情况不同,每个乡镇、甚至每个村庄人均地亩都不相同,因此这种税负不均问题表现得较为普遍和突出。如皖北的濉溪、太和、怀远等县,农业人口人均耕地面积较多的一般有 3 亩以上,皖南的繁昌、绩溪等县人均耕地面积只有 1 亩多,税改后人均负担差距悬殊。又如淮北市,该市是以煤炭生产为主的能源城市,为了解决农民的吃饭问题,各级政府和财政部门千方百计筹措资金,加大土地复垦力度。由于相当数量的复垦土地和新开发的荒地尚未纳入二轮承包,无农业税负担,无形之中也造成了一种同样多的土地而农业税赋不等的情况。解决上述难题,从根本上说,需要对农村税收制度进行创新。

二、弥补乡村两级收支缺口难

农村税费改革后,乡村两级收入大幅下降,面临着巨大的财力缺口,有些地方连人员基本工资都有缺口。据调查,改革后阜阳市颍东区乡级收入较改革前减幅为45.71%,村级减幅更高达75.63%。2000年全区乡级可用财力3831万元,如果每年仅发人员基本工资,缺口为1983万元,若加上必需的办公费和公益性支出,净缺口5277万元,乡均439.8万元;而村级三项支出需1256万元,与当年村级收入(491万元农业税附加)和上级转移支付(154万元)相抵后,净缺口611万元,村均2.4万元。与乡村两级财力的缺口大并存的是乡镇财政增长困难和乡村负债严重。安徽省农村税费改革方案要求改革后的农业税总额必须控制在"1997年依率计征农业税和1997年乡统筹实征数以内",且确定后5年不变,这在相当程度上约束了基层,特别是乡级财政。当前财政的维持、未来财政支出的增长,严重依赖于上级财政的转移支付。中央、地方、基层政府之间将不可避免地就转移支付问题产生新的矛盾。一些地方的乡镇财政在改革前就十分困难,而改革后收入的主要来源是农业税,但农业税将在一定时期保持不变。也就是说多数乡镇财政在这个时期难以实现有效增长,这就使刚性增长的财政支出,包括财政支付人员的工资增长,成为无源之水。同时,税费改革征收对象的调整引起农民负担的重新分配。人均占有耕地较多的农户负担上升,人均占有耕地较少的农户负担下降。与此相对应,地多人少的乡镇获得较多的可征农业税配额,人多地少的乡镇可征农业税额较少。考虑到乡镇财政支出需求在一定程度上和辖区人口正相关,税改后人多地少的乡镇将遇到更多的财政困难。与此同时,乡村两级负债严重,也加大了其财力缺口。

税费改革后,新设置的农业税成为乡镇财力的主要来源。减轻农民负担是这次农村税费改革的首要目的。税改方案主要着眼于当前如何减轻农民负担,但对新设置的农业税的目的与乡镇财力问题考虑不多。从农业的计征依据看,新的农业税具有所得税的性质,但其相对稳定的特征又可将其归作资源税类。从目前农业税的用途看,乡镇征收新的农业税主要是为了解决乡镇财政供养人员工资开支。按照税收的财政原则,农业税就必须确保乡镇财政人员工资的正常支出。这就与减轻农民负担的税费改革目标相矛盾。而农业税保持稳定,也就决定了乡镇财政增收无望,无法保持收支平衡。

事实上,乡镇财政困难已有时日,几乎大多数乡镇都有债务,并拖欠教师、干部工资甚至离退休人员的养老金。这些困难本来就存在,不是税费改革带来的,按理说是与税费改革无关的。但由于税费改革后,新的农业税成为乡镇财政收入的主要来源,乡镇财政困难就成为农村税费改革绕不开的难题。改革后乡镇税收收入比原来减少不多,但乡镇的总收入明显下降,主要是封住了收费的口子,再也不能像以前那样缺了就向农民收,把乡镇干部逼到了死角。如果不解决乡镇财力的硬缺口,必然会重开乱收费之门,农民负担就会反弹,减轻农民负担便成为空话。

为切实解决乡镇财政困难,安徽省在试点中强调,要减人节支,并出台了相应的政策。与此同时,从中央到省、市、县都拿出一部分资金支持乡村,实施转移支付。即用减人减支和转移支付的办法解决这个难题。通过减人减支和转移支付,也许能够确保乡镇财政的即期平衡甚至有余,但由于新农业税一定几年不变,如不能建立起乡镇财政的增长机制,则仍无法解决乡镇财政的困难,难以在根本上消除增加农民负担的隐患。从理论上讲,乡镇财政的增长,必须主要依靠发展经济,不断增加地方工商企业税收来解决,但经济发展绝不是一蹴而就的,必然有个过程。在这个过程中,乡镇财政的增长恐怕只有依靠转移支付来解决。对乡镇财政的转移支付必须是逐年增长的,这样才能满足刚性增长的乡镇财政支出所需。而只有真正建立起乡镇财政收入的增长机制,摆脱其收不抵支的困难局面,才能从根本上解决农民负担问题,取得农村税费改革的全面成功。

农村义务教育支出是目前乡镇财政支出中最大的一块。安徽省农村中小学教师工资占乡镇财政总支出的比重平均为44.8%,占乡镇财政供养人员工资总额的比重平均达75.2%。这表明,在多数农村乡镇,财政收入以农业税为主,农业税负担的人员工资主要是教师工资,农业税成为农村全民义务教育的主要资金来源。农民不仅要负担子女的学杂费,还要负担教师工资,形成农民自己办农村义务教育的局面,显然很不合理。

首先,这是对农民利益的侵害。农民对基础教育进行大量投入,培养出的各类人才(包括那些有一定文化并长期外出经商务工者)基本上不再从事农业或与农民利益有关的工作,而且绝大多数人(特别是大中专毕业生)不再回到农村,他们所创造的价值全部贡献给了二元结构中的城市经济,农民不能从对教育的投入中得到相应的回报,形成了城市经济对农民利益的侵害。一个明显的例子是:农民对基础教育的投入,是各级各类中高级职业教育的前期投资,是构成职业教育产业利润不可或缺的一部分,但农民却得不到应有的回报。

其次,这种利益错位加重了农民负担。从理论上说,农民支付农业税是为了支付其经营农田所必需付出的公共成本,除了上层建筑的成本分摊外,农民必须得到相应的公共管理服务,而现在却成为义务教育的主要投入者,由于公共产品服务难以到位,造成利益错位。付出的付出了,应该得到的却得不到。

最后,投入主体的能力有限,制约着我国全民义务教育的普及提高,制约着国民素质的提高。由于接受义务教育的对象主要在农村,农村义务教育的水平决定着全民义务教育的水平。显然农民的投入能力是有限的,新的农业税也缺乏增长机制,全民义务教育也难以不断提高,甚至难以长期正常维持。由本书第一章的分析可知,义务教育属于一国的公共产品,应该由中央财政统筹解决义务教育的投入,中央政府应建立对农村义务教育投入的转移支付机制,使其真正成为全民的义务教育,这样才能大大减轻乡镇财政困难,真正减轻农民负担。这也是加快提高全民义务教育水平和国民素质,推动现代化建设的关键。

与农业税不同,农业税附加的目的和用途十分明确,就是解决村级组织的开支。问题是改革方案规定最多只能收取正税的20%,这就形成了农村税费改革中的又一难点,即村级组织收入大幅下降,运转难以为继。其直接原因是在方案设计时,过多地考虑乡镇。在测算时,把改革前"三提五统"中被乡镇占用的那部分资金全部作为乡级收入,把原来的农业税额与之相加,作为新的农业税基数,然后再与现行税率、计税面积、计税常产测算结果相平衡。这就把本来属于集体经济组织内部的统筹款,而且有的是必须返回到村里使用的款项,通过税费改革变成了国家税收,侵占了集体经济组织的利益,造成了村级组织的大幅减收。

同时,农村教育及公益事业的发展也受到影响。停止教育集资后,农村中小学的基本建设投资受到严重影响,这也使农村教育的发展受到限制,而"一事一议",也将影响农村公益事业的投入。特别是"两工"取消后,农田水利基本建设的组织十分困难,因为有些工程并不能使每个农户受益,甚至不一定能使大多数农户受益,"一事一议"就有难度,尤其是一些跨流域的水利工程将更难实施。其他如修路、造桥、卫生及文化事业等都会受到影响。

以上分析表明,实施财政体制创新,建立公共财政体制势在必行。

三、提高农民生产积极性和增加农民收入难

市场经济条件下,我国农业的弱质产业地位十分明显,粮食生产的收益水平已经进入"警戒线"。所谓警戒线,是指粮食生产自身的收益,已经趋近于难以维持简单再生产。据 2000 年有关统计资料,1999 年全国三种粮食(小麦、玉米、稻谷)的物质费用所占比例为 43.02%,如果加上农业税和"三提五统",比例高达 59.17%(税费改革后取消乡统筹和限定村提留占农业税

20%的比例后,其物质费用所占比例也不会少多少。)。按1999年我国三种粮食单产水平348.35公斤计算,仅仅从粮食的投入产出计,农民每亩获得的粮食实物纯收入量仅为142.23公斤。这是指全国的平均水平,如果在条件差一些的粮食主产区,恐怕问题就更严重。可以说仅以粮食的收益水平计算,农民的投入产出水平加上负担已经达到过去传统农业时期地租负担的"临界状态",即"地租"负担超过50%这一临界点。近年来不少地区的农民将土地撂荒,就是一个投入产出处于不经济状态的临界信号。这些年来,如果没有农民的非农现金收入支持了农业生产,恐怕粮食生产已近崩溃的边缘。从国际上现代农业生产来看,高资本密集、高物化成本比例是其共同特点。但这一高成本比例通过经营空间的扩大规模得以化解,农民同样可以获得高收益。我们碰到的问题是土地的福利性分配政策目前尚不具备全面放开的条件,所以总体上还缺少通过扩大规模来降低单位农产品成本的办法。这就是说,农村税费改革对提高农民种粮的积极性会有一定作用,但幅度有限,提高农民对农业生产的积极性,还需要采取多方面的措施。

农村税费改革在一定程度上促进了农民收入增长。农村税费改革前三年,安徽省农民平均人均纯收入为1759.84元,税费改革后农民纯收入为1951.63元,年平均增加191.79元。而同期安徽省农民人均税费支出在改革前为117.83元,税费改革后为103.46元,平均减少14.37元,平均下降12%。农村税费改革减轻农民负担对农民纯收入增加的平均贡献为7%左右。在此同时,安徽省农民的现金收入水平也有较大程度的增加,由农村税费改革前的平均1936.09元增加到1992.69元,平均每年增加 56.6 元,平均年增长 3% 左右。这反映出农民货币收入范围在不断拓展,农产品的商品率逐年提高。

安徽省农村税费改革前后农民收入比较①

单位:元

指　标	税费改革前	税费改革后	增减幅度(%)
农民人均纯收入	1759.84	1951.63	10.9
现金收入	1936.09	1992.69	2.9

但毋庸讳言的是,农村税费改革并没有使农民的收入水平有一个根本性、大幅度的提高。这一方面说明,我国农村税费改革还任重道远;另一方面也说明,提高农业收入水平、发展农业生产还受到农业比较效益的制约,仅仅依靠农村税费改革是远远不够的,还需要进行多方面的综合配套改革。

资料表明,农业增产不增收已影响安徽省农业增长。"八五"期间,安徽省农业年均递增 8.8%,"九五"期间降至 7.02%,下降了近 1.8 个百分点。农业增长下降进一步影响到农民收入。"九五"期间,虽然安徽省农民来自二三产业尤其是劳务输出的收入仍保持了较高的增长态势,但由于受农民农业收入下降的影响,导致全省农民收入整体增长趋缓,增幅呈现单边下滑态势。1996 年,安徽省农民人均纯收入比上年增长 23.4%,1997 年下滑至 12.5%,1998—2000 年增长率分别为 3%、2% 和 1.8%,增幅逐年缩小。(见下表)。

---

①　根据安徽省农村税费改革办公室有关资料整理而成。

安徽省农民收入增幅("九五"期间)① 　　　　单位:%

项目/年份	1996	1997	1998	1999	2000	年均递增
农民人均收入增幅	23.40	12.50	3.00	2.00	1.80	8.23
其中:1、第一产业	17.3	17.07	-3.6	-2.03	-6.28	3.97
2、二三产业	42.00	11.43	13.92	7.45	19.58	18.29
其中:劳务报酬	47.88	17.08	12.75	2.96	16.39	18.52
3、其他	13.20	-29.70	34.68	16.73	-19.66	0.10

四、"一事一议"实施难

农村在实际经济生活中,"一事一议"遇到的问题十分复杂。据我们对安徽省太和县的调研,目前,"一事一议"的公共产品决策与供给存在以下问题:

首先是筹资难。由于现行规定收费标准为每人每年15元,一般行政村的人口规模为1000—3000人,按3000人计算,每年只能收取45000元。这么少的钱很难在行政村范围内举办使全体或大多数人受益的公共工程。在实际执行中,就是这么少的资金有时也收不到位。原因是钱少,所能办的事也很少,在行政村内到底办哪个范围、哪种具体事,村民的意见难以统一。

其次是缺乏规范性。对"一事一议"的规定过于抽象,不具有操作性。作为组织的决策,其执行过程和结果必须具有一定的强制性,一旦决定,就要付诸实施。而实施的结果又会使村民的受益程度出现差异。因此,必须注重决策过程的规范性,各阶段具体如何操作,要有明确而详细的规章制度,这样才能保证决

---

① 表中数据来源:根据相应年份《安徽统计年鉴》整理。

策的公正性。

第三是缺乏约束力。"一事一议"所议之事实际上是行政村范围内的公共产品问题。在实践的过程中,少数村民只图享受公共产品,而不愿出钱出力,这也是公共产品消费中的"搭便车"现象。对此目前还没有有效的排除性措施,没有相应的处罚规定。由于政策规定在自愿的基础上进行"一事一议",如果大多数人自愿,而少数人不愿意,则所议之事就办不成,因为少数人不出钱,其他人效法之。村干部由于害怕碰政策的硬杠子,对这些少数不出钱不出力的"搭便车"者无计可施。往往造成议而不决、决而无果的局面。这就使税费改革后农村公益事业的发展受到严重影响,原来一些容易办到的事,现在却变得十分困难。

上述农村税费改革的普遍性难题说明,初期的改革虽然取得了一些成效,但许多问题并没有从根本上得到解决。这正是农村税费改革的内在矛盾。这一矛盾的存在说明,仅仅依靠初期的改革措施,不可能从根本上解决农村税费制度的深层次问题。要彻底解决农村税费改革问题,真正完成"农村的第三次革命",就必须深化改革,实施综合性制度创新与变迁。

农村税费改革作为由中央政府实施的自上而下的强制性制度变迁,有明确的指导思想和目标。经过三年来的改革实践,减轻农民负担这一初期的首要目标已基本达到。但由于农民负担问题的复杂性,加之改革中的有关措施具有过渡性质,因此,农村税费改革还存在着许多需要进行破解的难题与矛盾,农民负担问题还存在着反弹的可能性。

农村税费改革中出现的上述矛盾与难题,虽然与税费改革方案的不完善这一主观因素有关,但从根本上说是由初始条件这一客观因素决定的。马克思主义制度变迁理论认为,所谓的初始条件,就是制度变迁起点上存在的既有的社会结构的特征,其中最重要的是生产力与生产关系的发展及其相互关系以及在这一基础上建立的社会政治与文化结构。初始条件对制度变迁的影响大致是按照生产力——生产关系——经济制度——政治法律制度——意识形态与文化——个人行为规范这样的逻辑展开的①。我国现阶段的生产力与生产关系发展的程度及其相互关系,以及在这一基础上建立的社会政治与文化结构,是农村税费制度变迁的决定性初始条件。具体地说,我国正处于社会转型期,无论是经济体制还是行政管理体制以及文化结构与思想观念,都处于由计划经济型向市场经济型的转换过程中。在这一特定阶段,制度变迁主体为解决社会基本矛盾,以及由此引发的各种重大社会问题,以各种不同的社会变革行动,对原型社会进行变革,以求实现符合社会进步目标的结构模式。② 农村税费改革正是为解决农民负担沉重这一突出的社会问题而进行的变革,但这一变革一开始就包含着内在的矛盾。一方面,税费改革要求从根本上解决农民负担重的问题;另一方面,现实经济社会生活中又不完全具备彻底解决这一问题的充要条件。这一矛盾在改革实践中表现为,改革既取得了一定的成效,但又有待于进一步深化;农村税费制度自身既需要突破,又依赖于制度环境

---

① 参阅张宇等主编:《高级政治经济学》,经济科学出版社 2002 年版,第455 页。

② 刘玲玲等:《中国公共财政》,经济科学出版社 1999 年版,第 4 页。

的综合配套创新与变迁。因此,要解决农村税费改革中的这一内在矛盾,就必须进一步深化改革,进行综合性制度变迁。

第五章　农村税费改革的
效应分析(上)

　　实证分析说明,农村税费改革受到初始条件的制约,一开始就包含着内在矛盾。只有深化改革,实施综合性制度变迁才能解决这一矛盾。如何深化改革呢? 答案是:通过能动地改变初始条件,实施新的制度安排。马克思主义制度变迁理论不是机械的唯物论,而是辩证的唯物主义,它在充分肯定初始条件对制度变迁的重要影响的同时,认为制度是人创造的,初始条件是可以改变的,人们可以发挥自己的主观能动性,在实践中创造出有利于制度变迁的条件,使制度变迁向着既定的目标发展。

　　马克思主义制度经济学认为,分配关系是由生产关系决定的,分配关系的变迁,必然要求生产关系进行相应的变革,而生产关系的变革又要求上层建筑进行变革。因此,围绕着农村税费这一核心制度的变迁,相应的制度环境也要实施变迁。只有这样,才能充分实现制度变迁的绩效。即农村税费改革的绩效不仅体现在其初期直接成效上,更主要的原因应体现在通过这一改革实现综合制度环境的变迁上。在上一章对改革过程进行实证分析的基础上,接下来我们以两章的篇幅,从解决农村税费改革内在矛盾的角度,分析农村税费改革的效应,即由农村税费改革推动的相关制度的创新与变迁。本章主要分析与探究税费改革在农村分配制度、粮食流通体制及土地使用权流转等方面引发的农业内部的制度创新。

第一节　农村税费改革与农村分配制度创新

农村税费改革作为重大的制度变迁,其实质和核心是利益的分配问题。农村分配制度改革与变迁,就是要改变原有不合理的利益分配格局与分配关系,建立起科学合理、规范公平的农村分配制度,在减轻农民负担的同时,促进农民收入随经济发展而不断提高。

一、我国农村分配制度及其缺陷

分配关系是由生产资料的所有制关系决定的,要分析农村的分配关系,就必须首先分析农村生产资料的所有制关系。土地是农村的基本生产资料,我国实行的是农村土地集体所有制。这一所有制是随着土地改革和农村合作化运动而建立起来的,它经历了不同的发展阶段。

解放前,我国农村实行的是以封建土地所有制为基础,以小农经济为主体的经济体制。地主、富农凭借土地所有权和政治上的特权,向农民收取地租和杂税。地租率一般为农产品产量的50%,最高的可达80%。封建土地所有制严重地束缚了农村生产力,使农村经济长期停滞不前甚至日益衰败。为了消灭封建剥削制度,解放农村生产力,改变广大农民贫困的生活状况,我党在根据地实行了土地改革。1947年我党召开了全国土地会议,通过了《中国土地法大纲》,随后在解放区普遍实行土地改革,使中国内地1.45亿人口完成了土地改革任务。

新中国成立后,1950年6月,中央政府颁布了《中华人民共和国土地改革法》,并于该年冬季开始了全国性的土地革命运动。到1952年底,除少数地区外,全国范围内的土地改革基本完成,封建土地所有制被彻底废除,全国3亿多无地或少地的农民无偿得到了约7亿亩耕地,实现了土地农民个人所有制,从而免除了每年交给地主的约700亿公斤粮食的地租。土地改革促进了农业生产的恢复和发展。

然而,由于个体农户抵御自然灾害的能力十分薄弱,农民个人土地所有制不可能从根本上改变农村落后的经济面貌。因此,分得土地的农民迫切要求走互助合作的道路。1953年2月,党中央做出了《关于农业生产互助合作的决议》,同年12月又作出了《关于发展农业生产合作社的决议》。在这两个决议指导下,全国农村发展了形式多样的互助合作组织。这些互助合作组织实行自愿互利的原则,充分显示了互助合作的优势,农民通过互助合作,较好地解决了单干时遇到的许多难题,节约了成本,提高了效率。1955 年 7 月,毛泽东同志作了《关于农业合作化问题》的报告,认为农村合作化的高潮即将到来。随后,我国农村在行政力量的推动下,迅速掀起了农业合作化运动的高潮。到 1957 年底,全国实现了高级社单一形式的社会主义农村经济体制。1958 年上半年,又掀起了人民公社化运动,在短短的两三个月内,全国农村普遍实现了将基层政权和农村集体经济组织合二为一的人民公社。这种政社合一的体制存在着严重的缺陷:

在所有制形式上,实行单一的公社所有制。在公社范围内实行统一领导、统一计划、统一经营、统一核算与分配,形成分配上的严重的平均主义。在生产组织形式上,实行"组织军事化","大兵团作战"。违背了农业生产的特有规律,缺乏生产责任制度和劳动的监督机制,严重危害了农业生产与农村经济的发展。在分配形式与生活方式上,实行工资制与实物配给制,强调生活集体化,取消家庭副业。劳动报酬采用工资制,伙食按人口供给,"吃饭不要钱",各地建立公共食堂,供应社员主食及副食。实行的结果是,农民生活水平大幅度下降。

人民公社体制在其实行的过程中虽有过调整,但上述缺陷并没有得到根除,在"文化大革命"中有的做法甚至登峰造极。其结果是,农村生产力的发展受到严重破坏,广大农民的生活水平长期处于恶化状态。到改革前,农业经济乃至整个国民经济实际上已处于崩溃的边缘。

正是在温饱问题都难以解决的困境中,安徽省凤阳县小岗村的十八位农民,以"托孤之约"的冒险精神与勇气,揭开了中国农村家庭承包经营责任制改革的序幕。家庭承包经营责任制下的分配关系，用农民的话说，就是"交够国家的，留足集体的，剩下都是自己的"。农民把国家与集体利益放在首位，而把自己的利益放在最后，这是我国农民有较高思想觉悟的真实体现。这一分配制度（关系）在实行之初大大提高了农民的生产积极性，一举解决了困扰我国多年的城乡居民粮食供应问题。但它明显存在着重大缺陷，即缺乏量的规定性和质的规定性。交够国家的，交的是什么？交多少？留足集体的，留的是什么？留多少？这些都没有具体明确的规定。正因为如此，在承包制运行的过程中，不规范的分配制度必然导致了对承包土地的农民不规范收费行为。参与收费的主体则依据的是土地集体所有制。这样，分配制度不规范的根源又产生于土地集体所有制的实现方式上。承包制解决了农户自主经营权和依据经营成果获取剩余利益的收益权，但它并没有提供规范化的分配制度，没有形成农民利益的有效保障机制。当农民的剩余收益权被侵害时，农民处于无助的境地，只得采取消极的逃避方式，如背井离乡外出打工，让承包土地抛荒等。

我们对农村土地所有制关系作上述回顾，对本书的意义在于，我们可以从我国农村土地所有制的发展与变迁，分析我国农村分配制度存在的问题，并据此对其进行新的制度安排，避免把认识上的模糊性变为实践中的盲目性，通过有针对性的改革措施，建立起反映农村经济发展水平，促进农村生产力发展，适应社会主义市场经济要求的规范化的分配制度。

从上述我国农村土地集体所有制的建立、发展与变迁的过程看，我国农村土地集体所有制已显现出来的最大优越性在于，消灭了剥削关系，使农民免除了交纳地租的负担，但存在的问题也同样是十分明显的,主要表现在集体所有制的具体实现形式上,国家、集体和农户之间利益关系界定不清。农村土地集体所有制建立后的发展与变迁,都是为了解决这些问题,但却一直都未能找到正确的答案。

就农村土地集体所有制的具体实现形式来说,主要是指通过行使土地所有权获取经济上的收益。这里的问题在于,土地集体产权的主体是谁?谁来行使对集体产权收益的管理权?按我国有关法律规定,农村土地属于村农民集体所有,由村农民集体经济组织或者村民委员会经营、管理。已经属于乡(镇)农民集体经济组织所有的,可以属于乡(镇)农民集体所有①。在现实经济生活中,由于农民个人是不具有土地所有权的,所以乡镇及行政村,事实上成了土地集体所有制的产权主体,行使着事实上的所有权,并据此向承包土地、行使土地经营权的农民收取"三提五统"等费用。"三提五统"在这里实质上等同于地租,农民从集体承租土地耕种,交纳"三提五统"作为地租给集体。从"三提五统"的构成看,"三提"与"五统"各占"三提五统"总额的50%,即农民上交乡、村两级的费用基本持平。从它们的性质上看,则既具有税的性质,又具有费的性质,属于税费混合体。理论上对税费的界定不清,直接导致了实践中的税费混征,并为随意加征、乱征留下了空间。

就国家、集体、农户个人三者之间的利益分配关系来说,农业税是政府基于其职能、为弥补公共产品供给成本而参与农产品分配的一种形式。由于纳税人的税负与其受益程度无法建立

---

① 参见《中华人民共和国农业法》第十一条。

严格的对应关系,无法直接体现受益性,故税收往往被认为是无偿的,要无偿地征税,自然需要国家以政治强制力作后盾。同时,国家对税收的课征也要保持稳定性,纳税人、征税对象及税率都要相对稳定,从而纳税人的负担也就相对比较稳定,只能随纳税人的收入提高而增加,而不得随意加重纳税人的负担。农村现实经济生活中,农业税的征收比较规范,但也存在按人头平均摊派的做法,有的地方连屠宰税也按人头收取,使"猪头税"变成了"人头税"。存在问题最为严重的是以收费形式存在的"三提五统",它反映的是集体(乡、村)与农民之间的分配关系,这一层次的分配关系最为混乱,也是加重农民负担的源头所在。

我们知道,收费的特征是有偿性,收费负担与受益者能建立直接的对应关系,即谁交费谁受益。收费遵循利益补偿原则和成本补偿原则。但现实经济中的"三提五统"并没有遵循这两条原则。1991 年国务院《农民负担费用和劳务管理条例》明确规定"三提五统"的标准是"以乡镇为单位,不能突破农民上年人均纯收入的 5%"。这说明,"三提五统"并不是真正意义上的收费,不具有费的质的规定性,而按农民收入的一定比例征收,也与收费"受益原则"或"成本补偿原则"不相符。所以,"三提五统"在实践中成了一种变相的按比例征收的税。"形费实税"带来的结果是:一方面,乡镇政府可以利用"实税",强制性地进行征收,同时又利用"形费"的灵活性和量的不确定性,随意搭车收费,抬高收费标准。另一方面,农民的种田收益被强制无偿地征收,收费者甚至不给任何单据。同时也有少数农户则连应交的农业税也认为是"三提五统"式的乱收费而拒交。

总之,由于农村土地集体所有制中所有权主体缺位与"越位",导致乡镇政府的行政管理职能与集体经济的管理职能合二为一;乡镇及行政村以所有者的身份参与农民种田收益的分配,而"形费实税"的"三提五统"又为乡镇及行政村乱收费提供了便利的制度安排,导致了农村分配制度的混乱,形成农民利益不断被侵蚀的农村利益分配格局。广大农民不堪重负。因此,改革现行农村税费制度,创新农村分配制度是客观现实的紧迫要求。

二、税费改革是农村分配制度的创新

要改变农村乱收费的现状,建立起科学合理的农村分配关系和利益分配格局,必须进行制度创新与建设。农村税费改革,是我国农村分配制度的一次重大创新,它将农村分配关系制度化,使农民负担在制度保障的基础上大幅减轻,它把农村税费征纳双方的行为导入法制化、制度化的轨道。具体表现在以下几个方面:

首先,农村税费改革贯彻了税收法定主义的原则。我们知道,所谓税收法定主义是指"非依法律,无租税",税收严格依法课征。它主要包括两方面的内容:一是不容和解原则,即税收的额度,不容征纳双方协议商定,而必须完全依法定的税收要件课征或减免;二是程序法定主义,即税收的种类和范围由法律确定,对于法律确定的税收,征管机关无权决定是否征收及征收标准,不容征管机关随机处置。这次农村税费改革是严格依据全国人民代表大会制定的《中华人民共和国农业税条例》和国务

院制定的《关于对农业特产收入征收农业税的规定》等有关农业税收的法律和行政法规,以及《中共中央、国务院关于进行农村税费改革试点工作的通知》进行农村税费改革的省市区党委和政府制定的一系列农村税费改革的配套行政政策性法规进行的。在实际操作中,从宣传发动到分步实施及监控过程,都完全依法按程序进行,从而保证了上述法律法规及政策的落实。

其次,试点中的措施突破了原有法律法规中不合时宜的有关规定,进行了制度创新。这次改革的"三个取消,一个逐步取消",涉及原有关于统筹费、农村教育集资、劳动积累工和义务工的法律。1995 年八届人大三次会议通过的《教育法》第 57 条第 2 款规定:"省、自治区、直辖市人民政府根据国务院的有关规定,可以决定开征用于教育的地方附加费,专款专用。"1986 年六届人大四次会议通过的《义务教育法》第 12 条第 3 款规定:"地方各级人民政府按照国务院的有关规定,在城乡征收教育事业附加费,主要用于实施义务教育。"《农业法》第 16 条规定:"农民依法缴纳税款,依法缴纳村集体提留和乡统筹费,依法承担农村义务工和劳动积累工。"显然,农村税费改革已经突破了上述规定。因此,制度创新需要相应的法律的变更与完善,要将推动制度创新的相关行政政策上升为法律,这样才能巩固制度创新的成果。

再次,农村税费改革对农业税的税收制度及其征管制度进行了改革与创新。农业税计税土地面积、常年产量、税率都有明确的规定,并进行逐项核实,登记到每一个农户,并据此编制发放到户的农业税征收清册,张榜公布,接受群众监督。在征收的过程中,废除了原村提留的提取办法,实行随农业两税征收附加的办法,附加比例最高不超过改革后农业税的20%。村干部报酬、五保户供养、办公经费,除了原由集体经营收入开支的仍继续保留外,均在农业两税附加中开支。取消原来在管理费中开支的村级招待费,并相应建立了乡管村用、专户存储、专款专用制度。对农民应该承担的税费,由有关部门通过农税通知书、农民负担监督卡的形式通知农户,对通知书、监督卡以外任何行政性收费、集资等,农民有权拒缴。对集体公益事业建设费用提取和使用,考虑到社区公共产品需求的差异性和资金使用效率,按照"一事一议"程序进行操作,并遵循量力而行、群众受益、民主决定、上限控制、使用公开的原则,实施一事一议所需资金和劳务,经村委会提请村民大会或村民代表会议讨论决定,并报乡镇人民政府批准。如安徽省五河县屈台村在2002年的一事一议中,有两项工程需建设,一项是村级道路,还有一项是水利冬修。经村民代表会议讨论,以举手表决的方式,决定冬修水利,该工程以无底标招标的方式竞标,最后,标底最低的村民取得了该工程的承包权,并签订了相关协议。这就是"一事一议"制度创新的实践过程。

最后,税费改革克服了家庭承包责任制的缺陷,以制度规范了征纳双方的行为。由于家庭承包责任制是在计划经济体制下产生的,它不可避免地存在着体制缺陷。这一制度是自下而上自发地产生的,其规范性主要体现在农业生产者单方面的权利与义务方面,即承包方的权利与义务上,而对作为当事人的另一方,即当时的农村人民公社、生产大队和生产队的权利与义务没有具体的规范,即对发包方的权利和义务界定不清。这样的民事法律关系显然是不符合合同关系中当事人双方对等原则的，它使承包方和发包方处于不平等的法律关系中。这就为发包方的非规范行为提供了体制性"通道"，并给承包经营责任制留下隐患。

事实上，在承包制产生之初，广大农民能冲破原有体制，争取到土地的经营自主权已属不易，从而也就谈不上规定发包方的义务了。正是承包制的这一原生性制度缺陷，使承包人的权益得不到应有的保障，这集中体现在农户承包土地的最终收益，被发包方以各种名目取走，而必备的生产条件与服务得不到保障。税改前，基层政府成了农业税费的征税机关，并以集体经济所有者的身份，到农户家中去催粮要钱，损害了干群关系，败坏了政府的形象。改革后，加强了农业税征管机构，并规定乡、村组织无权征收农业税，只能协助相关部门征收，同时还要按规定为农民的生产经营活动提供必要的服务。农民作为纳税人，必须履行纳税的义务，如拒不交纳农业税，农业税征管机关有权通过司法程序追缴。

综上所述，农村税费改革从农业税收制度的各构成要素入手，在征税对象与范围，纳税人、税目、税率、纳税环节及征收管理等各方面，进行了一定程度的制度重建与创新，从而保证了减轻农民负担这一税费改革的阶段性目标的实现。税费改革后，农村分配制度得到创新，分配关系基本理顺。国家、集体、农民之间的利益关系，通过农村分配制度的规范与创新，形成了较为合理的新格局。据安徽省农调队的调查，2001 年，安徽省农民人均收入 2738.83 元，扣除生产费用后人均收入为 2234.64 元。收入中，缴纳生产税 75.22 元（其中农业税 70.51 元），村提留尾欠支出 2.6 元,乡统筹 3.83 元,其他费用 9.46 元。扣除生产费用后,国家、集体和个人之间的分配比例为:3.4:0.7:95.9。[①]新的利益格局,减轻了农民负担,也就等于增加了农民的收入,这就相应地提高了农民的消费能力与水平,从而有力地促进了农村消费市场的发展。

三、税费改革与农村消费市场的发展

消费是由生产决定的,但消费对生产也具有反作用,消费需求不足,必然阻碍社会再生产的正常循环。目前,我国国民经济的供求格局发生了质的变化,已由原来短缺经济下的需求大于供给转变为市场经济条件下的供求基本平衡,并出现一定程度的结构性供过于求,经济生活中出现了普遍的买方市场。

近年来我国市场商品供求状况

时　间	供不应求 %	供求平衡 %	供大于求 %
1996	9.4	66.3	24.3
1997	5.3	89.4	5.3
1998	0.1	66.1	33.8
1999		20	80
2000		21.6	78.4

由上表可知,我国目前绝大部分商品已出现供大于求的局面。经济生活中的直观表现为,城市工业品大量积压,生产设备与能力闲置;农产品相对过剩,出现一定程度的卖粮难,国有粮

---

①　资料来源:根据安徽省统计局农调队的有关资料整理。

库出现"涨库"现象。国民经济供大于求格局的出现,使我国经济的发展主要取决于有效需求的增长,需求因素对国民经济增长的制约作用日益明显。

从实际情况看,我国消费增长大大落后于投资增长和国民经济增长。1979—2002 年,GDP 年均增长 9.4%,总投资年均增长 9.88%,而同期最终消费年均增长只有 8.92%。我国消费长期停留在较低水平。消费需求对国民经济的拉动作用明显偏低,消费对 GDP 的贡献率直线下降,由 80 年代平均 38% 下降到 90 年代的 33.9%,到 2002 年,也仅为 38.5%,大大低于其他国家。①

消费对 GDP 贡献率的国际比较②　　　　　单位:%

国　别	1986	1990	1995	1996
中　国	30.4	50.7	27.5	39.5
法　国	106.4	79.2	55	127.7
加拿大	85.2	393.3	312.8	70.0
美　国	110.7	135.5	68.8	71.7
英　国	104.2	225	61.6	93.6

因此,要大力提高消费对 GDP 的贡献率。为此必须拓展城镇和农村两个市场。关于城镇市场拓展的分析显然不是本书的任务,因此,下面我们就农村市场的拓展进行分析。

我国农村是一个有着巨大能量的潜在市场。占我国人口

---

① 数据来源:根据相关年份《中国统计年鉴》整理。
② 以上两表的数据均来源于国家统计局综合司:《关于我国买方市场形成机理分析报告》。

70%的农民,是一个十分庞大的消费群体。然而,农民最终消费总额到 2002 年只占全社会居民最终消费总额的 43.6%,农民最终消费对 GDP 增长的拉动作用从 1992 年的 30% 下降到 2002 年的 97% 。可见,农村巨大的潜在消费市场还没有真正成为现实的消费市场。从耐用消费品的占有量来看,1999 年我国每百户城市居民拥有的洗衣机、冰箱和彩电数量分别为 91.44 台、77.74 台、111.57 台,而同期农民每百户拥有量则分别为:24.32 台、10.64 台、38.24 台。农村比城市分别低 3.8 倍、7.3 倍、2.9 倍。如果在 10 年内让 2.3 亿个农民家庭所拥有的上述耐用消费品达到 1999 年城市家庭的水平,则平均每年需要的数量分别为:1544 万台、1543 万台、1687 万台[①],这无疑是一项巨大的消费需求。

制约农村市场发展的最主要因素是农民收入增长缓慢,以及因乱收费而导致的农民负担的不断加重。1997—2000 年,我国农村居民人均纯收入分别增长 8.5% 、3.4% 、2.2% 和 1.9% ,农民收入呈逐年下降趋势。因此,农村税费改革把减轻农民负担、增加农民收入作为阶段性首要目标,而减负也是增收的重要方式。在收入既定的情况下,减负也就减少了开支,从而也就是增加了收入。安徽省 2000 年 5 月开始的农村税费改革,在减负增收方面取得了显著的成效。税费改革的前三年,农民人均税费支出平均为 127.89 元,占人均纯收入的 6.89%,税费改革后的头两年(2000 和 2002 年),人均税费支出为 92.2 元,占人均

---

① 资料来源:成思危主编:《中国农村消费市场的分析与开拓》,民主与建设出版社 2001 年版,第 6 页。

纯收入的 4.66%,平均每年减少 35.69 元,全省平均每年减征农村税费约 18 亿元,切实减轻了农民的税费负担,从而也就增加了农民收入。

农民减负增长的情况全省各地不尽相同,原来负担重的地方,相应的减负幅度也大。如安徽省太和县,2000 年人均减负达 71 元,减幅为 51.94%。农民因减负而带来的收入增加,在一定程度上带动了农村消费市场的发展。税费改革规范了税、堵住了费,农民负担的减轻建立在较为规范的制度基础之上,也就在一定程度上防止了乱收费的反弹。税费成为农民支出中的一个常量,农民可以较为准确地预期种田的收益。通过比较,农民感到现在种田已有利可图,也就提高了种田的积极性。从安徽省太和县的情况看,许多原来把田抛荒或让给别人耕种的外出务工农民,改革后又纷纷回到家乡,重新耕种自己的承包田,并开始加大对农田的投资。这也就扩大了农村生产资料的需求。2001 年全县共购买农业机械 16000 多台套,较上年增长 17%,化肥销售量较上年增长 19%。太和县农机公司负责人说,税改前公司农机年销售量不超过 2000 台,税改后,年销售量突破 10000 台。①

据国家统计局的研究,目前我国农民对工业品需求的收入弹性为 1.314,即农民人均收入每增长 1%,对工业产品的消费支出增长 1.314%。如果每个农民每年增加 10 元的商品消费,农村就会形成近 90 亿元的现实购买力。可见税费改革对我国农村消费市场的发展将起到巨大的推动作用。

---

① 资料来源:《安徽日报》2002 年 5 月 26 日。

应该指出,上面分析的税费改革对农民增收减支及促进农村消费市场发展的作用,是就其静态的、此消彼长的加减法效应而言的。事实上,税费改革在增加农民收入,促进农村市场发展的作用,更重要的是体现在动态的乘数效应上。

消费经济学告诉我们,消费是收入的函数,随着农民收入的增加,农民的消费能力会不断提高。由于减负减下来的是农民的现金收入,且农民的消费多为最终消费,因而会产生乘数作用。如农民购买家用电器,会增加电力的消费,又会带动农村家电维修业的发展。可见,税费改革对增加农民收入,开拓农村消费市场具有重要的促进作用。

有的学者根据相关资料,利用扩展的线性支出系统——ELES 模型,对 2000—2002 年我国农民的人均消费需求量进行了预测。该模型的数学表达式为:

$$P_j Q_j = P_j Q_j^0 + \beta_j (1 - \sum_{k=1} P_k Q_k^0) + \sum_i \gamma_{ji} X_i I$$

式中:

　　I——消费者的收入水平,在本项研究中为农民的人均纯收入;

　　X_i——第 i 个收入等级虚变量;

　　P_j——第 j 类消费品(或服务)的价格;

　　Q_j、Q_j^0——分别为某一类消费者对第 j 类消费品的消费需求量和基本需求量;

　　β_j、γ_{ji}——均为待估参数(j = 1、2……8,i = 1、2、3)。

预测结果表明,随着农民收入的增加,恩格尔系数的下降,农民在衣着、耐用消费品、交通、通讯、文教娱乐等方面的消费需求稳中趋升。①

四、农村分配制度的改革呼唤综合性制度变迁

对农民负担成因的分析表明,农民负担重、收入增长缓慢,根源在于为优先实现工业化战略而进行的系列制度安排。农村税费改革虽然改善了农村分配关系,在一定程度上减轻了农民负担,促进了农村消费市场的发展,但是,农村分配制度受国家宏观分配政策与制度的制约,仅仅改革农村分配制度,不可能彻底解决农民负担重、收入增长缓慢的问题。因为为工业化战略服务的各种具体制度安排,都体现着国家在资源配置上的城市化偏向。如农产品特别是粮食流通体制,是为了保证工业与城市居民需要,并成为转移农业剩余的手段;农村土地制度,也具有阻止农民流动,以首先保证城市居民就业的功能;农业税收制度,作为国家直接参与农业剩余分配的一种方式,实行的是城市与农村双重标准,使农民处于不平等的地位;财政体制,收支两方面的制度安排,都体现着城市化偏向;金融制度安排,使资金按逐利性原则,由投资收益低的农村,源源不断地流向投资收益高的城市;农村教育体制,把本来应该由政府投入的农村义务教育甚至农村中小学的基础设施建设的投资,都直接让农民承担,从而直接加重了农民负担;乡镇行政机构,在上下对口的设置原则要求下,人员众多、运行费用巨大,而这笔巨额开支,也要由农

---

① 参阅成思危主编:《中国农村消费市场的分析与开拓》,民主与建设出版社 2001 年版,第 69—97 页。

民负担。

可见,税费改革虽然对农村分配制度进行了创新,减轻了农民负担,促进了农村消费市场的发展,但农民负担重、收入增长缓慢的问题,从根本上说是宏观政策与制度环境作用的结果。如果不对宏观制度环境进行改革与变迁,而仅仅从农村分配制度上规范国家、集体与农民的关系,不可能从根本上解决农民负担问题,随着时间推移,农民负担还可能出现反弹。因此,进一步深化农村税费改革,进行综合性制度创新与变迁,是彻底解决农民负担重与收入增长缓慢问题的关键之所在。

由于上述各种具体制度安排是为优先实现工业化的经济发展战略服务的,而这一战略的长期实施,又造成了城乡分割的二元经济社会结构,因此,从更深的层次来说,农民负担问题的解决,最终取决于从战略的高度实施制度创新与变迁。即要改变经济发展战略,打破城乡分割的二元经济社会结构,实现城乡经济社会的协调发展。

第二节　农村税费改革与粮食流通体制创新

农村税费改革之所以成为农村的第三次革命,不仅在于它自身改革的内容,还体现在它是农村经济体制改革过程的一个极重要环节。在这一环节改革取得的初步成果,需要通过更加深入的配套改革进一步显现出来,而相关的配套改革又会巩固农村税费改革的成果。改革后,农民上缴的农业税与农民的农业收入主要取决于粮食的价格,而粮食的价格又是在流通的过程中形成的,因此,粮食流通体制的改革是农村税费改革的延伸与深化。它必将巩固与完善农村税费改革,促进农民增收和农村经济持续稳定地发展。

一、我国粮食流通体制改革述评

我国的粮食流通体制是为国家的经济发展战略服务的,并随国家政策与战略的变化而变化。作为一种制度安排,它直接实现国家对农业剩余的转移,以及对城市居民的福利性补贴。

建国以后很长的一段时间里,我国粮食流通实行的是国家垄断经营的统购统销体制。这是与计划经济体制相适应的一种粮食流通体制。我们知道,计划经济是短缺经济。计划经济时代的我国粮食生产水平低,为保障城镇居民的最低粮食需要量,我国通过发行票证的制度,实行低水平的凭票供应。地方政府有自己的粮食部门,发行地方粮票;中央政府亦有粮食主管部门,发行全国通用粮票,作为粮食在全国范围内限量供应的凭证。几乎所有以粮食为原料的食品都要凭粮票供应。与这一体制相适应,粮食的价格也由国家统一规定,实行国家指令性价格。这一体制下的粮食只是农业部门的产品而非商品,其价格既不反映生产中的成本,也不反映现实的供求关系,生产者按国家规定的品种与数量进行生产,完全失去了生产自主权。因生产能力低,总体供求格局是,供给远远满足不了社会对粮食的需求,只能实行严格的限量供应。

农村实行家庭承包责任制后,作为粮食生产微观主体的农民有了生产经营的自主权,农民生产粮食的积极性大大提高,所获的粮食比过去的结余多得多,粮食已开始向商品化方向转化,粮食的价格也开始松动。1979 年,国家又大幅度提高粮食等农产品的收购价格,这就进一步增强了农民生产粮食的积极性。到 1984 年时,粮食总产量已经达到历史最高水平。粮食的增产及其商品化率的不断提高,使粮食价格大幅下跌,而农业生产资料从 84 年下半年开始却大幅上涨,同时国家又抛售了 500 亿公斤存粮,这样粮食价格就出现了大幅的波动,并一路走低。

1985 年初,中国政府宣布取消粮食统购体制,实行国家定购与议价收购相结合的粮食购销体制。其目的是为了缓解因统购统销给国家带来的财政压力。这种体制实质上是一种粮食购销"双轨制",这是当时价格改革中"双轨制"在粮食流通体制上的应用①。具体地说,粮食购销"双轨制",指的是合同定购与议价收购相结合,以及平价与议价收购相结合。政策取向是"有保有放"、"压平扩议"。所谓"保",是指保证国家承担的城镇户口的供应粮和军粮,所谓"放",是指除了要保的部分粮食外,其他的粮食放开,改为议价供应或市场销售。"压平"是指压缩平价购销部分,"扩议"则是指扩大议价收购和议价销售部分。通过压缩粮食平价收购,扩大粮食议价收购,增加农民的收入,调动农民的生产积极性;扩大粮食议价销售,可以为减少粮食平价收购创造条件,逐步减少国家财政对粮食的直接补贴;同时,通过相应调整工资,确保城镇居民的实际生活水平不因粮改而下降。

双轨制是作为一种过渡性的制度安排而出现的,其设想是,

---

① 参阅许经勇:《中国农村经济改革研究》,中国金融出版社 2001 年版,第179—180 页。

利用计划和市场两种调节方式对粮食购销进行调节,以计划一块保证城镇居民及军队的粮食供应,其余部分让市场调节,兼取两种调节方式的优势。但在实行的过程中,合同订购明显带有强制性质,甚至把订购任务的行政强制力"层层分解,落实到户",更有甚者把粮食定购任务作为政治任务,强制要求农民完成。这也就完全失去了合同这一法律形式的平等互利性和自愿性,实际上是强制收购。由于粮价的下跌,到 1988 年时,我国的粮食供求关系又出现一定的求大于供,粮食的市场价格也因之而高于国家合同定购价。这时,国家对合同定购粮的强制性就更为明显,为此还采取了一系列限制粮食市场交易的措施,如实行行政性地区封锁,禁止长途贩运等。就市场销售这一块来说,在粮价较高时,国有粮食企业,工商个体户都纷纷抢购粮食,造成粮食价格一路上涨,而当粮食价较低时,又都抛售粮食,以至出现农民卖粮难的现象。这些现象,是计划与市场两种调节机制内在矛盾在粮食购销体制中的反映。

我们知道,计划与市场是两种不同的调节方式,它们有不同的运行基础,不同的主体,不同的环境,不同的手段和不同的运行规则。计划经济以国家高度集权的行政体系为依托,强调上下级之间的命令与服从的关系,而市场经济则以发达的市场体系为基础,强调主体之间的平等互利的合作关系;计划经济不承认商品货币关系,不实行等价交换,而市场经济则只能是商品货币关系发展的产物,它受价值规律的制约,强调平等主体之间的等价交换关系。把这两种不同的机制捏合在一起的结果是,二者都难以发挥正常的作用,并引发一系列的矛盾和冲突,给粮食购销体系带来混乱。

　　从实行双轨制的实践过程看,计划合同定购部分因其价格大大低于市场价格,合同定购任务的完成出现困难。为此,国家不得不以财政补贴的方式,促使合同定购价逐步提高,以缩小合同定购价与市场价格的差价。这样,国家就同时面临着双重的财政压力,既要补贴粮食购销倒挂的差价,又要给城镇职工发放粮食补贴,其压力之大是可想而知的。从市场交易部分来看,由于受到行政性地区封锁,粮食经营者的经营活动受到很大限制。地区性差价是粮食经营者正常利润的主要来源,而禁止长途贩运粮食的规定使经营者失去了这一生财之道,这样市场交易的差价小,交易量自然也就很小。其结果是,合同定购价过低(国家支持定购价格的资金投入流入到了国家粮食部门手中而并未到农民手中),农民不愿把粮食卖给国家,而市场价虽高,但往往有价无市;或者因政府在农民完成定购任务前不准其进行市场交易,这样大量的粮食积压在农民手中,农民不但不能把粮食换成急需的资金,反而要付出保管粮食的成本,所以农民也承担着粮食购销"双轨制"的风险与成本。

　　粮食购销"双轨制"虽然并未收到预期的效果,但它的积极作用也是不可否认的,它在计划经济的园地里培育了一株市场经济的幼苗。后来随着国家对粮食市场交易管理的不断放松,一大批个体工商户加入到粮食购销队伍中来。他们的到来,一方面活跃了我国城乡粮食市场,方便了人民群众的生活;另一方面也从外部给我国占垄断地位的国有粮食部门以压力,促使他们转变经营观念与经营方式,为后来的改革打下了基础。

　　1990 年,我国政府又决定按保护价全部收购农民的余粮,但由于粮食流通设施比较落后,粮食储存能力严重不足,加之国家财力不足,实行过程中各地都存在给农民打白条的现象。收购上来的粮食也因仓储不足,只得露天存放,当年全国露天存放粮食达 400 亿公斤。[①]

1998 年,我国政府又宣布以保护价敞开收购农民的粮食,同时进行了相关改革,即国有粮食部门按保护价敞开收购粮食,有多少收多少;收购粮食所需资金由农业发展银行提供,实行封闭运行;收购上来的粮食由粮食部门顺价销售,也就是粮食部门要微利或保本经营。从实行的结果看,也不是十分成功,并且出现了许多新的问题。主要是粮食部门收购上来的粮食,因市场供大于求,基本无法实现顺价销售,结果大量粮食存放在仓库中,不断陈化,在花费巨额仓储费用的同时,粮食自身的价值在不断贬值(陈化),粮食部门出现巨额亏损。据估算,全国粮食部门的累计亏损达 2500 亿—3000 亿元。最后,由于粮食部门亏损,没有收粮的积极性,且农业发展银行贷出的收购资金被粮食部门占用、沉淀乃至亏空,资金无法回笼。国家为维持粮食部门的运转,又不得不投放粮食风险基金,作为粮食存储及保管费用。到头来,国家的负担没有减轻,农民的卖粮难问题亦未能解决。虽然后来国家又以保护价收购优质品种粮食,但由于优质品种所占比例不大,且个体粮食经营者也参与逐利,粮食部门的经营状况并没有大的改观,粮食流通体制的问题并没有得到根本性解决。

上述改革未能成功的根本原因在于,这些改革都没有完全

---

① 参阅许经勇:《中国农村经济改革研究》,中国金融出版社 2001 年版,第 194 页。

走出计划经济的模式,粮食部门的管理与经营职能合为一体,即政企不分。为此,国家开始寻求新的方式以解决粮食流通体制问题,也就是进行粮食补贴方式的改革,并决定先试点,后推广。

二、安徽省来安县粮食补贴方式改革试点

粮食购销体制方面存在的问题,事关增加农民收入、深化国有粮食部门的改革和减轻国家财政负担,国务院对此高度重视,并决定于 2002 年开始进行新的粮食流通体制改革的试点。国务院国发[2002]28 号文《关于进一步深化粮食流通体制改革的意见》明确要求:"在实行农村税费改革的地区,选择一两个县(市)进行将补贴直接补给农民的试点。"2002 年 4 月,安徽省政府《贯彻国务院关于进一步深化粮食流通体制改革意见的通知》决定:"从 2002 年度起,在来安县实行放开粮食市场,将粮食风险基金直接补贴给农民的试点。"5 月,安徽省政府办公厅印发了《安徽省粮食补贴方式改革试点实施方案》。

安徽省的来安县位于安徽省滁州市,与大包干改革的发源地凤阳县同属一市。该县基层干部推进农村改革的意识强,农民群众的参与意识与愿望也很强。来安县是中等规模的农业县,位于江淮之间,地形北高南低,从北到南依次为山区、平原、圩区,面积各占三分之一。全县总面积为 1481km²,总人口 48 万,其中农业人口 40 万,二轮土地承包面积为 68.4 万亩。下辖 18 个乡镇,有 277 个行政村,2943 个村民组。2001 年全县 GDP28.5 亿元,财政收入 1.18 亿元。选择来安县作为粮补改革的试点,有一定的代表性,其成功的经验有推广的价值。

来安县的粮补改革试点,方案周密,步子稳妥,公平公正,成

效显著。其改革的过程大致是这样的:

1. 在深入调研基础上,精心地制订方案。来安县在接受试点任务后,成立了改革领导小组,深入到乡镇内农户中进行调研,特别是在确定农户补贴依据时,民主决策,问计于民。提出了"按纳税常产"、"纳税土地面积"、或"按纳税常产与纳税土地面积各占50%"为依据的三种方案供农民选择,并印制了6500份调查问卷,分发到各乡镇行政村及农户手中,进行民意调查,结果有100%的乡镇,79.4%的行政村,78.1%的农户选择以"纳税常产"为补贴依据,补贴到户。依据调查情况,按大多数农民的意见,来安县委县政府制定了《来安县粮食补贴方式改革试点实施方案》,并报省政府审批。

来安县这次粮食补贴改革的指导思想是:从有利于稳定地增加农民收入,保护农民收益,有利于促进国有粮食购销企业的改革与发展,有利于减轻国家财政负担的原则出发,调整国家对粮食的补贴方式,将原来通过流通环节对农民的间接补贴,改为直接对农民进行补贴,并放开搞活粮食流通,以促进农业结构调整和农村经济发展。

2. 粮食补贴改革的主要内容。改革的内容概括起来就是"两放开、一调整"。"两放开"就是放开粮食收购价格、放开粮食收购市场;"一调整",就是将国家实行按保护价收购农民余粮间接给农民的补贴,转为直接补贴给种粮的农户。具体地说就是:在改革试点的来安县不再按保护价收购农民余粮,取消在流通环节对新收购粮食的补贴,将国家实行按保护价敞开收购农民余粮政策对农民的间接补贴,改为通过一定的方式把市场价低于保护价的价差直接补给农民。放开粮食购销市场,国有粮食收购企业实行随行就市,按市场价收购农民余粮,实行粮食购销市场经营主体的多元化。同时,继续发挥国有粮食企业的购销主渠道作用,并妥善解决国有粮食企业老库存、老挂账等历史遗留问题。

3. 具体操作过程:这主要包括全县补贴总额及乡镇与农户的补贴额的确定及发放。

(1)全县补贴额的确定办法。先确定全县享受补贴的商品粮总量,以最近四年全县保护价粮食平均收购量为基础,确定享受补贴的商品粮总量。安徽省确定来安县1998年至2001年保护价粮食年平均收购量为3.2378亿斤,然后核定差价补贴标准,保护价减去市场价,即为粮食补贴差价。安徽省测算确定2002年度差价标准为0.055元/斤,最后确定全县补贴总额。用全县享受补贴的商品粮总量乘以差价,即为来安县全县补贴总额,省里确定来安县2002年度补贴总额为1780.79万元。

(2)对乡镇及农户的补贴办法。以农村税费改革中确定的计税常产为依据测算出商品量,作为对乡镇及村、组、户分配补贴额的依据。具体做法是:以省政府核定的享受补贴的商品粮总量除以计税粮食常产,计算出综合平均比例,作为核定乡镇、村、组、户享受补贴的固定系数,全县统一。全县计税常产69348万斤,省政府核定来安县享受补贴的商品粮总量为32378万斤(计税常产中有一部分是农户自我消费),则固定系数为0.455。各乡镇以计税常产乘以补贴商品粮固定系数,再乘以每斤0.055元的差价补贴标准,得出补贴数额。各乡镇以此类推计算出村、组、户享受的补贴数额。

为保证补贴款及时足额兑现到农户手中,来安县政府统一印制了《粮食补贴分户清册》、《粮食补贴花名册》和《粮食补贴通知书》。各乡镇按照上述操作办法,确定每个农户应得的补贴数额,编制《粮食补贴分户清册》,张榜公布到村民组,接受群众监督,确信无异议后,上报县财政局审批备案。乡镇财政所根据《粮食补贴分户清册》填制《粮食补贴通知书》和《粮食补贴花名册》。农户领取补贴时,由农户本人在《粮食补贴花名册》上签字盖章,这就防止了他人冒领现象的发生。

来安县在实施粮补改革的过程中,始终坚持了公开、公平、公正和透明的原则,真正把政府对农民的关心体现在改革的实践中,把粮食补贴改革办成了"民心工程"。为使粮补改革顺利进行并取得更大成效,来安县还开始着手相关的配套改革。

4. 配套措施:

(1)放开粮食收购市场。鼓励多渠道经营,允许具备资质的粮食经营者在当地收购粮食,放开和搞活粮食市场,形成粮食市场的竞争机制。同时国有粮食购销企业继续发挥着主渠道的作用,按照"购得进、销得出、不亏损"的原则,转变经营观念,调整经营方式,合理确定价格,采取分仓入库、分开记账、分别核算的方式,切实做好粮食收购工作,防止出现农民卖粮难。

(2)妥善处理国有粮食企业"老库存"问题。来安县组织有关部门对国有粮食企业按原保护价收购的库存粮食进行了清仓查库,审计核实、锁定数量、新老划断。对审计核实后的"老库存"制定销售处理计划,加大促销力度,在一到两年的时间内处理完。对这部分粮食的库存和销售,按政策规定,仍享受粮食风险基金补贴。

(3)做好国有粮食企业收购资金供应工作。农业发展银行要继续执行"以销定贷,以效定贷"的原则,落实收购数量,坚持按市场定价积极向国有粮食购销企业发放贷款,支持其随行就市收购粮食。

(4)努力保护粮食生产能力。粮食补贴方式改革后,农民可根据市场供求情况,自行调整生产结构,但不允许违反政策将基本农田改为非农用地,以切实保护粮食生产条件与能力。

(5)加强粮食补贴资金的管理。对农民补贴的资金,由县财政在农业发展银行设立专户,实行专户管理,专款专用,确保此项资金落实到农民手中。给农户的补贴资金,只允许抵交农业税及附加,不得抵交其他任何费用,抵交农业税的补贴资金直接划入金库,严禁挤占截留、挪用。

5. 粮食补贴改革的阶段性成果

来安县的粮补改革,已经取得了阶段性成果,主要表现在以下几方面:

(1)切实保护了农民的利益,增加了农民的收入。一是农民增收的途径更多了。这次粮补改革,变暗补为明补,原补在粮食流通环节,农民既看不到,也感觉不到,误认为好处给了粮食部门一家,而这次改革把补在流通环节的资金直接补给农民,农民拿到了钱,真真实实地得到了实惠。该县邵集乡年近70岁的老农林老汉在领到补贴款时,喜出望外地说:"没想到,真没想到,我活了近70岁,种了五六十年的田,没想到种田还能补钱,还是共产党好。"从该县的整体看,今年(2002)秋季粮食价格适中,普通杂交稻每斤0.45元左右,波动幅度在0.44元—0.48元/斤之间;优质品种"丰两优"水稻价格在0.48元—0.54元/斤之间,加之每斤补贴0.055元,综合粮价接近和超过保护价,农民得到了实惠。二是农民余粮出售更方便了。由于放开市场,允许多渠道收购,就形成了市场竞争机制。全县除国有粮食部门之外,还有 200 多家经批准的个体户和外地有资质的粮商在该县设点收购粮食,活跃了粮食市场,没有出现农民卖粮难的现象。三是农民的经营自主权更灵活了。粮补改革后,农民感到不仅有了种植品种的自主权,而且农副产品的支配权更灵活了。以前只有卖给国家粮食部门才能得到保护价补贴,现在可以谁给的价格高就卖给谁,而且不论卖给谁都可以得到补贴。

(2)提高了农民种粮的积极性,促进了农业结构调整。由于实行农村税费改革后又紧接着进行粮补改革,农民负担轻了,补贴多了,粮食好卖了,种粮有效益了,农民种粮的积极性大为提高,过去的抛荒地(全县约 4000 亩)都被农民领回耕种。同时,由于过去按保护价收购粮食,粮食企业对粮食进行分等定级,但最高也不能突破保护价,不能充分体现优质优价,使农民长期习惯于种植常规粮食作物。粮补改革后,由于市场上优质优价得到充分体现,农民在价格信号的刺激下积极调整种植结构。如该县优质品种"丰两优"水稻,去年只在个别乡试种了3000 亩,今年发展到 30 万亩,其价格达每斤 0.52 元,比常规品种高出 18% 左右。

(3)推动了国有粮食购销企业的改革。原来按保护价敞开收购,制约了国有粮食购销企业走向市场。价格国家定,资金银行给,储备财政补,亏损给挂账,粮食购销企业没有了开拓市场的压力和动力。改革后,粮食补贴直接给了农民,国有粮食企业在市场与其他经营者处于平等竞争的地位。因此粮食企业只有精简机构,分流人员,转换机制,才能适应激烈的市场竞争,变靠国家给饭吃为自己到市场中找饭吃。目前,该县2180名国有粮食企业职工已分流了1082人,并积极参与了今年的秋粮收购。

(4)巩固了农村税费改革成果,提高了干部素质,密切了干群关系。这次粮食补贴改革借鉴了税费改革的成功经验,进一步减轻了农民的负担,增加了农民收入。广大基层干部在改革中加深了与农民的感情,学会了有关改革的政策和法规,提高了实施改革的工作能力和开拓创新的精神,在改革中切实维护农民的利益,为农民提供良好服务,群众比较满意。

总之,来安县的粮补改革是农村经济体制改革过程中的重要一环,它形成了农民收入增长的激励机制,农业产业结构调整的引导机制,国有粮食购销企业参与市场经济的竞争机制,转变干部作风与改善干群关系的联系机制。它是粮食补贴体制的创新。

当然,我们也应该看到,来安县粮补改革的成果还具有阶段性和不确定性,这主要表现在:

1. 粮补资金是为稳定和发展粮食生产而补贴的,但现行方案按计税常产发放补贴,并不能完全保证补贴真正起到促进粮食生产的作用。如果农户在计税常产田里种的是其他经济作物,则他仍然能领到粮食补贴,这显然达不到粮补改革的目标,国家的粮食安全仍存在隐患。所以,如何在粮补改革中发挥好粮食补贴对粮食生产的促进作用,就成为我们深化改革应在理论上探讨、在实践中解决的重要问题。只有找出粮食补贴的发放与粮食生产活动直接对应的方式,才能确定粮食补贴改革的制度性安排,使粮食补贴直接起到稳定和促进粮食生产的作用,并进而使之制度化,运行过程规范化。这样,改革试点才能大面积推广,并最终实现国家减负、农民增收、粮食企业增效、粮食总量增产的良性循环。

2. 关于国有粮食购销企业的定位与运行问题。在我国粮食企业集政策性业务与商业性业务于一身,一方面是粮食行业的管理者,另一方面又是经营者。这种双重身份的定位,使粮食企业的运行处于两难境地,作为粮食经营者,要背负政策性的亏损,作为管理者,又要承担经营的风险。粮补改革后,国有粮食企业进入市场,必然要以利润最大化为目标,国家粮食政策性业务如仓储、保管由谁来承担? 这些问题并未解决。因此,改革中对国家粮食安全的运行机制应有更全面的设计。一个比较可行的办法是把政策性业务从目前的粮食购销企业中剥离出来,并入国家专用粮储备库系统中去,但要防止走亏损挂账的老路,因为储备粮同样存在陈化的现象。这又是需要进一步探索的课题。

3. 关于粮食价格风险问题。改革后政府取消保护价,粮食市场放开,随行就市,即让市场调节粮食的交易价格。市场调节反映的是生产者和消费者在交换过程中相对应的利益分配关系,其价格风险是由生产者和消费者来承担的。正如前面我们已经分析到的,粮食这种大宗的生活必需品的需求弹性小,而供给弹性大,当价格波动超出正常范围时,粮食供求双方都承担着巨大的风险,这必将危及人民生活和社会的安定。因此,完全让市场调节粮食价格是不可取的。粮食补贴改革中,试点的来安县周边县市仍然实行保护价收购,这无疑对该县今年的粮价起了支持作用,因为农民可以把粮食以保护价卖给周边县市,这样本县的粮商也就不可能压价收购,从而在客观上有利于稳定该县今年的粮价。一旦全面实行粮补改革,则这一周边环境不复存在,粮价将失去支持,也就很难保证粮价不下跌。特别是目前全国性粮食市场尚未形成,现有的粮食市场多为农贸市场或区域性市场,地区封闭、规模较小、交易量不大、交易成本高。粮食企业要求生存,获取利润,必然要压低收购成本,从而导致粮价下跌,谷贱伤农。农民在比较利益作用下必然改种其他经济作物,最终危及国家的粮食安全。

指出上面的问题,并不是否定来安县进行的改革试点,而是说明改革的成果只是阶段性的,改革还需要不断深化,才能解决这些在前进过程中出现的,也是深层次的、根本性的问题。改革试点本身就是发现问题、解决问题的过程。只有这样才能使粮补改革试点方案不断完善,为在全国推广奠定基础。

从 2003 年 6 月开始,安徽省在全省开始了上述内容的粮食补贴方式的改革,目前已经取得初步进展,全省已经发放粮食补贴近 6 亿元,深得农民的拥护与赞誉。

三、粮食流通体制改革是农村税费改革的深化

粮食流通体制改革是农村税费改革内在矛盾发展的必然要求,是税费改革的延伸与扩展,它完善与深化了农村税费改革。

1. 农村税费改革减轻了农业生产者的负担,但没有解决农业生产者的增收问题。虽然减负从另一个方面看等于增收,但这是静态的量的此消彼长,农民并没有随生产的增加而增收,只是由于负担减轻而减少支出。粮补改革则把农民收入的增加建立在增加农业生产的基础上,农民承包的土地多,则得到的粮食补贴就多。

2. 农村税费改革并未解决农业生产的结构调整问题，相反，由于农业特产税高于农业税，在一定程度上还不利于农业产业结构与粮食品种结构的调整。由于粮食补贴改革取消了保护价，农民只有种植优良品种才能获得较好的收益，这就能引导农民自觉地进行产业结构、产品结构的调整。

3. 农村税费改革并没有解决农民生产的成果——农产品的流通问题。如果不解决产品流通亦即产品转化为商品的问题，农产品的价值也就无法实现。粮食补贴改革则是农产品流通领域进行的一项重大改革，改革中培育出的粮食市场及其主体，将成为农产品价值实现的中介与桥梁。待市场主导、政府监控的新型粮食市场流通体制形成后，农产品的流通亦将步入良性循环的轨道。

四、确保国家粮食安全

我国是一个有着 13 亿人的人口大国，吃饭问题是头等大事，历代政府都把粮食生产作为首要任务，即所谓"民以食为天"。受社会制度安排及生产力发展水平的制约，历史上各朝各代并未真正解决这一问题。我国真正解决吃饭问题是在农村实行家庭承包责任制以后的事，而家庭承包责任制则正是为了解决吃饭问题而产生的。由于作为粮食生产的农民有了生产经营自主权，能顺应农时和农业生产的规律自主安排生产，并获取相应的农业生产收益，农民粮食生产的积极性从计划经济的长期压抑中迸发出来，在实行承包制的当年就一举解决了农村的粮食供给问题。1979 年，国家又大幅度提高粮食收购价格，进一步刺激了粮食生产，到 1984 年，粮食产量达到建国以来最高水平。从 1984 年开始,我国粮食每年供给大于需求约 10%。粮食产量的增加,导致了粮食价格的趋势性下跌,而农用生产资料价格却不断上涨,使粮食生产微利甚至亏本,农民种粮的积极性严重受挫。在比较利益的驱使下,许多农民从事非农产业,或者改种其他经济作物。农村从事粮食生产的主要是"386160 部队",即妇女、儿童和老人。他们留守在家,种田的目的在于生产自家的口粮。实践中如此,理论上也有一种观点,认为我国的粮食问题已经解决,粮食生产经营可以完全让市场机制调节。我们认为,这种认识是欠妥当的。这一点我们可以从以下几方面来分析:

首先,从农业的地位看,农业是国民经济的基础。马克思主义认为,人类的生产实践活动是人类最基本的实践活动,是其他一切社会实践活动的基础,它提供人类生存最基本的生活资料。没有农业提供的生存资料,其他一切都无从谈起。中国革命走的是一条以农村包围城市的道路,农村是中国革命发展壮大直至取得全国胜利的大本营。党的第一代领导人都十分重视"三农"问题。毛泽东同志就明确指出,中国的主要人口是农民,革命靠了农民的帮助才取得胜利,国家工业化又要靠农民的援助才能取得成功。农业是国民经济的基础,一定要高度重视农业,要注意,不抓粮食很危险;不抓粮食总有一天要天下大乱。第二代领导人继承和发展了毛泽东的思想,邓小平同志从战略的高度认识农业问题,在十一届三中全会上做出了"全党同志目前必须集中精力把农业尽快搞上去"的战略决策。他指出,不管天下发生什么事,只要人民填饱肚子,一切就好办了;从中国实际情况出发,我们首先解决农村问题;中国社会是不是安定,中国经济能不能发展,首先要看农村能不能发展,农民生活是不是好起来;没有农民的积极性,国家就发展不起来;农业是根本。正是从这样的战略高度,改革开放的总设计师邓小平同志把农村作为中国经济体制改革的起点与突破口。实践证明这一决策是十分成功的,完全正确的。以江泽民同志为核心的第三代领导集体也高度重视"三农"问题,从经济社会发展的全局及现代化进程的战略目标的高度把握与处理农业问题。他指出,实现中国经济和社会发展的战略目标,农业和农村始终处于举足轻重的地位;农业基础是否巩固,农村经济是否繁荣,农民生活是否富裕,不仅关系农产品有效供应,而且关系工业品销售市场,关系国民经济发展的全局;如果农业没有大的发展,农村经济不能登上新的台阶,我国现代化建设的第二步和第三步发展目标就不可能顺利实现。十五届三中全会通过的《中共中央关于农业和农村工作若干重大问题的决定》,全面系统地总结了改革开放 20 年的成功经验,从政治、经济、文化三个方面提出了建设中国特色社会主义新农村跨世纪发展的奋斗目标和十条方针。全会指出,十二亿多人口,九亿在农村,是中国的基本国情;"三农"问题是关系改革开放和现代化建设全局的重大问题;没有农村的稳定就没有全国的稳定,没有农民的小康就没有全国人民的小康,没有农业的现代化就没有整个国民经济的现代化;稳住农村这个大头,就有了把握全局的主动权。可见,农业是关系到国计民生的基础产业,政府高度重视,并大力支持农业的发展。

其次,从农业生产的产业特征看,农业是弱质产业,完全让市场机制来调节农产品特别是粮食生产,具有很大的局限性。

从农业生产与再生产的过程看,农产品的生产有一个自然生长阶段,在这一阶段,受自然条件的影响非常大,如天气、降水量等,都是自然力作用的结果,人们不能拔苗助长。而在工业品的生产中,自然力的作用小,人们可以在较短的时间内调节工业品的生产与流通。从市场经营调节结果看,价值规律作用的结果使社会资源在不同的生产部门之间流动,但农业部门的生产要素流动却受到土地所有权及农业生产实物形态的制约。土地所有权的存在使土地不能完全按市场规则流转,农作物生长的周期性使农业生产的要素流动受到限制,如只有等农作物成熟后才能谈得上转产的问题,否则不但不会通过生产要素的流动获取更大收益,反而会受到不应有的损失。因此,完全让市场机制调节农业生产,将达不到既定的效果,有时甚至会适得其反。

第三,从世界各国的经验看,世界各国对农业生产特别是粮食生产都高度重视,并制定了种类繁多的农业生产保护政策,其目的都是为了稳定农业生产特别是粮食生产。如美国政府对粮食生产特别重视,政府制定了多种政策措施对粮食生产进行扶持。在粮食生产的过程中,有价格低廉的农用生产资料供应,有完善的社会化服务。在农产品的价格方面,美国政府制定了农产品保护价及农业休耕制度,从而分担了粮食生产的风险,法国、加拿大、澳大利亚等国,也都有类似的粮食生产保护与支持措施。正是有了这些行之有效的政府对粮食生产的保护与支持措施,使发达资本主义国家的粮食生产能力大大提高,由过去的粮食进口国变为出口国,美国与欧盟为农产品贸易展开的贸易战,充分说明了二者在农产品生产上的国际实力。

总之,粮食生产是各国都十分重视的特殊行业,其需求弹性小的特点表明,仅靠市场机制的价格信号作用,并不能合理地调节粮食的生产与流通,因此,政府应在粮食生产与流通的调节与管理方面发挥主导作用,要把粮食生产与流通作为关系国计民生的战略问题,予以高度重视。为应付突发事件,如天灾、战争等,应建立国家粮食生产与储备的安全保障机制,以确保在这些突发情况下,国家仍然能保障粮食供给。这里我们可以看出,所谓国家粮食安全战略,是指政府为保证粮食供应而采取的一系列支持和保护农业生产的战略性措施。

我国是一个人口大国,粮食安全问题尤为重要,可以说,粮食安全对我国来说,既是经济问题,也是政治问题,而且更重要的是政治问题。粮食安全问题影响到社会的安定和经济的发展。有的同志认为,我国的粮食价格普遍高于国际市场,因此,我们可以从国际市场上进口粮食满足国内的需要,国家不必花大力气去支持国内的粮食生产。我认为,这种观点在理论上是错误的,在实践中是十分有害的。我们知道,在国际市场上,粮食的价格对需求的变动是十分灵敏的。我国粮食需求的基数很大,因而其价格的灵敏反应也会有放大效应,一旦国际市场粮价飞涨,那我们从国际市场进口粮食就会变得力不从心。一个有着 13 亿人口的大国靠从国际市场上进口粮食来满足供应,其结局是不可想像的。同时,国际上的反华势力更会利用时机向我们施压,这样我们就会处于十分被动的境地。所以,我国的粮食安全,是关系国计民生的重大战略问题,在这一点上容不得半点疏忽,这是我们应时刻牢记的一条重要原则。

当前粮食市场价格的上涨及局部地区粮食生产的下滑,再次给我们敲响了警钟。它警示我们:粮食绝不是一般的商品,而是十分重要的战略物资;粮食问题决不仅仅是经济问题,而是重大的政治问题,具有关系全局的战略意义。由于当前我国的粮食安全问题是与种粮农民增收难交织在一起的,因此,粮食补贴方式的改革,要把提高农民生产粮食的积极性放在首位,补贴资金要向粮食主产区以及主要从事粮食生产的农户倾斜。要把稳定粮食生产与增加农民收入有机地结合起来,使发展粮食生产成为农民增加收入的重要手段。

综上所述,农村税费改革是粮食流通体制改革的基础,粮食流通体制改革则是农村税费改革的拓展与深化,二者共同构成农村经济体制改革总链条中的重要环节。粮食流通体制改革的主要内容是放开粮食市场与价格,把粮食风险基金直接补贴给农民。这一改革直接增加了农民的收入,推动了国有粮食购销企业的改革。但粮食生产及市场价格的波动,要求我们从战略上重视国家的粮食安全问题。粮食流通体制改革,必须把国家的粮食安全与增加农民收入结合起来,通过实施粮食补贴倾斜政策,提高农民生产粮食的积极性,实现粮食增产、农民增收。

第三节　农村税费改革与土地制度创新

农村税费改革对农村现行分配关系进行了制度创新。分配关系的变革受生产资料所有制形式的制约,而分配关系的变革也要求生产资料所有制进行相应的变革。土地是农村的主要生产资料,税费改革后,农业税由承包土地负担,即"摊丁入亩",而农业产业化的发展,农村城市化的推进,都迫切需要实现土地的集中规模经营，其前提则是土地使用权的流转。因此，只有继续推动农村土地制度创新，才能使农村分配关系的变革成果真正得到保障。

一、生产要素的合理流动及其最佳组合

在市场经济发展的过程中，生产要素的流动及其结合经历了一个曲折的发展过程。在英国资本主义发展之初，为获得纺织业生产所需的原料和劳动力，资产阶级不惜以国家强制力迫使农民与土地分离，以圈地养羊，获取大量的羊毛，同时迫使农民到工厂做工而成为产业工人，这就是历史上"羊吃人"的圈地运动。今天当我们再回顾这段历史时，不难从这些看似偶然的历史事件中发现一些必然的东西。商品经济的发展要求打破自给自足式的小生产，以社会分工和劳动者的专业化来提高劳动生产率，以创造更多的社会财富。如果仍然让农民在小块土地上搞自给自足式的农业生产，则商品经济也就无从发展；如果土地仍然只用来从事农业生产，则工业化所需原料也就无法供给，社会劳动生产率也就无法提高，社会财富也不可能涌流出来。所以，资产阶级为发展社会化大生产和实现产业革命，如果去除其血与火的方式不论，则也是在按经济发展的要求实现生产要素的合理流动与最佳组合。其合理是指，生产要素的流动是按经济利益最大化的原则进行的，或者确切地说是按比较利益的原则进行流动的；而生产资料与劳动力的结合，也是在分工的基础上进行的，从而能发挥劳动者的潜能与特长。这正是古典经济学家斯密所评述的分工的巨大作用。人们经过长期的理论探讨与实践的总结，形成了现代市场经济的理论与实践模式。尽

管现代市场经济具体模式各异,在各国的运行情况也不尽相同,但它作为资源配置的最有效方式却是一个不争的事实。由此我们可以看到,市场经济作为一种最有效的资源配置方式,是经济社会发展过程中的必然选择。决定这一选择的则是比较利益原则,是"经济人"的理性行为——追求效用或利益的最大化,也就是通过生产要素的合理流动实现各种生产要素的合理配置,其理想状态则是帕累托最优,亦即实现帕累托效率。如果经济社会资源没有实现帕累托最优,则说明存在着资源的浪费,存在着潜在的制度收益,这时需要通过制度安排或制度创新使浪费状态的资源得到合理配置,从而实现全社会的福利水平最大化。

当我们以上述理论审视当今我国农村的现实的时候,下列现象值得我们思考:

1. 农业比较利益偏低,农民收入增长缓慢。

我国是一个农业大国。建国后所进行的工业化建设,是以从农业部门转移农业剩余为基础的。除此之外,农业比较利益偏低则是中国农业自身的先天不足而导致的结果。

资源从农业部门向非农业部门转移,似乎是国民经济发展过程中的必然现象,也是经济增长过程中的阶段性特征。从总量指标看,在国民生产总值中,制造业所占比重上升,而农业所占比重不断下降,国民经济的增长,主要取决于制造业及第三产业。农业是生产初级产品的,农业部门的扩张,在需求方面会受到初级产品低弹性的限制,也受到人造原材料替代自然材料的限制(如化纤布料的生产替代棉花的生产);在供给方面,则要受自然资源(如土地面积及肥力等)和技术利用的限制。国民经济的增长,是以经济重心由初级品的生产向制成品的生产转变为基本特征的,即由初级产业向高级产业的演进。这样制造业成为经济增长的主导产业,而农业对国民经济增长的贡献率则越来越小。虽然我们一直强调农业是国民经济的基础,但农业的比较利益偏低却日益明显,农业劳动生产率大大低于其他产业:

全社会劳动生产率比较①　　　　　　　单位:元/人

年份	全社会劳动生产率	第一产业劳动生产率	第二产业劳动生产率	第三产业劳动生产率
1990	2379	1286	5728	3883
1995	6332	3018	15139	8042
2000	8805	3627	22167	11921
2001	9518	3740	23923	13079

农业劳动生产率偏低,从农业自身的原因分析,则主要是由于我国农村人多地少造成的农业规模不经济,导致农业技术应用的边际成本高,边际收益少。

当然,我国目前农业比较利益偏低还有一个重要的制度根源,即我国优先发展工业化的战略以及为保障这一战略的实施而建立的一整套制度,这些制度安排形成了城乡分割的二元结构。这一战略的直接后果是农业的先天不足和发展中的"营养不良"与失血。在我国,工农产品之间价格"剪刀差"是农业为国家工业化提供资金的主要方式或者说渠道。据测算,1952 年至 1989 年国家通过农业税从农业部门聚集了 1763 亿元的财政收入,占同期国家财政收入的 5.2%;通过工农产品价格"剪刀

---

① 数据来源:根据相应年份《中国统计年鉴》有关数据整理。

差",为国家提供的积累达9015亿元,相当于同期国家财政收入的26.8%。在这38年中,中国城市工业从农业聚集了10778亿元的巨额资金,扣除同期国家财政支农资金3373亿元(实际上这些支农资金还存在着严重的向非农业部门隐性转移的问题),农业为城市工业提供的资金净额达7405亿元,相当于同期国家财政总收入的22%。在此期间,农产品大约以低于实际价值的25%的价格提供给社会。这其中的1952—1978年,中国农业为工业提供了约5100亿元的资金,约占同期农业净产值的1/3[①]。

除了上述农业"失血"的原因外,改革开放以来,教育事业的发展也是农村资源不断流失的重要原因。说来似乎很奇怪,但细细分析就能说明这一点。目前,我国的大中专院校都实行收费制。以每个学生每年费用(学杂费、生活费等)1万元计,农村每考上一个大学生,每年就有一万元流出农业而流入城市。现在全国的招生规模(大专与本科)在300万左右,其中60%—70%的学生来自农村。以60%计,则每年有近180亿元由农业流入到城市工商业中。学生毕业后,绝大部分又不可能回到农村工作。这样,农村在教育方面可谓"人财两空"。

农业被不断"抽血"的结果是,农业的生产条件日益恶化,生产技术落后,农业生产停滞不前,农业的比较利益日趋偏低。农业不但无力扩大再生产,甚至连简单的再生产也无法维持。其直接的后果或直观表现为,农民收入偏低,农民收入增长

---

① 资料来源:许经勇:《中国农村经济改革研究》,中国金融出版社2001年版,第108页。

缓慢。

面对农民收入偏低的现实,国家也试图以提高农产品价格的形式提高农民的收入。1979 年至 1984 年,国家大幅度地提高了农产品的收购价格。1978 年全年有 18 种农产品提价,平均提价幅度为 24.8%,当年农民因提价而增加收入 108 亿元。以后又多次提价,到 1984 年时,农产品的收购价格比 1978 年提高了 53.6%,这 6 年间年均提高 8%左右。然而,由于农产品属于基础产品,它的价格上涨必然引发农用生产资料及其他工业品的价格上升,以至出现了"比价复归"现象,粮肥比价 1987 年为 1:1.21,1988 年又下降到 1:1.15,几乎又恢复到 1978 年的水平①。可见,提高农产品的价格不可能从根本上解决农业比较利益偏低的问题。随着农产品价格自 80 年代中期以来的不断走低,农民收入增长不断趋缓。自 1997 年以来,农民收入增长已连续十年不断下降。农民收入增长减缓,不仅关系农村经济的发展稳定和农民生活水平的提高,而且制约着整个国民经济的发展。

2. 农村出现大量土地抛荒,造成土地这一稀缺资源的浪费。

我国是一个耕地资源严重紧缺的农业大国。我国的人均耕地面积只有世界平均水平的 1/3,只及美国人均的 1/66,法国的 1/22。然而,极其有限的耕地却还存在着抛荒闲置的现象。我们以安徽省为例进行分析。

---

① 资料来源:许经勇:《中国农村经济改革研究》,中国金融出版社 2001 年版,第 110 页。

据调查,自 80 年代安徽省实行家庭承包经营以来 20 年间,全省部分地区土地抛荒现象呈周期性出现,其直接原因是农产品价格下跌,农业比较效益偏低,种田无利可图或只有微利。

第一次土地抛荒出现在 80 年代中后期。农村实行家庭承包经营责任制后,农民的生产热情和土地的产出潜能得到完全的释放,粮食生产连年丰收,出现了"卖粮难"和农产品相对过剩,同时国家出台了一些鼓励发展农村二、三产业和农村剩余劳动力转移的相关政策,在安徽省的合肥、巢湖、六安等地,农村的青年劳力纷纷外出打工,出现了少量的、零星的土地抛荒现象。但由于在家务农的劳动力过剩,这些抛荒地很快被人代耕或租种,抛荒现象随之消失。

第二次土地抛荒现象出现在 1992 年前后,1991 年百年不遇的大水,使安徽省农民来自农业的收入下滑。由于大水前连续几年粮食丰收,大水过后,粮食仍处于相对过剩状态,粮价仍然低迷,种田效益差。小平南巡讲话后,全国经济骤然升温,新一轮经济的发展波及农村,促进了农民思想的转变,并为农民外出务工创造了机会。上述地区又出现了土地抛荒现象。1992 年底至 1993 年初,肥东县曾经有 10 万亩耕地处于抛荒状态。一部分农民举家外出,使"三提五统"无法收取,给基层工作带来困难,造成了较大的社会影响。一些地方采取了"堵"的办法,如不开"外出证明",收取"抛荒费"等行政手段,但收效甚微。后来,由于受供求关系变化的影响,粮价开始回升。1995 年前后,粳稻价格每 50 公斤达 90 多元,种田效益提高,加之农村土地二轮承包政策的推行,农民纷纷争种土地。一些常年外出务工的农民为获得新一轮土地承包权,一次交齐了因抛荒拖欠多年的农业税和"三提五统"款项,抛荒地随之消失。

时隔三年,到了1997年,由于我国农业连年丰收,农产品价格因供大于求而下跌,农业和农村经济进入新阶段,农民增产不增收,部分地区出现了第三次土地抛荒现象,且呈逐年加重之势。据对安徽省枞阳、庐江、肥东、定远、当涂、寿县6个县的调查,6个县土地抛荒总面积达53.39万亩,占6个县耕地总面积的7.8%,其中,常年抛荒29万亩,占6个县耕地总面积的4.2%;季节性抛荒24.39万亩、占3.6%,涉及97.6%的乡镇,74.84%的村,36.5万农户。从发展趋势看,除定远县的抛荒面积从1999年的10万亩下降为目前的8万亩外,其他5个县的抛荒面积呈递增之势。其特点是:

一是总面积增加。庐江县由2000年的8.37万亩增加到目前的8.94万亩;肥东县由1999年的9万亩,2000年的13万亩,发展到现在的15万亩;寿县由1999年的6.78万亩增加到现在的16.3万亩。

二是常年抛荒增多,一部分季节性抛荒土地变为常年抛荒。如庐江县2001年常年抛荒比2000年增加了1.77万亩,常年抛荒和季节性抛荒面积之百分比为67.7%和32.3%,而2000年此比例为56.5%和43.5%,肥东县2000年常年抛荒与季节性抛荒之比为6:7、2001年则为8.4:6.5。

三是生产条件好的地区抛荒速度加快。前几年抛荒主要集中在生产条件差的地区。1999年肥东县抛荒土地中,生产条件差、城郊、生产条件好的地区抛荒地比例为8:1:1,2000年为6:1:3,目前已上升为5:1:4。越来越多的旱涝保收高产农田被抛荒。

四是抛荒涉及范围不断扩大。如庐江县的土地抛荒涉及全县每一个乡镇、80.6%的村;肥东县抛荒涉及所有的乡镇、83%的村和79%的农户。①

3. 遍及全国的"民工潮"现象。

从20世纪80年代开始,每当春节前后,全国各主要城市的火车站、水运码头、汽车站,挤满了外出打工的农民,以至春运客源爆满,火车及汽车等交通工具严重超员,这就是所谓的"民工潮"。据统计,目前全国常年外出务工经商的农民多达8600多万,2002年又新增近600万,全国处于流动状态的农业人口近1.3亿,相当于日本的总人口,是法国人口的两倍。流出的农村人口主要来自于农产品主产区的东北和中西部地区。以安徽省为例,2002年,全省农村劳动力外出打工时间在半年以上的,达513万人。其中安庆、阜阳、六安三市流动劳动力占全省流动劳动力的50%以上。另外,农村劳动力有许多在农闲外出经商或务工,一般三四个月即回来,这就是短期打工者。如果把这部分农村劳动力也计算在内,则安徽全省外出务工的人数达到800万以上,占全省农业劳动力总数的28.3%。按流入地的流入量大小排序,安徽省农业劳动力主要流入上海、江苏、浙江、广东、北京、福建、天津、山东、新疆等省市区,其中前5个省市吸纳的安徽省流动劳动力占76.3%。过去以空间距离远近决定流向,现在则主要以经济发达和资源丰富程度来决定流向。从流动劳动力的性别比例看,男女比例为134.6:100,女性外出务工的比

---

① 以上资料摘自安徽省农委范和平:《关于耕地抛荒问题调查》。

例在迅速提高。从年龄结构看,20—34 岁人群占流出劳动力总数的 54%,40 岁以上的人群则呈递减之势。以文化程度与劳动技能看,外出务工人员具有初中文化程度的占 56.7%,约有 30% 的劳动力有过专业培训的经历。从产业分布看,外出从事二、三产业的人数占流动劳动力总数的 97%,其中第三产业为 52.5%。安徽省外出劳动力的 68% 在民营企业就业,其中有 4.4% 的人已在流入地发展成为私营企业主,有的还成为拥有上亿元资产的企业家;自谋职业、从事营销及自营的劳动力占 17.7%;大部分则为企业和家庭的雇工。同时,安徽省外出务工人员从事工作的层次也逐步由低层次的工作向高层次、技术性工种发展,成为单位负责人、管理人员、专业技术人员的比例已占到外出务工总人数的 7.6%。

上述三种现象已经成为当前农村经济社会生活中的三大焦点。具体分析三大现象产生的原因,则各自具有不同的特点。然而,仅仅独立地就现象论现象,是难以找出其产生的根本性原因的。马克思主义理论告诉我们,一切社会变革的终极原因,都必须到与之相联系的经济社会关系中去寻找。当我们以辩证法的联系与发展的观点审视上述现象时,我们发现,上述现象是我国农村经济社会发展已经进入新阶段的必然产物。

自农村实行家庭承包责任制改革以来,农民的生活水平有了较大的提高,除少数地区的贫困人口外,绝大多数农民的温饱问题已经解决,土地作为农民解决温饱问题的主要生产资料,已完全发挥了农民生存资料的潜能。随着农民温饱问题的解决,农村社会已开始迈向小康阶段,但由于二元经济社会结构的阻隔,全国经济社会发展在本质上所要求的一体化发展进程严重滞后,现实中城乡二元经济社会结构产生了巨大的反差。这一方面吸引着农村劳动力向城市转移,以寻求较高的收入与较多的发展机会;另一方面,相应的制度安排远远落后于现实对制度创新的需求。于是,农村劳动力与生产资料向较高收益领域的流动受阻。与此同时,由于市场经济观念深入人心,市场机制以它顽强的生命力和强大的渗透力,拓展自己的运行空间,而原有的计划经济体制下以行政权力为调控手段的制度安排并未得到根本性变革,统筹城乡经济社会发展一体化,适应农村经济发展新阶段的新的制度安排尚未就绪。因此,当农村生产要素的流动,农民微观经济主体的行为都循着市场经济的轨迹发展时,原有的制度环境却停留于计划经济时代。这二者之间的矛盾导致了经济主体行为的变异性。在原有的这些制度安排中,农村土地制度和户籍制度是两大支柱,它们支撑着原有农村经济体制在新阶段疲惫地运行。

二、现行农村土地制度不适应市场经济的发展

我国农村现行的土地制度是随着农村合作化改造的过程而建立起来的。农村土地实行集体所有制,乡镇、村及村民小组均是农村土地的所有者。农民只具有土地的经营权而无所有权。这种土地所有制的最大缺陷是产权主体虚置或缺位。现实中导致集体经济的管理权与基层政府的行政管理权合二为一。当现实经济中需要管理者尽义务时,集体经济的管理职能无从体现,而当实现所有权能带来利益或行使产权收益时,行政职能又会取代经济管理职能,参与到对土地收益的分配中来,以行政权寻租。这也就成为农村乱收费的重要原因之一。

　　农村实行家庭承包经营责任制后,农民取得了一定期限内(承包期内)土地的经营自主权,原有的集体进行农业生产的形式被一家一户分散经营的方式所取代。由于劳动质量与劳动成果的直接对应性,农民的生产潜能得到了最大限度的发挥,从而解决了吃饭问题,这是家庭承包经营责任制的伟大历史性贡献。然而,家庭承包经营责任制也有它的缺陷。在土地资源的利用上这种缺陷表现为,土地被平均分割为零碎的小块,其功能退化为农民的基本生存资料,土地资源不能按市场经济的效率与效益原则进行合理配置,没有产权使农民不愿对土地进行长期性投资。一家一户的经营方式和有限的土地面积、零碎的土地分割,阻碍了公共基础设施建设,不利于机械化耕作,传统的手工生产方式阻碍了农业高新技术的推广与运用。在农产品供过于求的情况下,农产品的价格一直较低,但与国际市场农产品价格相比,国内农产品价格已经算高的,主要农产品的平均价格高出国际市场的 10%—30%。其原因在于,小农生产方式成本高,种田微利或只能保本。这样,一些已经具备市场经济意识的农民,比较理性的经济人的行为就是让承包田这块要之无用、弃之可惜的"鸡肋"抛荒,转而从事比较收益较高的非农产业。对于抛荒的行为,一开始有的地方采取"堵"的办法,强制要求承包户耕种,否则处以征收抛荒费的惩罚。但效果甚微,无奈法不治众。

　　众多的农民为寻求较之从事农业为高的收益,到经济发达地区的城镇打工,形成了波及全国的"民工潮"。但是,他们注定成不了市民,而只能被人们称之为"农民工"。他们干着苦、累、脏的活,拿着低薄的工资,成为游离于农村与城镇之间的边缘人。许多城市从"城市本位论"出发,视进城打工的农民为异类,采取种种措施予以限制,这显然是不公平的。

不难看出,原有户籍制度已成为农民向市民转化的最主要阻碍,它人为地阻断了资源在全社会范围内以效率为原则进行优化配置。即使进城打工的农民已经在城里安家,但要落户却难上加难,并拖累其子女不能在城里上学,不能在城里就业,不能与城里人享有同样的待遇或保障。

一方面是因比较效益低,农民弃耕进城打工,形成"民工潮";另一方面,现行土地制度及户籍制度又阻碍着农村生产要素的合理流动与组合。这实质上是农民的市场经济行为与计划经济性质的制度安排之间的矛盾。当农村经济进入新的以建设小康社会为主体内容的新阶段时,农民就不可能把自己束缚在只能解决温饱问题的"一亩三分地"上。毕竟,每人承包的那块土地面积过小,并且土地也长不出黄金来,要这小块的土地把农民带进小康是不可能的。在现有的土地制度下,要奔小康就必须离开土地,从事非农产业,在农村城市化进程中迈进小康。否则,就只能大家一起在农村守着小块土地,只求温饱,不思小康。这当然不是我们愿意看到的。从这个意义上说,农民让承包土地抛荒,有着存在的合理性,这实际上是农民主动参与农村生产要素的流动与优化配置,主动推进农村产业结构的调整和农村城市化。但由于进城务工的农民包括举家迁到城里但落不上户口的"准城里人",得不到基本的生活保障及与市民平等的待遇,农民也就不愿意放弃承包田这块最后的保障,这就只能让土地抛荒。在外出打工找不到工作的情况下,就回到家中重新耕种抛荒田。

如果农民具有完全的土地使用权的流转权,则农民完全可以从承包田的使用权转让获得应有的收益。只要流转的收益等于或大于农民自己耕种所能获取的收益,则农民会很乐意把土地使用权转让出去。通过土地使用权的流转,抛荒的土地就能被种养大户或涉农企业合理地利用起来,连片开发,带来规模经济,从而实现农业产业结构的调整,提高农村土地的使用效率,推动农村经济的全面发展。

可见,农民市场意识的觉醒,农村经济向新阶段迈进,国家统筹城乡经济协调发展,都要求对现有农村土地制度进行创新。要在以家庭承包经营为基础、统分结合的双层经营体制的前提下,促进土地承包经营权依法、自愿、有偿地流转,逐步发展适度规模经营。要逐步取消不合理的阻隔生产要素合理流动的城乡分离的户籍管理制度,实行有利于城乡资源优化配置的新型户籍管理制度。政府管理部门要变行政本位论思维为市场本位论思维。

三、深化农村税费改革,促进土地使用权的合理流转

农村税费改革后,农业税及附加是按计税土地面积征收的,即承包土地的农户承担了所有的农业税,从而加重了种田的成本。而依靠种田取得收入的往往是农村中自身条件差、家庭经济状况不好的农户。他们种的田越多,农业税负担也就越重。农业税费改革中的这种谁承包田谁交税的做法,不利于农村土地的流转。因此,应将谁承包土地谁交税改为谁从土地中受益谁交税。这样,土地流转后,农业税将转由真正使用土地并获取收益的受让方交纳。农民不但可以因转让土地经营权而获取转

让收益,还能因此转嫁农业税,农民转让土地使用权的积极性必然会提高。

推进农村土地使用权的流转,需要克服几个认识上的误区。误区之一是把土地使用权流转与家庭承包经营责任制对立起来。这种观点认为,承包是让农民承包经营而不是让农民把经营权转让,如果允许农民转让承包的土地之经营权,那么承包经营责任制就会有名无实。误区之二是认为农民转让土地经营权后,一旦出现生存危机,农民将失去生活的最后保障,影响农村社会的稳定。误区之三是认为允许土地使用权流转会产生大量的无地农民,这些人会流入城市成为无业游民,影响城市乃至整个社会的安定。误区之四是认为允许土地使用权流转会动摇农村土地集体所有制,会导致农村的两极分化。

上述误区的产生,有其客观原因,毕竟认识是客观现实的反映,社会存在决定社会意识。但现实的存在是复杂的且不是一成不变的,现有的制度安排也应与时俱进,不断创新。相应地,我们的认识也应不断修正。就第一种观点而言,家庭承包经营责任制经过二十多年的运行,其不适应市场经济的发展的一面也日益显现出来。因此,我们要在农村经济体制改革中进一步完善这一制度,而在坚持统分结合的双层经营方式不变的前提下,实现土地使用权的合理流转,正是改革与完善家庭承包责任制的重要举措。就第二种观点来说,实际上是把农民的收益完全定位在现有的种田收入水平上,把现存的土地经营方式作为惟一的理想方式,看不到农民生活保障方式与土地经营方式的多样性。第三和第四种观点则把农民原有的"安土重迁"生活方式作为农村社会乃至全社会稳定的条件与实现形式,似乎只有让农民安于现状，"面朝黄土背朝天"，社会才会稳定，这显然是错误的。事实上，只有走出上述误区，才能正确引导农村生产要素的合理流动与优化配置。农村现实经济生活中的许多成功的范例，充分证明了实现土地等生产要素合理流转的必要性与巨大作用。

安徽省桐城市挂车河镇对土地流转进行了有益的尝试。该镇从事非农产业的劳动力达9000余人，占劳动力总数的64%，其中外出务工经商的7000余人。由此导致该镇10%的耕地抛荒或粗放经营。该镇从现实出发，在"依法、自愿、有偿"的原则下，积极推进土地使用权流转，他们的重要做法是：

1. 市场化运作。2000年4月，挂车河镇成立了一个为土地流转提供中介服务的"桐城市益民土地资源开发有限公司"。公司根据农民的愿望和农业开发商、种养大户的需要，从中牵线搭桥，促成供需双方就土地使用权流转达成协议，依法订立合同，再将一家一户农民手里的零碎土地，经过统一规划和整治后，租给开发商或种养大户。土地租金实行市场定价，根据土地的品质及供求关系公平公开地确定，每亩年租金在300元以上，高于农民自己耕种的实际纯收益。通过这种形式，两年来公司共为1510亩土地成功地实现了使用权流转。益民公司的成立，为农户与开发商、种养大户之间架起了一道桥梁，较好地解决了土地流转过程中供需难见面、开发难合作、矛盾难协调的难题，大大降低了土地流转中的交易成本。

2. 自主化流转。在稳定家庭承包经营责任制的前提下，坚持"依法、自愿、有偿"的原则，让农民自主决定承包土地是否流转，对于要求流转的农户，由农户向村委会提出申请，出具统一印制的委托书,村委会代表农户通过益民公司与农业开发商、种养大户谈判,签订土地流转合同,农户享有并履行村委会所签合同的权利与义务。流转期均在二轮承包期以内,开发商如数逐年支付租金,流转收益全部归农户所有。对于需要成片流转中的少数不同意的农户,公司切实维护他们的合法权益,一般由村组干部及积极性高的农户自愿与其采取以好田调差田、近田调远田的方法予以置换,从而成功实现连片流转。2000年6月,阳光养殖研究所原打算在联合村租地开发,但遭到该村一些农户的反对,公司尊重群众意愿,果断地调整到群众愿望迫切的小棚村。经过一年的实践,联合村干群为失去机遇而后悔,纷纷上门找公司为他们安排土地流转项目。

3. 全程化服务。一是加大招商引资的力度。对全镇可流转土地数量、地理区位、承包权进行详细登记造册,利用新闻媒体发布信息,推荐可开发农业项目,统一招商,公开招标,吸引外地的开发商投资。二是把好合同签订关。指导流转双方以书面形式签订具有法律效力的流转合同,并予以备案,督促双方履行权利与义务,杜绝违反有关法律法规的无效合同和口头合同的产生。三是搞好土地整理。对流转前的土地,由公司统一进行平整,地块归并,搞好沟渠、林、路、电等农用基本设施的更新改造和综合配置。两年来,公司共投入200多万元用于土地平整和基础设施的建设。所需投资全部由开发商和镇里共同承担,没有给农户增加一分钱的负担。四是积极维护双方的权益。维护农业开发商、种养大户正常的生产经营秩序,尽力帮助其解决与周边农户的矛盾纠纷和实际困难。同时,确保流转的土地不改变农业用途,并督促开发商按合同逐年、足额如期向农户兑现土地租金①。

除了上述由政府部门主导的土地流转外,不少地区的土地流转主要由开发商与农户协商进行。如安徽省凤阳县刘府镇赵庄村的土地流转,就是由该县民营企业金星保温瓶厂厂长赵世来和赵世金兄弟通过他们的金星农业公司进行的。2001年底赵氏兄弟自己投资,承包家乡的近1万亩土地种植杨树,走林业产业化道路。他们与农民签订合同,期限为十二年,企业统一交纳流转土地的农业税,另外每亩第一年付租金100元,第二年至第三年每年130元,第四年到第十二年每年200元,已流转土地的农户安排到公司做工,主要是从事林业生产与管理,每人每月工资为440元。公司的投资则在杨树成材后即可收回。这样,农民的收入比流转前大大提高,土地租金加做工收入,全年合计人均可达6000余元,目前,已有土地流转户以租金和做工收入盖起了新楼房。

无论是政府主导还是开发商与农户之间的协商,土地流转都显示出了它的巨大成效:

首先,土地流转拓展了土地的功能,增加了农民的收入。原有的土地经营方式,使土地的功能退化为仅仅保障农民的口粮,即仅能解决农民的温饱问题。即使农村税费改革减轻了农民的负担,但减负的空间是非常有限的。所以,要使农民走向小康,增收重于减负。通过土地流转,开发商从事高效农业生产与经营,农民不仅获得了土地租金,保障了基本生活,而且通过参与开发,获得工资报酬。如前面提到的挂车河镇的农民,在开发商

---

① 资料来源:安徽省委政研室《决策参考》,2002年第19期。

的公司里做工,每天能得到15—20元的纯收入,该镇2001年全镇农民人均收入达2460元,比1999年增长15.1%。开发商经营稳定,农民也安居乐业。不愿到开发商公司做工的农民,则可以不再牵挂承包田,安心地到外面打工。可见,土地流转已成为农民致富奔小康的有效途径。

其次,土地流转实现了农村生产要素的合理流动与优化配置。土地成为生产要素流转起来后,资金、技术、人才等生产要素也联动起来,并在农村优化配置,形成现实的生产力,提高了土地的利用效率与效益,带动了农村经济的全面发展。如挂车河镇的土地流转,已成功地吸引了香港九重天国际投资公司来开发,已投资100万元,租地100亩,开发"桐城水芹"蔬菜项目,并计划在两年内再投资1000万元,开发5000亩土地。目前该镇已形成农业综合开发的新格局。

第三,土地流转促进了农业产业结构的调整。农业的产业结构调整一直是我们努力要实现的目标,但在实践中经常出现种什么什么多,种什么什么难卖的现象。其根本原因在于千家万户的小生产与统一的大市场难以对接,往往是调整的步子一致,品种雷同。种果果多,养猪猪贱,参与这种结构调整活动的农民蒙受巨大损失。实行以土地流转为主要方式的产业结构调整,参与开发的开发商或种养大户,市场信息灵通,经营方式与品种多样,产品存在巨大的差异性,具有各自的特色,能及时满足各种市场消费需求,从而能带来良好的经济效益,农民的收入也有了稳定的来源,农业产业结构的调整步入了良性循环的轨道。

由上可见,土地经营权的流转并不改变土地集体所有的性质,也没有动摇家庭承包经营责任制。它是适应农村经济发展新阶段的需要,实现农村生产要素的合理流动与优化配置,实现农业规模化、集约化和产业化经营的必由之路。流转的关键在于使农民获得比较稳定的高于农民自己耕种土地的收益,确保土地对农民的保障功能,并力争使农民在获得稳定的土地流转收益的同时,通过从事非农产业取得更高的收益,逐步实现小康。

四、加速发展非农产业,努力增加农民收入

农村税费改革虽然减轻了农民负担,相对增加了农民收入,但是,我们也应该看到,由减负转化而来的增收是有限的。从长远看,农民收入的增加,主要依靠由税费改革启动的增加农民收入的制度安排。从农民收入的构成来看,来自农业的收入比例在不断下降。在农业地区,农业收入占农户总收入的60%左右;在一般性的农业地区,农业收入占50%;而在经济发达的东南沿海地区,农民的农业收入只占三分之一。由于农业的比较效益偏低,农民收入增长更多的依靠非农产业的发展。受人均土地资源紧缺的制约,非农产业应相对集中在基础条件较好的小城镇。因此,必须以农村税费改革为契机,大力发展非农产业,实施农民工培训计划,以促进农村剩余劳动力的转移,加快农村小城镇建设。通过拓展农民工的就业渠道,保障农民工的合法权益等方式,努力增加农民收入。

从目前的实际情况看,农民外出打工是增加农民收入最直接、最迅速的有效途径。但由于受城乡分割的二元结构的阻隔,农民工的权益难以得到保障。农民工与市民工在身份(正式工

与临时工)、工种、工资待遇、子女教育、社会保障等诸多方面处于完全不平等的地位。更难以让人接受的是,农民工的基本劳务报酬往往最后都难以兑现,据统计,截至 2003 年底,全国有关企业共拖欠农民工工资达 1000 亿元。因此,维护农民工的合法权益已经成为当前各级政府的一项紧迫而艰巨的任务。

目前,从中央到地方各级政府正在积极采取有力措施,维护农民工的合法权益。中华全国总工会发出《关于切实做好维护进城务工人员合法权益工作的通知》,要求各地工会组织依法组织农民工加入工会。河南信阳市已经有 30 万农民工加入工会[①],农民工正在成为我国工人阶级的重要组成部分与新生力量。劳动和社会保障部也下发了相应的文件,要求各地切实保障农民工的合法权益。西宁市在该市两级法院设立"农民工维权绿色通道",以法律维护农民工的合法权益。其他省市也先后采取了多种措施,依法维护农民工的合法权益。

对农业进行"两高一优"的结构调整也是增加农民收入的重要措施。要大力发展高质量、高效益的优良品种的农产品生产,以结构调整提高农民收入。在国内农产品需求不足的现实条件下,要顺应国际市场的要求,积极拓展国际农产品市场,努力扩大农产品的出口,实现中国农业与国际市场接轨,并使之成为增加农民收入的重要渠道。

五、加快小城镇建设,大力推进城乡一体化

前面我们已经分析过,农民收入增长缓慢的一个重要原因

---

① 参见《中国青年报》2003 年 9 月 10 日的相关报道。

是人均土地面积小(见附表——安徽省乡村劳动力耕地面积粮食产量表),农民得自土地的农业收益难以提高。事实上,正由于人均耕地面积小,农民每年平均真正用于农业生产的时间不足三分之一,其余时间处于空闲状态,平均每个劳动力只有不到10亩土地可以耕种,而如果出满勤,则每个农业劳动力每年可耕种30亩—50亩地。按这样的规模从事农业生产,则农业劳动生产率及效益并不低,只是由于受土地资源的制约,大量劳动力闲置,导致人均收益低。因此,如果能通过土地使用权流转,使土地相对集中于农业开发商或种养大户的手中,就能实现规模经营,而这正是我国农业走向现代化,农民实现小康的必然选择。归结起来,也就是减少农民人数,减轻农村土地承载的农业人口,让大批农业人口向城镇转移,这也是世界各国农村人口城市化的通例。

附　表

安徽省乡村劳动力、耕地面积、粮食产量统计表

年份	农村劳动力	耕地面积(千公顷)	粮食面积(千公顷)	粮食产量(万吨)	粮食单产(公斤/亩)	人均耕地面积(亩/人)
1978	1580.80	4469.16	6186.75	1482.60	159.76	4.24
1979	1612.20	4455.76	6287.83	1609.60	170.66	4.15
1980	1670.50	4446.19	6026.03	1453.90	160.85	3.99
1981	1725.60	4441.13	6024.23	1818.50	201.24	3.86
1982	1786.90	4437.35	6032.73	1933.00	213.61	3.72
1983	1844.80	4434.51	6085.80	2010.50	220.24	3.61
1984	1902.70	4429.33	6192.31	2202.50	237.12	3.49
1985	1974.00	4421.91	5898.59	2168.00	245.03	3.36
1986	2036.20	4413.85	6051.62	2371.90	261.30	3.25

年份	农村劳动力	耕地面积（千公顷）	粮食面积（千公顷）	粮食产量（万吨）	粮食单产（公斤/亩）	人均耕地面积（亩/人）
1987	2081.20	4396.91	6150.99	2428.70	263.23	3.17
1988	2167.10	4382.20	6155.15	2310.30	250.23	3.03
1989	2228.56	4373.00	6203.77	2424.67	260.56	2.94
1990	2301.48	4365.50	6246.03	2520.13	268.98	2.85
1991	2360.50	4353.51	5954.49	1749.15	195.84	2.77
1992	2432.44	4333.75	5872.97	2341.92	265.84	2.67
1993	2502.32	4315.26	6002.20	2595.90	288.33	2.59
1994	2542.83	4302.82	5879.54	2361.24	267.74	2.54
1995	2592.24	4291.12	5852.48	2652.74	302.18	2.48
1996	2618.70	4280.35	6014.57	2700.26	299.30	2.45
1997	2674.80	4261.10	6030.61	2802.70	309.83	2.39
1998	2717.54	4251.74	5991.40	2590.50	288.25	2.35
1999	2724.29	4242.48	5943.85	2771.20	311.29	2.34
2000	2797.76	4229.55	5565.58	2472.01	296.11	2.27
2001	2821.52	4218.69	5298.79	2500.30	314.57	2.24

　　然而,在如何减少农业人口,如何实现城市化的问题上,各国却有着各具特色的道路。发达国家人口密度小,城市工业发达,吸纳农村人口的能力强,所以从农村转移的人口绝大部分直接进入了城市,而一些发展中国家由于城市工商业本身并不十分发达,吸纳农村人口的能力弱,农村人口大量涌入城市后,城市急剧膨胀,带来一系列的社会问题。所以,我国在推进城市化的过程中,应吸取他们的教训。一段时间以来,有关方面倡导农村人口离乡不离土,意即可以外出务工,但不能离开承包的土地。我们认为,这种做法是不妥的。因为这样做的结果使土地仍然不能实现规模化经营,虽然保持了农村社会的稳定,但农民的收入难以提高。并且,我国宪法明确赋予公民自由迁徙的权

利,如果强行限制农民迁移,则难免有违宪之嫌。其实,市场经济本身就存在着调节劳动力资源合理流动的运行机制。我们知道,大中城市的生活费用高,对劳动力素质的要求也比较高。对于文化素质及经济能力相对较低的农民来说,他们要进入大中城市,其难度大,进入的成本也高,除了一些暂时性的苦、累、脏的工作外,很难在大中城市寻到适合自己的工作,而中小城市及小城镇的生活费用相对较低,工商业的科技含量也较低,对劳动力素质的要求也就相对低,农民进入中小城市及城镇的成本小,找到合适工作的机会大,住房价格较低也使农民比较容易安居乐业。所以,市场机制的调节作用在一定程度上能引导农民向中小城市及城镇转移。目前的问题在于,我国的中小城市规模过小,工商业也不够发达,吸纳农村人口的能力很弱。所以,我们要加快中小城市及小城镇建设的步伐。力争把省会以下的城市建成人口在100万左右,有较强经济辐射能力的地区中心城市,把县城建成人口在10—20万,有一定数量的中型企业的县域经济中心,每县建设1—3个中心小城镇,人口在3—5万左右,作为乡镇企业基地。小城镇结合农村产业结构的调整,发展以农村资源为依托的加工工业和为农服务的第三产业。

应该指出,第三产业的发展是以第一、第二产业的一定程度发展为前提条件的,产业结构的演进有其自身的规律性。如果片面强调发展第三产业,而没有第一、第二产业的物质基础,则第三产业的发展将成为无源之水。目前我国有不少乡镇在大力发展第三产业,大办市场的热潮中,建起了许多市场,但因第一、第二产业的发展水平低,不能有效地带动第三产业的发展,结果形成"有场无市"的现象。

推进农村人口城市化,乡镇企业有着不可替代的作用。重振乡镇企业雄风,充分发挥乡镇企业在吸纳农村劳动力方面的作用已成当务之急。为此,一方面要大力推进乡镇企业改制,增强内部活力。另一方面,政府应在市场准入、税收计征等多方面给乡镇企业以支持与优惠,促其重新焕发生机。

以小城镇为基地发展乡镇企业,首先要搞好小城镇的基础设施建设,如供水、供电、道路、文教卫设施等。这部分公共设施,基本上属于准公共产品,可以实行使用者付费制。在投资方面,可由国家和省级政府按公共经济原则承担部分建设资金,同时要建立小城镇建设的多元投资体制,吸收各种投资主体参与小城镇的综合开发。特别要注意吸引农民到小城镇安家落户。目前,农村兴起了盖房的热潮。农民有了一定的资金积累后,最大的消费倾向就是盖楼房。我们可以考虑吸引农民带资到小城镇自建住房,在宅基地的审批上提供一定的便利。还可结合农村税费改革中的撤乡并村、农村中小学的合并等措施,将人流、物流及资金流引入小城镇,以加快小城镇建设的步伐,壮大小城镇的实力。

发展小城镇决不能遍地开花,一哄而上,而要统筹规划,合理布局,因地制宜,形式(模式)多样。既可以是工业主导型,也可以是交通枢纽型、商业贸易型或文化旅游型等。要把乡镇企业的发展和小城镇的规划与发展结合起来,形成二者的良性互动。

在农村税费改革中,无地无税的农民未承包土地,他们的生活主要靠非农业收入维持。从实际情况看,他们的收入往往比较高,税改后他们只承担农业税附加,要创造条件首先让这类农业人口进入小城镇,鼓励他们到小城镇从事工商业生产与经营。外出务工的农民,经过较长时间的艰苦创业,往往已学得一技之长,并有一定的资金积累,许多人也热心回乡创业,这类人员也是小城镇建设的重要力量。

小城镇的发展,直接减少了农业人口,从而减小了农村土地的人口承载量,相对增加了农村现有人口的人均土地面积,他们的收入也将因此而增加。小城镇的乡镇企业,要注意吸收农户家庭的劳动力进厂务工,争取每个农户有一名进厂务工者,防止纯农业生产经营户的收入与小城镇居民收入之间产生过大差距,引起"马太效应"。

总之,要通过深化农村税费改革及配套措施,促进农村土地使用权的合理流转,调整农村产业结构,提高农业生产的经济效率与效益;通过发展中小城市和小城镇以及重振乡镇企业的雄风,大量吸纳从农村转移出来的农业人口,使他们由农民变为市民,并形成国家、集体、企业、个人多元投资开发机制,把中小城市特别是小城镇建设成功能完备、辐射力强的地区或农村社区经济文化中心,从整体与机制上提高农村经济的自我发展与创新的能力,实现我国社会城乡一体化的统筹发展。农村土地制度的创新,关键在于探索出土地集体所有制度的实现形式。

六、农村土地私有制在中国行不通

作为社会主义国家,我国农村土地实行集体所有制。由于现行土地集体所有制的实现形式存在着一些弊端,不利于按市场经济的效率原则对土地进行优化配置。由此,一些人对农村土地集体所有制产生了怀疑,极少数人甚至提出了农村土地私有化的主张。我们认为,这种观点是完全错误的。农村土地实行集体所有制,既是社会主义制度的本质要求,也是我国特定国情条件下的必然选择。

我国有九亿多农民,他们分布在自然条件千差万别的广大农村地区。实行土地村集体所有,也就意味着他们在村集体这一社区内平等地共同享有土地所有权,以及由使用权派生的收益权。作为农村最基本的生产资料,保障农民的基本生活是土地的最基本功能。如果实行土地私有化,必然会使大量农民失去土地,丢掉了"命根子",农民的生活也就失去了保障,而少部分人则会凭借其拥有的大量土地,成为名副其实的地主,人剥削人的现象将不可避免地普遍出现。这是社会主义制度所不能容忍的。

从理论上分析,土地私有化主张的错误在于,把所有制与所有制的实现形式混为一谈。当前农村土地制度存在的问题,并不是集体所有制本身的问题,而是集体所有制的实现形式存在的问题。正如本章第一节和本节上述分析的那样,现行农村土地制度的实现形式,使农民的收益权得不到保障,个人与集体的利益关系界定不清,产权主体"缺位"与"越位"并存。农村土地制度创新,绝不是要否定农村土地集体所有制,而是要在马克思主义产权理论的指导下,进行土地集体所有制实现形式的改革与创新。

按马克思主义制度经济学的产权理论,所有权与经营权既可以统一,也可以分离,这就为农村土地制度的创新提供了科学的理论依据。农村承包制依据的正是所有权与经营权分离的理论,农村税费改革则要求进一步深化农村土地制度的改革。可考虑把农村土地的集体所有权分解为收益权、使用权、处置权等具体权利,由集体行使终极所有权,而收益权及使用权等具体权利则股份化。农民享有收益权,并可依法进行股份的变更与处置。

由于我国农村人口众多,人均土地面积小,因此,土地只能适度规模经营。否则,必然会因土地过于集中,农村人口向城镇转移困难,影响社会稳定。当前,浪费农村土地资源的现象十分严重,名目繁多的开发区,圈占了大量的农业用地,有的名为开发区,实则是炒卖地皮。因此,必须严格土地资源管理,切实加强基本农田的保护工作。

农村税费改革,是农村分配制度的创新,它大大减轻了农民负担,从而也就相应增加了农民收入。但是,靠减负而增加的农民收入是十分有限的,农村分配制度的创新,关键在于形成农民收入的增长机制,为此必须拓宽农民增收的渠道。粮食流通体制的改革是农村税费改革的延伸与深化,在这次粮食补贴改革中,要注重国家的粮食安全,这是事关国计民生的重大战略问题,决不可掉以轻心。农村土地制度的创新,是税费改革中分配关系的变革对生产关系提出的必然要求。农村土地制度的变迁,绝不是要变现行村集体所有制为个人私有制,而是要在坚持村集体所有制的前提下,运用马克思主义产权理论,对农村土地产权进行科学分解,强化农民的土地收益权和经营权的流转,实现土地的适度规模经营。

如果说上述三项制度改革主要是从微观的角度,着眼于农业内部制度的变迁的话,那么,在公共经济的平台上,从宏观的角度对税收制度、财政体制、金融体制、乡镇行政管理体制、农村教育体制进行变迁,则对解决农村税费改革的内在矛盾具有决定性、战略性意义。因为,为特定经济发展战略服务的制度安排,实质上是通过城市偏向的财税、金融等制度的安排实现的。所以,从宏观上对这些制度变迁进行分析,是本书的内在逻辑要求。

第六章 农村税费改革的
效应分析(下)

　　农村税费改革不仅要对农业税进行量的调整,还要对农业税制本身进行根本性的制度变革;各级政府收入来源与支出结构的变化,要求对现行财政体制进行创新,建立公共财政体制;乡村债务的化解,农村经济的发展,也迫切需要农村金融体制的创新;农村经济基础的变革,要求乡镇行政管理体制创新;农村教育投入体制的变化,要求农村教育体制创新。因此,农业税收制度、国家财政体制、农村金融体制的创新,乡镇行政机构的改革及农村教育体制的创新,是深化农村税费改革最直接、最迫切的要求,也是化解农村税费改革内在矛盾的必由之路。惟有如此,才能真正巩固改革的成果,展现农村税费改革的巨大绩效与促进生产力的发展。本章主要分析农村税费改革在税收制度、财政体制、金融管理体制、乡镇行政管理体制及农村教育体制等方面引发的制度创新。

第一节　农村税费改革与农业税收制度创新

农村税费改革需要对农业税收制度进行创新,以从根本上减轻农民负担,实现社会公平,促进农村经济社会的稳定发展。本节在前面有关章节分析的基础上,通过对农业税收制度沿革的进一步分析,力图揭示农村税费缺陷的制度根源,并综合农村税费改革揭示出来的农业税征管方面存在的问题,分析说明深化农村税费改革必须进行农业税收制度的创新。

一、农业税收制度的沿革及缺陷

农业税是国家对从事农业生产、有农业收入的单位和个人征收的一种税。我国现行农业税是在上世纪 50 年代的农牧业税基础上制订的。其法律依据是 1958 年实施的《中华人民共和国农业税条例》。农业税的立税宗旨是,按宪法关于"中华人民共和国公民有依照法律纳税的义务"规定,为了保证我国社会主义建设,并有利于巩固农业合作化制度,促进农业生产的发展。[①] 农业税的征收实行比例税制,其计税依据是粮食作物的亩均常产;征税对象为农业总收益,即不扣除任何物化劳动和活

---

① 参阅《中华人民共和国农业税条例》第一条。

劳动消耗的农业总收入。

农业特产税是国家向从事农业特产生产的单位和个人征收的一种税,它属于农业税的一种。开征农业特产税,是为了合理调节农林牧渔各业生产收入,公平税负,促进农业生产全面发展。① 开征农业特产税,是1994年我国税制改革的重要措施之一。国家把原来征收产品税的农林牧渔业税并入农业特产税。农业特产税的征收范围是农林牧渔的初级产品,计税依据是农业特产品实际收入。

农业税条例实施40多年后的今天,我国经济社会条件发生了巨大的变化,农村经济与农业生产的情况也与条例实施之初大不相同。农业税制经过40多年的运行,其制度性缺陷也日益显现。

首先,农业税税制设置不科学,定性不准确。农业税以产业部门的类别作为具体税目的名称,客观上增大了对农业税定性的困难。农业税到底是资源税还是产品税?亦或是所得税?谁也说不清楚。在实践中,我们是以耕地面积作为征收基础的,所以,现行农业税具有土地税或资源税的性质。但我国的耕地面积几十年来已经大幅减少,从1957年到1995年,我国净减少耕地1690万公顷,平均每年减少44.4万公顷②。这种状况必然产生地与税脱节的现象。从我国现行农业税计税依据看,它是以土地的常年产量为依据,所以农业税又具有产品税的性质。在税收征管的过程中,农业税的计税依据是土地的总收入而不是

---

① 参阅《国务院关于对农业特产收入征收农业税的规定》第一条。
② 彭珂珊:《跨世纪中国粮食面临的问题及对策》,《吉林省经济管理干部学院学报》2000年第1期。

纯收入,工业产品的计税依据则是其经营活动的纯收益或增值额。把农民的土地总产量作为计税依据,也就把农民在生产过程中的各种物质投入及其他成本都计入了征税范围,这就从税收制度上实行了加重农民负担的制度安排,使农业和农民处于不平等的地位①。这也反映出这样一个事实,即现行农业税制是为适应优先发展工业化战略而进行的制度安排,是以农补工财政体制的实现形式。如果说农业税是所得税,则应该设定起征点,且城乡居民所得税的起征点应该一致,以实现税负公平的原则,但城乡居民收入差距较大的现实,使这一观点缺乏现实基础的支持。

事实上,我国现行农业税具有地租的性质。从纳税主体看,农民之所以交纳农业税,是因为自己行使了土地经营权,而不承包土地、未行使土地经营权的农民,则不交纳农业税。从计征依据看,现行农业税以土地面积为计税依据,"摊丁入亩"。从征收的时间看,农业税在夏秋两季农民收获农产品后交纳。这些都符合地租的质的规定性。但这样就出现了一个矛盾:我们知道,地租是土地经营者为取得土地经营权而向土地所有者支付的代价,农村土地实行集体所有制,从理论上说,农民应该是土地所有者,那么农民到底在向谁交纳地租呢?现实经济生活中,农业税主要是交纳给各级政府。这样,政府就行使了"地主"的权利。由此可见,现行农业税的设置是不科学的,造成租税不分的现象,现行农业税制具有明显的过渡性质。

————

①　参阅杨卫军、许军:《取消农业税刍议》,《安徽大学学报》(哲社版)2002年第3期。

其次,现行农业税的实际税率过高。农业税条例规定的农业税全国平均税率为常年产量的 15.5%,各省、直辖市和自治区可以根据不同经济情况,分别确定。看起来这个税率不高,但如果考虑到农业生产的成本不断上升,农业生产的增值率低这一现实,则农业税 15.5% 的税率不是低了,而是太高了。如果把我国的农业税换算成增值税,我国耕地农业生产的增加值一般不超过 30%,这样农业的增值税率将达 45%(以我国农业税的平均税率 15.5% 计算),这不但高于发达国家增值税的基本税率,也大大高于发达国家农业实际负担的税率。按增值税征收的西方发达国家的农业税实际税率基本上都在 20% 以内。并且,在实际操作中,许多国家都对农业实行优惠政策,使农业税大大低于增值税基本税率,如法国农业税为 7%,德国为 6.5%,意大利为 2%,荷兰为 4%,比利时为 6%①。如果以我国工业的平均水平 10% 的增值率来计算,则我国农业税的实际增值税率将达 170%②。如果把以"三提五统"形式存在的收费考虑进去,则这一税率更会高得不可想像。

再次,现行农业税条例为加重农民负担提供了便利的制度安排。《中华人民共和国农业税条例》第十四条规定:"省、自治区、直辖市人民委员会为了办理地方性公益事业的需要,经本级人民代表大会通过,可以随同农业税收地方附加。地方附加一般不得超过纳税人应纳农业税额的 15%;在种植经济作物、园

---

① 数据来源:冯海发:《关于我国农业税制度改革的思考》,《中国农村经济》2001 年第 5 期。

② 参阅杨卫军、许军:《取消农业税刍议》,《安徽大学学报》2002 年第 3 期。

艺作物比较集中而获利又超过种植粮食作物较多的地区,地方附加的比例,可以高于15%,但最高不得超过30%。"地方附加的开征,是加重农民负担的制度根源。地方附加实际征收过程中的变相加征现象的普遍存在,使条例规定的最高比例限制失去了实际意义。如安徽省1990—1999年,农民平均税外负担竟然达到农业税税额的1.96倍[①]。

最后,农业特产税已经失去其功能而成为农业产业结构调整的障碍。开征农业特产税的目的是为了调整农业内部的产业结构,确保粮棉油等重要产品的生产。但目前,我国的粮棉油生产已经出现供大于求的格局,农业迫切需要进行产业结构调整,而农业特产税较高的税率,无疑成为实施这一调整的障碍。

二、改革后农业税制仍然存在的问题

这次农村税费改革,虽然从总体上减轻了农民负担,规范了农业税的征管制度,但农业税制仍然存在着以下几个方面的问题:

第一,新税制的设计没有充分考虑甚至忽视了农民负担的结构因素,把农民负担问题仅仅看成是一个降低平均税负水平的问题;在新农业税设计方面采取一刀切的办法,有可能加大部分农民的负担。由于这次改革在取消各种收费的同时,提高了农业税税率,而农村中收入较低者在收入结构方面以农业收入为主,因此这部分农户更容易受提高农业税税率的负面影响,即

---

① 数据来源:张士云:《对农业税费制度改革的思考》,《农业经济问题》,2001年第8期。

负担的绝对量减少不多或没有减少,而负担的相对量甚至增加了。换句话说,即使农民平均负担由于取消各种收费而减少,最低或较低收入者的负担也未必减少,而减少这部分低收入人群的税负水平恰恰应该是农村税费改革的基本目标。从目前已经出现的情况来看,有些收入比较高的人群,税改后税负的降低对其收入水平影响并不大,即使是税改前较高的税费水平,他们也能承受。但税改却使地方财政吃紧,并增加了上级政府财政转移支付的压力。财政转移支付并没有更多地落到应该接受补贴的收入较低者手中,导致财政支出缺乏瞄准性,这也是税制设计和转移支付机制安排应该避免的问题。

第二,当前的税改方案在农业税税率的具体确定和征收办法上也存在一些问题。比如,相对统一的农业税税率忽视了根据纳税能力征税的基本原则。在一些农村工商业比较发达、财政收入主要来自于非农业税源的地方,原来就没有太多的地方性收费,提高农业税税率反而可能增加了农业和农民的税负水平,即使在经济不太发达的地区,农业税税率在不同区位也未必要划一,比如一些地处郊区,人均土地面积比较少,但级差地租比较高的地方,如果农业税以耕地面积为计税依据,而且农业税的计税常产以过去几年的粮食作物平均产量核定,就必然导致税收降低过多,不必要地扩大了地方财政缺口。

第三,形式上,目前的农村税费改革希望通过建立新体制的办法来减少农民负担,但似乎并没有充分考虑基层财政的可持续性。到目前为止,还没有看到上级政府尤其是中央政府在转移支付方面的制度性和常规化安排。因此,税费改革最终可能仍然摆脱不了利用行政性措施来强行实施的习惯性做法。试想,在地方财政出现巨大压力,而上级政府财政转移支付又无法完全补足的情况下,上级政府要么背离原先不再收费的承诺,要么就不得不采取强制性行政措施,来要求地方必须在不增加税费的前提下自行克服财政困难,而地方政府为了正常运转的需要,加上可能被已经存在的遗留债务问题捆住手脚,往往很难做到这一点。

第四,新税制改革忽视了上级政府管制的实施在农村税费问题上的关键作用。实施上级政府的各种管制构成地方政府的主要任务,在不同级政府之间信息不对称的情况下,上级政府难以弄清执行这些管制到底需要多少经费和人员,也就不可能建立起责、权、利明晰的转移支付制度,地方政府总是有各种理由要求扩大转移支付。事实上,这一问题在农村税费改革刚刚开始后不久就已初露端倪,很多地方政府并不是努力去削减地方行政开支、裁减冗余人员,而是以各种理由去千方百计争取上级政府的转移支付。这是上级政府要通过下级政府实施管制,但又存在信息不对称情况下的必然结果。从这个意义上讲,放松和解除不必要的管制构成了解决农民负担问题,乃至建构农村可持续发展新税制的关键环节。

第五,这次税改强调了减少税负的绝对水平,却没有充分考虑建立健全地方公共财政体系,并为农村公共产品供给建立充足、高效的融资渠道。在放松和解除上级政府管制后,基层政府的工作重点必须转移到提供地方性公共产品,包括基础设施、农田水利和农村基础教育等方向来。实际上,有效的公共产品供给能够提高农业和农村经济的生产力,并最终有利于农民收入和生活水平的提高。因此,在合理利用财政支出的前提下,税负绝对水平的提高可能会伴随税负相对(于收入)水平的下降。从这个意义上讲,单纯强调减少农民税费的政策可能具有片面性。

第六,改革后,行政村内的公共产品以"一事一议"的方式筹资。在基层民主体制还不健全的情况下,一事一议原则可能由于交易成本过高而难以操作,甚至导致本来可以兴办的公共事业无法进行。这就需要在加强农村民主法制建设的同时,进一步完善农业税收制度,而不能为减轻农民负担把"一事一议"的筹资变为临时性措施。

三、农业税收制度的创新

从我国农业税的立税宗旨不难看出,我国现行农业税是为适应优先发展工业化的经济发展战略而进行的税收制度安排。因此,农业税制改革,首先要改变农业税的立税宗旨,要把促进农村经济的发展,适应农业经济发展新阶段的要求作为完善农业税制的指导思想,充分贯彻公平税负的原则。按这一指导思想,独立的农业税制应逐步过渡到城乡统一的个人所得税制。

如前所述,我国现行的农业税制的设置,在理论上定性不清,很难归类;在实践中引起混乱,是人地共担还是土地独担,很难施行。如果由土地承担,会引起农户之间的税负不公的现象,使以种田为主的农户负担加重,这就违背了农村税费改革减轻农民负担的宗旨;如果人地共担,就必须以居民的户籍为依据,凡属于农业户口的居民,都要承担农业税,这就违背了税负公平的原则。因此,农业税制的改革,不能只对原有农业税制进行修补,而应该进行农业税制创新。本着尊重历史、正视现实的原则,我们认为,农村税费改革的深化和农业税制的创新,应分步实施,逐步过渡。具体地说,就是要先实现农业内部的税负公平,然后在缩小城乡差别的基础上,实现全体公民的税负公平。

在农业内部实现税负公平,是指农村人口的税负必须与农业人口的负担能力和收入结构相适应。目前,农民收入结构发生了巨大变化,农业生产的收入占农民收入的比重日益下降,出现所谓"吃饭靠种田,花钱靠打工"的现象。现在完全把农业税"摊丁入亩",造成了种田收入低、税负重,从事非农产业生产,收入相对较高、税负反而轻的不公平现象。所以,我们设想,可以把这次税费改革中以承包土地为农业税征税对象的做法,改为人地共担。具体地说,农业税由农业人口和土地分担,人三地七。一方面降低了纯农业户的税负,另一方面使从事非农产业、享受了农村公共产品的农户尽到了纳税的义务。这样在农业内部基本上实现了税负公平。

在全社会实现税负公平,是指凡本国公民,都应该在同一个标准的前提下,以自己的负担能力为依据纳税。按这一要求,我国现行农业税制显然必须进行根本性变革与创新。从世界各国的税收制度看,基本上没有单独设立农业税这一独立税种的做法。在统一的税制下,农民的税收负担与其他社会成员一样,按其经济活动的属性分别在相应的税种下交纳相应的税额。西欧的主要国家,在国家的税收制度中也没有单独设立农业税税种,农业的产品税与工业等产业一样纳入增值税的税种征收[1]。我

---

[1]　参阅杨卫军、许军:《取消农业税刍议》,《安徽大学学报》(哲社版)2002年第3期。

国也应该借鉴这一做法,逐步取消现行农业税,按农民经济活动的性质分别纳入相应的税种征税,以实现全社会税负公平的目标。同时,这样做也是顺应 WTO 绿箱政策的要求。因为现行农业税以土地为承担对象,直接提高了农产品成本,削弱了我国农产品在国际市场上的竞争力。将农业税改由人地分担,并逐步取消农业税,改征其他税种,会直接降低农产品的生产成本,符合 WTO 支农政策的要求,有利于我国农产品参与国际竞争。

有种意见认为,我国应该像巴西等国家一样,在农村改征土地税。理由是,现行农业税以全体承包土地的农民为纳税人,交易成本太高,而改征土地税,以行政村的集体经济组织为纳税人,必然大大降低交易成本。我认为,这种主张在理论上有一定的合理性,改征土地税有利于解决我国农村税费交易成本高的问题,但问题在于,我国目前尚不具备开征土地税的条件。与巴西等国的土地制度不同,我国农村的土地属于村集体所有,但村集体并未能真正成为经济组织,村组织无法履行纳税的义务。所以,目前这种主张在实践中并不可行。

从农业内部的税负公平到全社会的税负公平,是一个深化农村税费改革与税收制度创新的过程,改革不可能一步到位。目前,取消农业税改征其他税种的条件并不成熟。因此,我们首先要从现行农业税收制度的三大基本要素,即纳税人、征税对象和税率入手,逐步深化农村税费改革。

农业税的纳税人应是承包土地、有农业生产收入的农户(这里不论及农业税的其他纳税人)和虽然无地但有从事非农产业收入的农户。因此,对不承包土地、无农业收入但有非农收入的农业人口,也应征收农业税,即负担农业税中的人口分担部分。凡是符合农业税纳税人条件的农户,必须按时按量交纳农业税。乡、村不得以借贷垫支的方式交纳农业税,要坚决防止乡村产生新的债务。对农户尾欠的税费,有纳税能力的要依法追缴;经济困难确实没有负担能力的,则要依法减免。

农业税的计税依据是二轮承包土地计税常产。因此,对计税常产的确定,一定要准确。要防止乡村以抬高基数的办法加重农民负担。同时,要消除"有地无税"和"有税无地"的现象。

农业税税率的确定,事关农民的税收负担水平。这次税费改革中,农业税实行地区差别比例税率,最高不超过7%。由于现行农业税的征收形式主要是现金,所以农业品的价格直接影响农民的税负水平。要依据农产品的市场行情,合理确定农业税税率。农业税税率应逐年降低,每年降低一定的百分点,为最终取消农业税创造条件。采取逐步过渡的办法而不是一步到位,比较适合我国的实际。因为,各级财政需要逐步增强供给能力,这样才能填补因农业税的降低而形成的财力缺口。

加强农业税征管是完善农业税制度的重要内容,为此必须做好以下工作:

(1)实现征管行为的法制化。要健全农业税征管的法律法规,对具体的征管程序、环节、代扣代缴、税务代理等,都要做出明确详细的规定,使征管工作有法可依。

(2)实现征管手段的现代化。要建立农业税征收的电子系统(在初期可利用现有税务系统的网络),提高征管效率,降低征收成本。

（3）提高征管工作的服务水平。绝不能再以"抬物扒粮"的方式征收农业税，要树立服务意识，以便民为原则。在时间的安排上，要尽量在农闲时征收，也可以实行常年征收与集中征收相结合。

鉴于农业特产税已经失去了原有的调节农业内部收益、促进粮棉油生产的功能，我认为应该取消。事实上，农业特产税目前已经成为农业产业结构调整的重大障碍，且在实际征收的过程中，容易出现重复征收及征收成本高的问题。所以，取消农业特产税是加快农业产业结构调整的迫切要求，有利于农民在现有的土地上发展"两高"农业，从而增加农民收入。安徽省从2003年开始，取消了农业特产税，改征农业税，受到广大农民的普遍欢迎。

税费改革中，为了减轻农民负担，基层政府把农村社区的公益事业筹资改为"一事一议"。由于这一方案缺乏可操作性，加之部分农民有"搭便车"的心理，目前大多数农村社区实际上无法开展这一工作，农村社区公益事业已经基本陷入无人过问的境地，加剧了农村公共产品的短缺。为改变这种被动局面，可考虑把"一事一议"筹资纳入农业税附加中，上限标准不变，只需将附加比例稍作调整。这部分费用随农业税征收后，全额返还行政村，专门用于"一事一议"所议定的事项。这样一方面使农村社区公益事业有可靠的经费保障，另一方面又排除了"搭便车"的干扰，充分按农民群众的意愿办事。

四、完善分税制，确保基层有稳定的收入来源

农村税费改革切实减轻了农民负担，但也给基层政府带来

了巨大的减收压力。我国县乡基层政府的收入来源主要是农业税,在一些农业大县,农业税收占其收入来源的60%以上。税费改革直接减少了基层政府的收入,使之出现运转困难。因此,必须从宏观上对国家税收制度进行改革,才能巩固农村税费改革的成果。

我国1994年税制改革建立了以增值税为主体税种的流转税系和以企业所得税为主体税种的所得税系,为分税制的初步实施奠定了基础。我国目前的地方税体系很不健全,地方税主体税种少,缺乏大宗税收收入。划给地方的税种数量不少,但由于税源分散,每个税种的收入很有限,缺乏大宗主体税种,收入规模过小,税源缺乏增长机制,有的还日益萎缩,不能随经济发展而增加。为了能够真正发挥分税制的作用,必须使地方税税源成为一个能够增长的变量,形成内在的增长机制。

按第一章关于农村公共产品的分析,各级政府的财权应根据自己在农村公共产品供给中的职责确定。财权的最根本的问题,是分税制中的税基问题。各级政府都应该有自己大宗的税种和稳定的税源。现在省以下政府大宗收入是营业税,而从前景来看,应该发展不动产税,在省级以营业税为财源支柱的同时,县级以财产税为财源支柱。不动产税是最适合基层地方政府掌握的税种,这类不动产税可形成非常稳定的税源,"跑得了和尚跑不了庙"。只要地方政府一心一意优化投资环境,自己辖区内的不动产就会不断升值。每隔一定年限重新评估一次税基,地方政府的财源就会随着投资环境的改善不断扩大。这样,地方政府职能的重心和其财源的培养,便非常吻合了,正好适应政府职能和财政职能调整的导向。现在我国税收盘子中不动产税还是一个很小的部分,对于外资企业征收统一的房地产税,对于内资企业是房、地分开的,而且没有充分考虑地段的因素,没有按一定年限重评税基的规定。借鉴市场经济国家的经验,我们应逐渐把不动产税调整为统一的房地产税,同时考虑不同地段及地价变动等因素,适时对税基进行重新评估。这样,不动产税就会逐渐随市场经济发展而成为地方政府的一个支柱性的重要税源。面积和造价差不多的一处不动产,坐落于繁华的闹市区或坐落于边远的郊区,在税基的体现上可以相差几倍、十几倍,甚至几十倍、上百倍。在市场经济条件下,地方政府应该看重的是优化投资环境,使辖区里的繁荣程度提升,房地产不断升值,同时也就扩大了自己的税源,而形成稳定的大宗的财政收入来源。这是"一级税基"原则用于基层政府层次所应该探讨的一个非常重要的方面。

分税制的另一个题中应有之义,就是地方政府从长远发展来看,势必应该具有必要的税种选择权、税率调整权,甚至一定条件下的设税权。1994 年税制里,只开了一个小口子,有两个税种即筵席税和屠宰税,允许地方政府选择是否开征。2000 年以后,农村税费改革的方案里,屠宰税已被取消,筵席税在绝大多数地方也没有开征。这种地方政府很小的选税权,显然还不能适应今后分税分级体制的要求。所以在进一步深化财税体制改革的过程中,怎样扩大地方政府税收方面的选择权、税率调整权、一定条件下的设税权,在中央必要约束条件下通过地方的人大和立法形式来建立地方自己的税种,是一个值得深入研究的大课题。

第二节　农村税费改革与公共财政体制的建立

毛泽东同志指出:"国家的预算是一个重大的问题,里面反映着整个国家的政策,因为它规定政府活动的范围和方向"①。农村税费改革后,基层政府的收入来源与支出结构发生了重大变化,出现了减负与基层财政运转困难的矛盾,这就要求财政体制进行相应的改革与创新。本节依据公共财政理论分析基层财政体制(指县乡财政,下同)的改革与创新,说明实现基层财政的平衡是巩固农村税费改革成果的必然要求。

一、现行财政体制的缺陷与基层财政困境

我国现行财政体制是 1994 年税制改革后建立起来的分税制财政体制。它是在原有计划经济财政体制的基础上演化而来的,带有明显的旧体制的痕迹,运行中暴露出多方面的缺陷。

1. 事权财权划分不清。事权与财政相适应,以事权为基础划分各级政府收支范围与管理权限,是分税制的核心与基础。由于我国政府职能处于转型期,各级政府之间的事权边界不明晰,1994 年的分税制改革只得以原有政府事权为基础,用基数法划分各级政府的收入,从而导致各级政府之间的财权与事权不对称。

2. 上下级政府间存在着"事权下放,财权上收"的倾向。这

---

① 《毛泽东文集》第 6 卷,第 24 页。

是由事权界定不清必然导致的后果。在政府机构改革的过程中,政府间的事权必然要进行整合。上级政府的倾向性偏好是下放事权,上收财权。

3. 财政体制的变迁过程中权力约束软化。在财政体制演变过程中,由于过分夸大地方理财的自主性,乡镇财权得到形式上(只出政策不出钱)的扩大并处于分散状态,特别是非规范财权的扩大,使得乡镇政府的好财偏好不断膨胀,自收自支行为随处可见。在财权扩大时,乡镇财政运转中不同程度偏离了财政职能的本质要求。财政体制缺乏外在的约束力,乡镇人大对财政预决算及其他政府性收支监督软化,这也是当前财政体制下乡镇政府收支行为不规范、透明度不高的重要制度性因素。

4. 基层政府事权大、财源小,基层财政陷入困境。在我国现行行政区划框架内,除极少数经济发达地区外,县乡两级政府均属于以农业经济为主的农村基层政权,处于我国行政结构的最底层。基层政府直接面对广大的人民群众,党和政府的各项方针政策与具体措施要通过它们贯彻落实,人民群众的要求与意愿要通过它们了解与反映。基层政府的事务繁杂,且多为突发性任务,为此不得不增人增机构。加之上级政府各部门的机构设置强调上下对口,使乡镇行政机构膨胀,基层政府职能的缺位与越位问题突出。在事权扩大的同时,其财权并没有相应扩大,仍然是以农村税费为其基本收入来源。农村税费分散、征收成本高,为维持机构运转,乡镇干部又不得不花费大量精力征税收费。

农村税费改革后,基层政府的事权并没有明显减少,但其财政收入来源发生了重大变化,财源大大缩小。具体地说,乡镇政府的收入减少部分主要是原来的"三提五统"形式的收费,这部分原来占其财政收入的绝大部分,也是农民不合理负担的主要部分。改革中取消这部分后,乡镇机构失去了财力的支撑,陷入了难以正常运转的困境。现在许多乡镇主要以只发部分工资(前四项)的方式维持最低水平的运转,难以长久支撑下去。

税费改革中,取消了原来向农民征收的农村教育附加费,原来由乡镇财政负担的农村中小学教师的工资上收到县财政,增大了县级财政的压力。由于县本级财政没有增加相应的收入,目前上收的农村中小学教师工资主要靠上级财政转移支付发放,但这种转移支付基本上是为支持农村税费改革而采取的临时性措施,并没有通过实质性的财政体制创新,建立公共财政体制并进而形成规范化的转移支付制度。

现行财政体制的上述缺陷是如何产生的? 要回答这个问题,就必须回顾我国财政体制的变迁。

二、我国财政体制的变迁

基层财政是我国国家财政的一个重要层次与组成部分,因此,要分析基层财政体制变迁问题,我们首先应回顾我国财政体制的变迁。

我们知道,财政体制是指,中央政府与地方各级政府之间在财政管理方面划分职责权限和相应的收支范围的制度。其核心是集权与分权的关系。区分不同财政体制的主要标志是财政集权与分权的程度和模式,其实质是如何确定财政收支规模在中央和地方之间的界限①。财政管理体制作为经济体制的一个重

① 参阅张佑才主编:《财税改革纵论》,经济科学出版社2001年版,第42页。

要组成部分,是受经济体制的制约和支配的,在同一经济体制的不同发展阶段,也会存在不同的财政管理体制。

建国以来,我国财政体制的变迁主要经历了以下几个不同的发展阶段:

第一阶段,统收统支的财政体制。

改革开放前,我国实行的是高度集中的计划经济体制,统收统支的财政体制就是为这一体制服务的。具体表现为:中央要求地方将所有的财政收入上缴中央,地方提供公共产品及生产建设所需资金均由中央核定拨给,财政支出覆盖整个社会的生产、流通、消费等领域,财政在国民收入的分配和再分配中处于绝对支配地位,财政实质上是实行完全意义上的供给制。

统收统支的财政体制在运行的过程中,主要是通过严格的价格管制实现的。政府为保证优先发展工业化战略的实现,以价格"剪刀差"的方式把农业等部门的利润转移到工业部门,通过这一强制性制度安排,形成重工业优先的积累机制。国家则从工业部门获取财政收入,从而绝对性地支配财政资源。这种财政体制切断了地方财政收入与地方公共产品供给的直接联系,地方政府实际上没有形成真正意义上的一级财政,不具有独立的主体地位,其财政实质上成了中央财政的派出机构,只能被动地执行中央政府的财政计划,地方政府也因此失去了理财的积极性与主动性。

统收统支财政体制,客观上造成了地方财政吃中央财政的"大锅饭"。地方从本位主义出发,向中央要投资,要项目,形成"会哭的孩子有奶吃"的不合理现象。与此同时,国家作为国有企业的投资者和所有者,与企业形成了"父子"关系,又形成企业吃国家的"大锅饭"的局面。

统收统支的财政体制是以牺牲农业的利益为前提与基础的,一旦农业出现问题,工业生产也就随之产生波动,并最终影响国民经济的全局。国家不得不对国民经济进行调整。改革开放前的几次经济波动及调整就是很好的例证。从财政体制方面看,则是在经济调整时,采取压缩财政支出与基本建设规模、向银行透支及冻结银行存款等措施,以减轻财政压力。到改革开放初期,国家不得不寻求新的财政制度安排,希望通过制度创新来实现财政的良性运转。

第二阶段,分灶吃饭式的"财政包干"体制。

我国的经济体制改革是从农村开始推动的,而农村改革中实行家庭承包责任制所取得的成功效应,深刻地影响着人们对改革中制度创新与变迁路径的选择。分灶吃饭式的"财政包干"财政体制则正是这种选择的结果。

"财政包干"财政体制实行的时间是从 70 年代末到 90 年代初。具体地说,1980～1984 年,除京、津、沪外,其他省份都实行了"划分收支,分级包干"的财政体制;1985～1987 年,又实行"划分税种、核定收支,分级包干"的财政体制;1988～1993 年,垂直划分各级政府的经济职责,由地方政府将其税收中的特定份额上解给中央政府,或由中央政府对地方政府以不同形式予以特定数额的资金补助,一定数年不变,这也就是"大包干"财政体制。

在对中央政府与地方政府的财政关系进行调整的同时,国家对财政与企业的关系也作了调整。从 1979 年起,对国有企业实行"放权让利"的利润留成制度;1993 年,实行第一步"利改税",将国有企业向国家上缴利润改为按实现利润的 55% 缴纳所得税;1984 年,又实行第二步"利改税",将国有企业应上缴国家的财政收入按八个税种向国家缴税,也就是由"税利并存"逐渐过渡到完全的"以税代利",税后利润归企业自己安排使用。由于"利改税"没有达到政府增收、企业增效的目标,国有企业随后又开始实行企业承包经营,即"包死基数,确保上缴,超收多留,欠收自补"。承包制是依据企业行政隶属关系在各级政府间来划分企业收入的。

从承包制实行的结果来看,中央和地方、财政和企业都实现了利益的增长,既保证了财政收入,又保证了地方和企业可以得到较大的边际留成,显示出"财政包干"制度具有较好的激励机制和动力机制。这一体制实行后,中央和地方的财政收入都得到了快速增长,居民个人收入也大幅度提高,城市居民生活明显改善。然而,由于这一财政体制是建立在原有计划经济体制之上的,承包制并没有真正改变旧体制的体制构架,没有打破既得利益格局,因此"财政包干"体制的激励动力机制的效应呈递减之势。以至在该体制释放出创新之初的激励能量之后,其固有的弊端便日益显露出来。在具体承包的过程中,承包方案是中央与地方、地方与企业相互博弈的结果,地方和企业从自己的利益出发,在与中央政府的讨价还价中利用自己信息优势谋取短期利益,企业在与地方政府的讨价还价中,降低承包基数,进行掠夺式经营。随着中央财政边际增量的递减,中央财政的压力日益增大,但中央财政为支持改革措施的施行,其支出规模却不断扩大,中央政府只得出台政策,由地方财政负责实施,出现了所谓"中央请客,地方买单"的现象。地方政府及各部门受自身财力的限制,又迫于完成中央政府交给的任务的压力,便开始寻求更大规模的预算外资金和各种行政事业性收费,而这一点也正是乱收费的财政体制之源头。地方与部门借机强化自身利益,乱收费之风日益盛行。"上面千条线,下面一根针",地方与各部门乱收费的后果,在农村具体表现为针对农民的各种乱收费、乱摊派,广大农民不堪重负。也正是在这时,基层财政,特别是乡镇财政,开始完全依赖于"三提五统"式的乱收费支撑。

第三阶段,分税制财政体制。

为了克服"分灶吃饭"式"财政包干"体制的弊端、适应发展社会主义市场经济的需要,我国于1994年对税制进行了重大改革,实行分税制财政体制,即分税制。

分税制是当今世界市场经济国家普遍实行的一种财政体制,它是在取消企业行政隶属关系、政企彻底分开的前提下,中央与地方政府之间实行的规范化的财政收支划分制度。包括政府间事权的划分、财政收支范围的划分、税种收入的划分或税款分成的比例划分等。

1994年的分税制改革是在统一领导、预算分立;财权与事权相统一;兼顾公平与效率;法制化管理等原则的指导下进行的。其主要内容是:根据中央与地方的事权范围确定相应的支出范围;根据财权与事权相统一的原则划分中央与地方的收入;以1993年为基期确定了中央财政对地方税收的返还数额,返还额在1993年基数上逐年递增,递增率按全国增值税和消费税增长率的1:0.3系数确定,即这两税本地区每增长1%,中央对地方的税收返还增长0.3%[①]。另外,这次改革还对原财政体制有

---

①　参阅张佑才主编:《财税改革纵论》,经济科学出版社2001年版,第30页。

关中央补助、地方上解及相关结算事项的处理作了安排。

这一阶段的分税制财政体制改革,初步理顺了中央和地方政府之间的财权分配关系,中央直接组织收入的比重和能力大大提高,在一定程度上调动了中央和地方两个积极性,初步形成了加快财政收入增长的激励机制。"九五"期间,全国财政收入年均增加约1350亿元,财政收入增长速度持续超过GDP的增长速度,财政收入占GDP的比重及中央财政占全部财政收入的比重逐年提高。然而,由于我国的分税制度是在克服原有"财政包干"体制的局限性的诱因下产生并实行的,是一个妥协性的利益分配方案,带有明显的计划体制和财政包干制的印迹,与国际上通行的成熟的分税制还有较大差距,存在着重大缺陷,有待进一步完善。

上述分析说明,我国财政体制变迁过程中,事权与财权不对称的问题没有从根本上得到解决;城市偏向的财政制度安排,使基层财政以农业税费为其财政收入的主要来源。税费改革后,基层财政失去了原有财力的支撑,陷入了收不抵支的困境,这也就是我们在第四章分析过的农村税费改革的内在矛盾之一。因此,只有从根本上创新财政体制,才能解决这一矛盾,使基层财政摆脱困境。

三、实施制度创新,建立现代公共财政体制

公共财政的概念最早产生于资本主义自由放任时期,是与前资本主义社会的"皇室家计财政"相对应的。[①] 在英文中为

---

① 马海涛:《公共财政学》,中国审计出版社2000年版,第2页。

public finance,是指以国家为主体的资金收支事务及其所反映的分配关系。这就把公共财政与国家统治者的家庭理财及企业财务彻底分开,其职能主要表现为公共利益提供财政支持。

公共财政是与市场经济体制相辅相成的一种财政体制,它的内涵和职能随着市场经济的发展而不断丰富和发展。如果说分税制主要是从财政收入方面调整和规范政府间(纵向)财政分配关系的话,那么,公共财政体制则主要是从财政支出方面调整和规范政府与市场间(横向)的财政分配关系。从这个意义上说公共财政体制是对分税制财政体制的补充和完善①。

由第一章的分析,我们知道,市场经济存在着固有的缺陷,即在公共产品领域的无效和在宏观调控上的失灵,需要公共部门来弥补。公共财政的职能正在于为公共部门的活动提供财政支持。

随着我国社会主义市场经济的深入发展,作为公共部门的政府,其职能也需要适时转换。就当前的情况而言,政府职能应从直接进行生产建设与资源配置转向市场无效或失灵的领域,也就是要转向为社会提供公共产品。相应地,公共财政则要重点保障政府机关的运转和重点基础设施、公共工程及公益事业的支出。农村税费改革的实践表明,农村基层政权因缺乏足够的财力支持而运转困难,农村公共产品供给严重不足。由此可见,建立公共财政体制不仅十分必要,而且非常迫切。

建立公共财政体制,首先要依据公共经济学的有关理论,科

---

① 参阅张佑才主编:《财税改革纵论》,经济科学出版社 2001 年版,第 50 页。

学地界定政府、市场、企业三者之间的关系,通过完善分税制,使事权和财权在中央与地方之间科学、明确地分割,从而合理地组织各级财政收入;通过公共财政体制创新,使财政和事权在政府与市场之间进行明确的界定,克服财政的"缺位"与"越位"问题,使财政体制科学、合理,实现高效运行。各级政府要依据公共产品的层次性、外部性,以区域内市场失灵的状况,合理界定各自的本级财政活动范围和规模,各司其职,各尽其责。地方各级政府,作为提供农村公共产品的公共部门,特别要加强农村水利、公路、电网,通讯等重点基础设施建设,并支持农村建立社会化服务体系。

建立公共财政体制,必须对预算体制进行创新,构建预算新机制。首先要改革预算编制方法,变现行基数法为零基预算法。长期以来,我国财政预算都以基数加增长的方法进行编制,财政预算不能准确地反映公共部门职能的变化与需要,使不合理的利益分配格局被固化,造成分配不公。最为严重的是加剧了财政收支的矛盾。由于这一方法要求在基数的基础上增长,故无论财政状况如何,支出都只能在基数上增加而不能削减,导致支出不断扩大,各级财政的压力有增无减。其次,还要加强预算编制的规范化与法制化,强化预算执行的监督管理机制。我国宪法赋予各级人大对预算编制与执行的审查与监督权。现行预算的编制比较粗糙,财政支出的项目不够具体,数额也不详细,预算执行追加的项目过多。这就加大了人大监督的难度,使这一制度流于形式。因此,必须打破现行的统一预算方式,编制部门预算,实行财政统一管理。同时设立各级政府的预算,完善预算管理体制,对其支出进行科学管理。

一级政府一级预算,是适应社会主义市场经济间接调控所要求的规范化的政府收支管理形式,应当坚决推进统一预算的进程。1997 年之后我国对预算外资金的管理逐步强化与规范,成效显著。通过深化财政体制改革和预算管理改革,把全部政府收入统统纳入预算管理,以规范的公共收入形式明确政府可分配资金规模,并全程监督其运用。现在我国已经加入世贸组织,不合理的行政审批手续将逐步取消。乘此东风,可进一步把收费和基金纳入预算内,像管税一样管理起来,并大力推进支出管理的改革。如果公共财政框架下的预算支出管理初具形态了,即可考虑在加强科学化信息监控的同时,逐步适度下放支出标准确定上的决策权,使人员工资和公务费标准等在各地有"因地制宜"的必要弹性。

建立公共财政体制,还必须建立科学规范的转移支付制度,以实现财政的公平与效率。财政转移支付制度的目标主要是:弥补地方财政收支缺口;实现最低公共产品供给标准;克服地区间外部性;调节地区间财政收入的差异,这些归结起来,也就是要实现财政分配的横向公平与纵向公平。财政转移支付分为均等化转移支付和专项转移支付两种。均等化转移支付主要是为了实现财政分配公平的目标,有利于缩小地区差异,而专项转移支付则是为了实现政府的特殊政策目标。要建立规范化的转移支付制度,特别要建立起地方政府间的转移支付制度,要以地方政府部门在提供地方公共产品方面的职责划分为依据,公平、高效地进行转移支付。要"上下分明"。即明确中央政府与地方政府之间、上级地方政府与下级地方政府之间的事权,确定哪些事权归中央政府,哪些事权归地方政府。具体地说,凡属于全国性共同事务的事权,应由中央政府决策、承担和管理;凡属于地方性共同事务的事权,应由地方政府在中央统一政策许可范围内自行决策和承担,划归地方政府管理。还要以地方公共产品的层次性理论为依据,科学界定地方各级政府事权。对农村老、少、边、穷地区,要加大转移支付的力量,确保这些地区的居民能享受到政府公共部门提供的最低标准的基本公共产品与服务。

四、努力实现基层财政收支均衡

农村税费改革后出现的基层财政困境,可以通过两方面的措施解决,一是进行彻底的乡镇行政机构改革(将在第四节专门分析),减少财政支出,从而实现基层财政均衡;二是在目前已进行的乡镇行政机构改革的框架内,通过建立公共财政体制,实现财权与事权的统一,从而实现基层财政的均衡。第一种方案需要通过深化政治体制改革才能实现,因此,第二种方案是比较切合当前的现实便于实际操作的方案。

如前所述,目前,基层财政困境的根源在于原有财政体制的城市偏向和基层政府事权与财权的不对称,以及乡镇机构膨胀。在城市,"上层建筑"由财政负担,在农村,农民则承担了几乎所有"上层建筑"的费用。在公共产品供给方面,城市的市政公共设施基本上是由政府出资建设,而农村社区的公共设施则完全由农村自己负担,甚至义务教育都有要由农民负担,即由乡镇政府向农民收取教育附加费。改革后,农村中小学教师的工资由县级财政负担,县级财政也不堪重负。这就使基层财政陷入收不抵支的困境。而乡镇大量债务的存在,又使基层财政雪上加霜,有的乡镇财政实际上已经陷入破产的境地。因此,必须加快财政体制创新,努力实现基层财政均衡。

首先,要按公共财政体制的要求,科学界定基层政府的事权。县乡政府处于行政体制的最底层,这决定了它无法抑制上级政府"事权下放,财权上收"的行为偏好。因此,要结合政府机构改革,明确各级政府在农村公共产品供给上的职责,以法律规范各级政府事权的划分,增强其权威性与严肃性。

其次,要科学地确定基层政府的规模与行政运行成本。按我们在第一章的分析,地方政府的最佳规模取决于人口规模、辖区面积、居民的税费负担能力等因素。因此,我们可以依据这些因素较为合理地确定基层政府的规模,核算其运行成本,并给予相应的财权。

第三,要建立基层财政的收入增长机制与村级经费保障机制,使县乡财政随辖区经济的发展而增长。为此,必须合理划分各级政府的财权,特别要使基层政府有稳定的税种收入来源,即要有相应的主体税种作为其财政收入的支柱。要建立村级经费保障机制。注意解决先正税后附加、以附加抵正税、以尾欠抵附加等变相挤占村级集体资金问题。调整农业税附加管理办法,实行农业税及附加全额入库,基层金库按比例分解,上级对村级资金补助及20%附加解入县级财政部门设立的专户,按照专项资金管理办法,直接将资金划拨到村级账户,一方面杜绝附加抵正税现象,另一方面进一步规范资金管理,逐步建立起稳定的附加保障机制,确保村级组织运转和五保户供养的基本经费需要。

第四,改变城市偏向的财政投入体制,加大对农村的投入。对基础设施增量投资,要尽可能地投向农村,力争在较短的时期内,使农村社区的公共设施供给水平有大的提高。当前,特别要利用好国债投资,充分发挥国债投资对农村经济发展的拉动作用。

第五,要建立针对基层政府的常规性财政转移支付制度。在基层财政短期内无法实现自我平衡的情况下,转移支付对基层财政收支均衡具有决定性的影响。目前的转移支付具有不确定性,影响了基层财政运行的稳定性。因此,必须建立规范的转移支付制度,最大限度地实现基层财政的收支均衡,从而保障基层政府机构的正常运转。在转移支付的结构上,重点进行公共服务均等化转移支付和专项转移支付,扩大转移支付对地区经济发展的乘数效应。

五、转移支付的乘数效应简析

美国经济学家爱德华·夏皮罗在《宏观经济分析》一书中,用财政模型分析了政府转移支付的乘数作用。[①] 他认为,政府转移支付会引起国民收入的增加和经济增长。这种由政府转移支付引起的国民收入的倍数变动,被称为转移支付的乘数效应,而国民收入变动量与引起这种变动量的转移支付变动量之间的比例,就是转移支付乘数。转移支付乘数可用公式表示为:

$$\Delta K_R = \frac{\Delta Y_R}{\Delta T_R}$$

上式中,ΔK_R 表示转移支付乘数,ΔT_R 表示转移支付的变动

---

① 参阅爱德华·夏皮罗:《宏观经济分析》,中国社会科学出版社 1985 年版,第 128—138 页。

量,ΔY_R 表示引起国民收入的变动量。

转移支付乘数的求证过程是①:

$$Y = C + I + G$$
$$Y = C_0 + b(Y + T_R) + I + G$$

设投资 I、初始消费 C_0、政府购买 G 为常量,以 T_R 为自变量求全微分,则:

$$dY = bd\ Y + bd\ T_R$$
$$(1-b)\,dY = bdT_R$$
$$\frac{dY}{dT_R} = \frac{b}{1-b}$$
$$K_R = \frac{b}{1-b}$$

转移支付所影响的对象是国民收入,当转移支付增加时,个人收入增加,从而个人消费增加,市场需求增大,并推动经济增长,而经济增长又使个人收入和国民收入增加从而形成不断循环的乘数效应。

可见,转移支付对目的地的经济发展具有乘数效应。我们在进行转移支付时,要注重对当地经济的拉动作用,如加大对目的地的基础设施投入,培育新的经济增长点等。这一点对农村尤其重要。目前,农村的公共产品极度短缺,水利、交通、通讯、生产生活服务等基础设施建设严重滞后,制约着农村经济的发展。因此,要加大对农村基础设施的投入。通过改善农村基础设施,促进农业增产和农民收入的提高,激活农村消费市场,进

① 参阅马海涛:《公共财政学》,中国审计出版社 2000 年版,第 302—303 页。

而带动整个国民经济的持续稳定发展。

第三节　农村税费改革与金融体制创新

农村税费改革,揭示出农村金融严重短缺,不适应农村经济发展对金融需求的矛盾。巩固税费改革的成果,化解乡村沉重的债务,推进农村产业结构调整,促进各类所有制乡镇企业的第二次创业,都离不开农村金融的支持,而农村金融现状,远远不能适应这一要求。因此,必须对我国金融体制进行创新,建立适应我国农村经济社会发展的新型农村金融体系。

一、现行金融体制存在的主要问题

我国现行金融体制存在着许多弊端,这主要表现在:

1. 受"大一统"人民银行金融体制及原有计划经济体制的影响,国有金融一统天下,处于绝对垄断地位,国有四大专业银行占有绝大部分的市场份额。到 1997 年,国有四大专业银行的资产占国内同期全部金融资产的 93.19%,利润占同期国内银行总额的 41.92%,存款占国内同期存款总额的 69.57%[①]。国有专业银行的高度垄断,压制了银行业的竞争,也降低了我国金融资产的效益,使紧缺的金融资源没有发挥应有的作用。国有专业银行占有 93.19% 的金融资产,却只实现了 41.92% 的

---

① 资料来源:于良春等:《中国银行业的改革与发展》,《经济研究》,1999年第 8 期。

利润。

2. 受二元经济社会结构的影响,我国金融体制重城市、轻农村。国有四大专业银行除中国农业银行在农村设有分支机构及营业网点外,其他专业银行都未在农村设点。后来成立的股份制银行也都只设在中心城市。1994 年成立的中国农业发展银行在省以下无分支机构与营业网点。这样,在广大的农村地区,基本上只有农村信用合作社在开展农村金融活动,农村金融市场实际上还处在发育中,金融商品极度短缺。

3. 政策性业务对商业性(经营性)业务形成挤压。虽然我国已实行了专业银行商业化,建立了政策性银行,但由于管理理念及管理方式没有根本性转变,导致政策性业务对商业性业务的挤压。从政策性业务来说,由于政府依靠行政机制进行政策性金融业务运作,使得专业银行在受托从事具体政策性业务,又导致政策性业务效率低下,造成金融资源的浪费。同时,商业银行还会借机转嫁自己在经营中的风险与亏损,从而抵消政策性业务的功能。

除了上述形式的政策性业务对商业性业务的挤压外,还有一种形式的挤压,那就是国家的管理者的身份,强制商业性银行或农村信用合作社直接分担政策性业务,如国家或当地地方政府强制要求专业银行发放“安定团结”贷款,农村基层政府强制农村信用社贷款用于公共工程及楼堂馆所基本建设等。

4. 农村信用社经营成本高、风险大、包袱重。农村信用社的存款来源主要是个人存款,因利率高,加之多是小额存款,信用社点多面广,经营成本高。独立经营,以基层社为一级法人,风险大。按中国人民银行有关《资产负债比例管理办法》规定,信用社对单户贷款不能超过资本金的 30% ,对 10 家企业贷款总额不得超过资本金的 1.5 倍。这就制约了信用社的贷款规模。信用社的资本金长期得不到补充,而国有商业银行则有国家对其资本金的注入。

农村信用社的不良资产比例高。前面我们分析的乡村债务,有相当大的比例是农村信用社的不良资产。这部分债务,乡村往往久拖不还或根本无力偿还,成为农村信用社的不良资产。如安徽省和县,乡村共向农村信用社借贷 5000 多万元,形成该社的不良资产。除了这部分债务外,还有历史包袱,这主要是原"大一统"人民银行体制下遗留的债务,部分转到了农村信用社。另外,保值储蓄的贴息,也全部由农村信用社自己承担,而商业银行的这部分贴息则由国家财政负担。

同时,由于农村信用社无行号,无电脑网络,无法进行汇票结算。在现金结算方面,中国人民银行规定农村信用社现金存取必须通过商业银行进行,信用社被迫增加库存现金。这在时间和空间上制约了农村信用社的信贷资产业务。

农村金融体系存在的上述问题,源于我国原有的金融制度安排,因此,有必要分析我国金融体制的变迁。

二、我国金融体制的变迁

新中国的金融体制,可以追溯到我党在革命根据地建立的银行机构。1931 年 11 月,在中央苏区成立了中华苏维埃共和国国家银行,抗日战争时期各抗日根据地都设有银行,如华北银行、西北农民银行、北海银行、华中银行等。1948 年 12 月 1 日,在原华北银行、北海银行和西北农民银行的基础上,建立了中国人民银行,并于当天开始发行了人民币。建国后,我国建立了"大一统"的人民银行金融体制。这一体制是一种高度集中的金融体制,它具有以下特征:

1. 全国只有中国人民银行一家办理各项银行业务,它既行使中央银行的职能,承担政策性业务及金融宏观调控的任务,又行使商业银行的职能,办理工商信贷、农村金融、转账结算、现金出纳等具体银行业务。

2. 中国人民银行内部实行高度集中管理,各级地方银行吸收的存款,全部上交总行,自己无权动用,所需信贷资金由总行核批指标,层层下拨,各级银行在核批的计划内按规定用途进行贷款的发放和回收。

3. 在利润分配上实行统收统支。中国人民银行总行是独立的核算单位,地方各级银行不实行独立核算,其贷款利息和各项收入全部上缴总行,而所需费用则全由总行核批下拨。

上述"大一统"的金融体制,是以高度集中的计划经济管理模式为体制基础并为其服务的。我国进行经济体制改革后,"大一统"的金融体制也就失去了它存在的现实基础。因此,我国从1979年开始,对金融体制进行了改革,这一改革大体经历了以下几个阶段:

1979—1983年,是金融体制改革的第一阶段。主要措施有,打破"大一统"的人民银行体制,分设中央银行和专业银行,并成立非银行金融机构。

1984—1996年,进行专业银行的商业化改革。为此将银行的政策性业务与商业性业务分离,成立了三家政策性银行,即国家开发银行、农业发展银行和进出口银行,同时还成立了股份制商业银行。国家财政对国有企业的流动资金拨款改为由商业银行贷款,并鼓励银行与非银行金融机构之间开展竞争。

1996年以后,理顺了银行与财政的关系,银行不再成为财政的出纳机构,中央银行不再为财政赤字融资,也不再为国有银行在农村的政策性贷款融资。所有的国有商业银行都可为农村的所有部门提供融资。至此,金融品种多样化的金融市场在我国已经形成。

在上述金融体制改革的过程中,农村金融体制也发生了变化。在改革前,农村就存在集体所有制性质的农村信用合作社,其任务是:在中国农业银行领导下,贯彻执行国家的有关方针政策,大力组织农村资金,合理发放各种贷款,支持农村经济的发展,帮助农民解决生产中的困难,打击高利贷活动。农村信用合作社的职责主要是:办理农村居民、集体农业企业和在农村的国有企事业单位的存款;对农民、乡镇企业和在农村的小型国有企业发放贷款;办理汇兑和转账结算业务;办理农业银行和其他专业银行的委托业务;辅导农业企业和专业户、承包户的会计核算工作,协助主管部门帮助农业企业搞好财务管理;接受银行委托、代理现金和工资基金管理。农村信用合作社作为农村合作金融机构,其资金由农民集资入股,实行民主管理、自主经营、独立核算、自负盈亏。

中国农业银行是我国管理农村金融的国有商业银行,它的主要职责是:制定农村金融方针政策、编制农村信贷计划、调节农村货币流通,对农村的国有企业、集体企业及个体工商户发放贷款、依法对农村信用社进行指导、管理农村金融市场等。

另外,农村合作基金会也在部分农村地区存在,并在一定程度上发挥了合作金融的作用。

总体来说,改革开放后我国金融体制的变迁,是以经济体制转型为背景的,改革的方向是金融市场化,改革的目标是建立适应社会主义市场经济发展的新型金融体制。它对促进我国国民经济的快速发展发挥了重要作用。但这一体制也存在着许多弊端,需要通过制度变迁加以解决。

三、农村税费改革要求创新金融体制

农村税费改革无论从微观上还是从宏观上或者从农村经济主体的需要看,从化解乡村债务与促进农村经济发展看,都要求金融体制创新,尽快建立适应农村经济发展新阶段要求的农村金融体系。

从微观上分析,农村税费改革的阶段性目标是减负增收,即在清除农民的一切不合理负担的同时,千方百计地增加农民的收入。从增收的途径看,主要是调整产业结构,推动土地使用权的合理流转,发展非农产业,大力发展乡镇企业等。而这一切,都需要农村金融机构提供资金。我们知道,农业产业结构的调整,实质上是资金结构的调整,是资金流向与流量的变化。如果没有资金的支持,农业产业结构的调整就不可能顺利进行。如农民由种粮改为种经济效益高的经济作物,就必须有较大的先期投入,用来买种苗,改良生产条件等,对这笔费用,大多数农民是无力承担的,需要农村金融机构提供信用支持。

从宏观上看,加快农村经济发展,实质上是要合理利用农村的生产要素,使其产生更高的经济效益。资金作为第一推动力,是物质生产要素中最基本、最重要的生产要素,也是当前农村最

稀缺的生产要素,其他生产要素都以它为载体,并通过它的媒介作用进入生产过程,形成农村现实的生产力。

从农村经济主体及农村经济发展的需要看,农民个体对金融商品与工具的需求极为迫切,但目前农村的金融体制现状使他们的需求无法得到满足。农民收入水平较低,且收入增长呈下降的趋势,这抑制了他们对金融的需求。乡镇企业曾经一度辉煌,但随着我国市场竞争的加剧及经济结构的调整,乡镇企业近几年走入了低谷。在这种情况下,要获得金融的支持也就变得极为困难了。但农村税费改革,农村经济的发展,需要乡镇企业这个"发动机"与"推进器"带动。这一切,都迫切需要农村金融体系的支持。

从化解乡村债务看,乡村现有债务,有相当大的比例是向农村信用社借贷的,这部分债务已经成为农村信用社的沉重负担。只有进行农村金融体制创新,才能化解乡村债务,使农村金融步入良性循环的轨道。

可见,农村税费改革迫切要求金融体制创新,建立健全农村金融体系。

四、加快农村金融体制改革,巩固农村税费改革成果

目前,农村信用社已经成为我国农村联系农民的重要金融纽带和支持农业、农村经济发展的金融主力军。它对农村经济发展的支持主要体现在对农户贷款和对乡镇企业的贷款上。从全国范围看,截至 2001 年底,农村信用社各项存款余额 17263 亿元,占金融机构存款总额的 12%,各项贷款余额 11971 亿元,占金融机构贷款总额的 11%,其中农业贷款余额 4417 亿元,占

金融机构农业贷款总额的77%,信用社的资产占全部金融资产的12.2%,其资产增长率达到13.3%。从安徽省和县的情况看,截至2002年10月,和县信用联社存款余额97700万元,占全县各家金融机构(包括四大国有商业银行,邮政储蓄,中国农业发展银行)存款的39%,贷款余额67400万元,占全县金融机构贷款总量的50%。全县涉农贷款中,面向农户的贷款全部由信用社发放,而乡镇企业贷款的60%也由信用社提供。

从总体上看,税费改革与农村信用社改革的关系是相互促进,相互补充的。

1. 税费改革的推行为农村信用社的发展提供了新的机遇。税费改革后,国家严格禁止地方财政从农村信用社贷款,这不仅有利于减少农村信用社的经营风险,降低不良资产率,而且在一定程度上保障了农村信用社经营决策的独立性,为其真正实现企业化经营铺平了道路。以安徽省和县为例,目前,和县信用社的不良贷款率约为10%,这些不良贷款除了95年信用社从农行分离时附带的历史包袱外,大部分来源于对县、乡、村三级的贷款。和县信用社对县、乡、村财政的贷款包括两种形式:①乡村集体单位立据贷款,主要用于农村公用事业基础设施建设。截至2001年3月共有76笔,总计1100万元,此类贷款目前100%是不良贷款;②乡村干部立据贷款(私贷公用),主要用于纳税(农业税),垫付税款。截至2001年3月共有3500万元,其中90%是不良贷款。税费改革后,国家严格禁止地方财政向农村信用社贷款,这也就消除了这类不良贷款产生的根源。

2. 信用社的改革是税费改革的必要补充。和县实行税费改革之后,一方面,农民的负担减轻了,农民从事农业生产的积极性提高了,对农业投入的积极性有所增强,对资金的需求增多;另一方面,县、乡、村三级财政的收入比税费改革前有所减少,工作开展缺乏足够的资金支持,在税率固定和信用社不得向乡(镇)政府、村委会发放贷款,不得用信用社贷款垫发工资和各项统筹,不得发放以村(组)名义统一承贷并用于完成上缴各种农村税、费的贷款的情况下(银发[2001]396号),基层政府只能通过扩大税基的方式来增加税收收入。目前,县、乡两极财政收入的主要来源是农业税和乡镇企业缴纳的工商税,而乡镇企业的发展也离不开资金的支持。因此,信用社作为农业、农村经济的资金支柱,其改革不仅可以巩固税费改革现有成果,配合农村税费改革的进一步深化,而且对推动农村经济体制改革,全面建设小康社会,开创社会主义建设的新局面都有着深远的影响。

3. 加快信用社改革,为税费改革提供必要的金融支持。作为我国农村进行的第三次改革,税费改革需要加快乡镇财政体制、教育投入体制等配套措施的改革。农村信用社作为服务农村、农民的农村合作金融组织,必须抓住费税改革这一契机,在市场定位、管理体制、政策负担、技术、人才等多方面进行改革,为税费改革提供必要支持。

(1)给予信用社以准确的定位。我国的农村信用社自二十世纪50年代初组建以来,受国内政治经济体制的影响,经历了多次政府主导的重大强制性制度变迁。1996年8月,以《国务院关于农村金融体制改革的决定》出台为标志,开始了新一轮农村信用社管理体制改革,但时至今日,我国农村信用社的运营仍未能遵循合作制的原则。就合作金融而言,其基本经济特征表现为四个方面:①自愿性;②互助共济性;③民主管理性;④非盈利性。从自愿性原则看,广大农民当初加入农村信用社乃是行政力量的强制所为,而非自愿合作的动机所致,退社自由也未能得到体现。从互助共济性原则看,长期以来,农村信用社都是按照商业银行的模式经营,贷款投向并没有体现社员优先、以社员为主的原则。从民主管理性原则看,客观上说,农村信用社长期置于银行或基层政府的管理下,社员的管理权无法实施,其原因在于,多数社员因入股金额小(很多社员甚至只有几元钱的股金),没有参与信用社监督管理的积极性。从非赢利性原则看,因农村信用社已失去了互助共济和民主管理的特征,信用社经营管理人员的利益动机必然驱使其经营行为商业化,以追求赢利为目标。以安徽省和县社为例,和县信用联社包括 21 个信用社和 37 个分社,现有股本金共 1562 万股,其中团体社员股 1030 万股,个体社员股 214.73 万股,职工社员股 316.76 万股,广大社员作为最初的出资者并没有参与民主管理。并且,信用社自成立以来仅有 1984 年和 1998 年两次大规模分红。现在虽决定每隔一年分红一次,但因近几年经营状况不好,赢利少且社员入股资本金较少,基本就没有分红。这些情况表明,农村合作社作为合作金融组织,其合作性没有得到体现。

既然我国政府一直将信用社作为商业银行来管理,并试图将农村信用社发展成为农民的银行,此时再强调信用社的合作性、非赢利性、服务对象的特定性已没有任何意义。因此,我们应该转变观念,将农村信用社定位与扎根于农村,"取之于农,用之于农"的存款性金融机构,以信用性代替合作性,以赢利性代替非赢利性,以农村、农业、农村经济代替社员作为服务对象,给予信用社以准确的定位。

(2)理顺信用社的两极管理体制。首先要理顺信用联社与人民银行的关系。从农村信用社诞生至今,我国一直没有建立独立的、系统的农村信用社行业管理组织体系。在 1980 年以前,各地的农村信用社都是以乡镇为单位,相互独立,彼此之间没有联合、协作关系。1980 至 1996 年,农村信用社由中国农业银行领导,农业银行承担了全国农村信用社的行政管理和行业管理职能。80 年代中期,各地陆续组建了县(市)联社,承担各乡镇信用社的行业管理职能。因农业银行自身就是独立的金融机构,并非专门的行业管理组织,而且它有自身的经济利益,对农村信用社的行业管理必然服从于农业银行的利益目标,当农村信用社与农业银行自身的利益目标发生冲突时,农村信用社的利益不可能得到保护,这显然不是真正的行业管理。县(市)联社也不能视为独立的行业管理组织,因为县(市)联社也是由农业银行领导和管理的,在它以上没有独立的组织体系,它只是农业银行与基层信用社之间的一个"代理人"而已。1996 年,农村信用社与农业银行脱离行政和行业管理关系,迄今由人民银行承担农村信用社的行业管理职能。这种做法,一方面违背了《中国人民银行法》,并与作为监管当局的身份不符;另一方面,人民银行控制了信用社的人权、财权和物权,使信用社在人、财、物上均处于被动地位,客观上束缚了信用社的发展,所以有必要尽快理顺人民银行与信用联社在管理权、产权及职能上的关系。

既然农村信用社定位于为地方经济特别是农村经济、农民提供金融服务,人民银行就应适当放权。笔者认为,农村信用社可由农户、个体经济组织、乡镇企业、县(市)政府财政和中央财政(可由农业银行代表)共同出资入股,进行股份制改造。提出这一融合了传统合作制和现代股份制的股权结构的设想,主要是出于以下三个方面的考虑:①在现有合作制框架下,农村信用社的股权结构以农户股权为主,限制了农村信用社资本规模的扩张,而实现股权的多元化,可以增强农村信用社的资本实力,扩大经营规模;②作为农村金融体系主体的农村信用社,必须适应农村经济发展中多方面的金融需求,其客户市场定位是多元的,不仅要为农户、个体经济组织提供金融服务,而且还要满足乡镇企业和一些政策性项目的金融需求。由上述主体共同出资,不仅可以在更大范围内实现互助合作,而且信用社承担风险的能力也将大幅度提高;③中央和地方财政向农村信用社出资,可以使政府对于农村信用社的权利和义务对称,明确由谁投资、由谁管理、出了风险由谁承担责任,形成"资本自聚、资金自筹、经营自主、盈亏自负、风险自担"的机制。这样不仅可理顺信用社与人民银行的关系,还可推进信用社的企业化进程。

其次要理顺信用联社与基层社的关系。尽管信用联社与基层社作为两个平行法人在产权上划分清晰,但需要理顺两者的组织关系和业务关系。目前的情况是:①信用联社和基层社的组织关系不清,两者既非企业与企业的关系,也非上下级的隶属关系,使信用联社管理基层社的难度加大;②信用联社和基层社的业务关系不清,尽管两者不是隶属关系,但基层社所开展的业务均需联社批准。为理顺两者关系,可采取信用社和联社相互持股、人事参与的方式,即:联社和基层社作为独立法人,相互拥有对方一定数量的股权,并以股东的身份参与董事会,以此来影响双方的经营决策。

(3)提高信用社的服务水平,搞活农村金融服务。我国农村地区的经济结构在产业结构、地区结构、经济主体结构等方面具有多层次性,具体以安徽省和县为例分析:①从产业结构看,三大产业在和县都有不同程度的发展,2001 年和县农民人均纯收入中,来源于第一产业的是 1357 元,来源于第二、三产业的是944 元,目前,和县在保证农业发展的同时,加大招商引资力度,建立科技示范园区以加快本地区产业结构的调整;②从地区结构看,在和县境内,不同的乡镇在人均收入水平、城乡一体化程度等多方面存在差异;③从经济主体结构来看,和县不仅有独立从事纯粹农业活动的普通农户,从事各种生产经营的个体经济组织,还有大批乡镇企业。农村经济结构的多层次性决定了农村地区金融需求的多元性特征:①普通农户的金融需求相对较为简单,以储蓄存款和小额贷款为主,但是农户都有潜在的用于子女上学、婚嫁、修建住房等方面的消费贷款需求;②个体经济组织主要的金融需求是短期生产经营性贷款需求,贷款金额一般不太大。但是,有的跨社区从事经营活动的个体经济组织还存在小额的资金结算需求;③乡镇企业,特别是规模较大的企业,其金融需求具有综合性,所需的金融服务包括存款、贷款、国内国际结算及结汇售汇、金融投资理财、担保咨询等,且金额一般较大。

尽管农村需要信用社提供多层次的金融服务,但作为经营存款货币类金融机构,由于受法规、技术、资金和观念等方面的制约,农村信用社普遍存在经营范围窄和产品结构单一的问题。在当前分业经营的体制框架下,农村信用社所提供的金融服务只有银行服务,并且,其产品结构和金融工具也十分单一。从和县信用联社开办的金融服务来看,以传统业务为主,中间业务仅限于代发工资,代理乡镇资金等层次低、种类少、赢利低的业务。在仍然没有实现全县通存通兑的情况下,结算业务开办较为困难,信用社存款的吸纳也受到了影响。目前安徽省和县储户存款增量的70%进入邮政储蓄,仅有30%进入信用社,存款分流现象严重。

为此,我们依据农村信用社自身的经济条件和经营状况提出两种改革思路:①在城乡一体化程度高的地区,农村信用社可在现有基础上发展成为农村商业银行,并使农村商业银行业务多元化、综合化。如2001年,江苏省已经在苏州市的常熟、张家港和无锡市的江阴三个县级市试点组建农村商业银行。在这三个地区,主要以农户、个体经济组织为服务对象的信用社已没有多少市场需求,相反,对于现代社会所需要的各种综合性金融服务需求量较大,而对于这些需求,只有现代商业银行才能予以满足,组建农村商业银行是解决这一矛盾的根本出路。②在城乡一体化程度较低的地区,如安徽省和县等地区,继续采取信用社的形式为农户、农村经济提供金融服务。这些地区农村金融需求的层次相对于发达地区偏低,信用社应立足于实际,挖掘自身潜力,为本地区的经济发展提供必要的支持。

(4)使农村信用社承担的政策性业务与获得的政策补贴对称。1997年中国人民银行颁布的《农村信用合作社管理规定》要求,农村信用社必须坚持为农民、农业和农村经济服务的宗旨,即人们所说的支持"三农"。在中国人民银行发布的银发〔2001〕396号通知中规定:农村信用社的资金要坚持取之于农、用之于农,资金运用要立足当地,服务"三农"。只有在确保支农资金需要的前提下,农村信用社资金仍有富余的,才可适当用于债券投资,但也只能投资于国债、政策性金融债以及经中央有关部门批准公开发行的国家重点建设企业债券。这些要求实际上是以行政指令的形式限定农村信用社的市场定位和服务对象,其实质就是赋予了农村信用社相关的政策性责任,以为政府发展和稳定农村的政治目标服务。由于农业属于国民经济中的弱质产业,农民属于社会中的弱势群体,农村地区产业结构单一,这就决定了以支持"三农"为经营宗旨的农村信用社面临更大的经营风险,需要承担更高的财务成本。同时,在实际操作中信用社的贷款投向因受到地方政府的干预而导致的不良资产数目巨大。如安徽省和县信用社的不良资产有两类与其所承担的政策性业务相关:①其发放的助学贷款并不属于人民银行规定的贷款范围,风险较大,赢利也较少,之所以继续开办,很大程度上是地方政策所至;②大量乡、镇、村财政负债和教育负债,均是为了支持地方建设和教育两极达标所至。这两类不良资产如何化解,由谁承担,至今悬而未决。

信用社承担了众多政策性业务,但各级政府并未给予农村信用社相应的政策性补贴。例如税收政策,农村信用社的所得税率与其他金融企业相同,2001 年 10 月 1 日前,营业税率仅比其他金融企业低 2 个百分点,而且根据新的税收政策,3 年后,农村信用社的营业税率将与其他金融企业一致(5%),而国外(包括美国等西方发达国家)通常对信用合作社实行免税政策。所以,有关部门应从信用社的实际入手,从支持农村、农业、农村经济的高度来认识这一问题,减少对信用社经营的干预,增加信用社的政策性补贴,使信用社政策性业务的收支匹配。

(5)改变现有用人机制,提高基层社员工的金融理论素养。金融业的竞争归根到底是人才的竞争,但在现行的管理体制下,各信用联社没有独立的用人权,所有进人指标均由人民银行掌握,这种用人机制给信用社带来了很多不便:①信用社员工换代速度慢。和县信用社已连续 4 年没有招收新的员工,业务的拓宽导致人手不够,使一些达不到岗位技能要求的员工也无法辞退;②信用社管理者的经营理念更新速度慢,相关金融理论的素养不足。和县信用社现有员工中拥有本科及本科以上学历的比例偏低,不论是员工还是管理者都缺乏最新的金融企业经营理念,管理者对员工的定位也较低,过多看中员工的本土因素而不是其所具有的金融理论知识和技能;③新技术的采用较慢。受限于现有员工的计算机技术水平和网络水平,和县信用社在新技术的使用上落后于商业银行,银行卡业务尚未开办,网络银行更是无法实施;④新业务的研发能力不足。和县信用社所开办的业务以传统业务为主,存贷款业务占业务总量的90%,少量的中间业务也只是作为吸收存款的手段,数量少、赢利低。

农村信用社所存在的上述问题,是无法在较短时间仅仅依靠信用社自身解决的,它需要全社会的关心和支持。①上级主管部门——人民银行应在用人机制上适当放权,给予信用社一定的用人自主权;②信用社应立足于挖掘现有员工的潜力,选拔一批具有一定金融理论基础和实践经验的员工到高校或专门的培训机构深造,以提高员工的理论知识水平,更新经营观念。③高校应加强对农村信用社的人才支持,可考虑为信用社单独设立课程、专业,为信用社培养专门的人才,同时,应加大对农村信用社经营理论的研究,为信用社的经营提供理论指导。

鉴于农村信用社在巩固农村税费改革成果及促进农村经济发展中的重要作用,结合当前农村金融的现状,笔者建议:(1)大力推广农户小额信用贷款,并对该项业务实行免税政策。全面建设小康社会,重点难点在农村,而信用社是为农业这一弱质产业提供金融支持的主力军。据统计,到2002年底,全国农村信用社农户小额信用贷款余额746亿元,比年初增长128.4%。农户小额信用贷款推广,有效缓解了农民"贷款难"。推动了农村产业结构调整,增强了农村经济的可持续发展的能力。但农村信用社办理这一业务的风险大、收益低。因此,应该对小额农户贷款实行免税政策,这既可以提高信用社支农的积极性,又可使广大农户受益。(2)规范邮政储蓄业务,加大无息再贷款支农力度。农村的邮政储蓄每年都以两位数的速度增长,从而使有限的农村资金被分流,支农资金更加短缺。因此,可对乡村邮政储蓄进行限制,同时加大对农村信用社的无息再贷款额度。(3)改革现行农村信用社的管理体制,确立其相对独立的法人地位,对乡村不合理的贷款要求不予支持。

加快农村金融体制改革,巩固农村税费改革的成果,从根本上说,也就是要通过金融体制创新,改变原有金融体制下重城市轻农村的金融资源配置格局,让更多的资金流向农村与农业部门,促进农村经济的持续稳定发展,从而使农民既减负又增收。

农村信用社的改革与发展,农村税费改革的深化,离不开国有商业银行的支持与配合。目前,国有四大商业银行正在进行股份制改革,这将进一步壮大国有商业银行的实力,从而也就为它们支持农村与农业的发展创造了有利条件。国有商业银行应该加大支农力度,特别要利用自己的服务网络与业务的优势,为农村跨地区的企业提供金融服务,以弥补农村信用社的不足。

第四节 农村税费改革与乡镇机构改革

第四章的分析说明,税费改革中出现了乡镇机构运转困难的矛盾。我们知道,乡镇机构作为农村的上层建筑,是农村公共产品的一部分。当前,乡镇机构膨胀,制度供给远远大于制度需求,过量的制度供给成本是加重农民负担的直接原因。因此,加快乡镇机构改革,从根本上减轻农民负担,就成为深化农村税费改革的必然要求与重要步骤。本节在分析乡镇机构改革的必要性与可能性的基础上,提出了对乡镇机构改革的初步设想及方案。

一、乡镇机构改革是减轻农民负担的必然选择

长期以来,我国农民负担之所以居高不下,"三提五统"之所以构成农民负担的主要内容,关键的原因在于农村行政、事业单位膨胀,人员众多,本级财政入不敷出,只好把这种负担向农民转嫁,导致农民负担越来越重。80 年代初期,我国粮食主产区的农民每亩负担仅 50 斤谷子,1987 年为 100 斤谷子,到 1998 年则上升到 400 斤谷子,约合 180 元①。在不到 20 年的时间里,农民负担加重了 7 倍。

农村税费改革后,农民负担暂时得到减轻。从安徽省的情

---

① 资料来源:中国市场经济研究会:《特供信息》2003 年第 9 期,第 13 页。

况来看,农民的负担减下来了,但与此同时,乡镇行政管理经费来源大幅减少,一些地方乡镇干部的工资发放都成了问题。长此以往,不仅保证不了乡镇的行政运转和村一级的自治管理,而且也无法保证乡镇干部和村干部的工作积极性。从管理成本、交易成本的角度来看,超出了经济发展自身需要和能力的管理机构,不仅增加了经济发展中的管理成本和交易成本,还导致了低效率,影响了政府的形象。过去农民负担中的很大一部分,就是为了养这批人。如果不彻底进行乡镇机构改革,不消除现实生活中加重农民负担的制度因素,只是暂时性地减人减机构,也就难免走入"黄宗羲定律"的怪圈,农民负担也就存在着反弹的可能性。因此,必须对乡镇机构进行彻底的改革,从源头上消除加重农民负担的因素。这方面的治本之策,就是撤销乡镇一级政府。

事实上,我国过去也以不同的方式搞了多次乡镇机构改革,但是由于没有从根本上进行改革,因而出现了"精简——膨胀——再精简——再膨胀"的恶性循环。撤销乡镇一级政府,就可以走出这个怪圈,实现真正的精兵简政,从根本上解决乡镇机构臃肿、人员膨胀的问题。

撤销乡镇一级政府不仅是减轻农民负担的必然选择,也是建立公共财政体制的需要。公共产品理论告诉我们,农村公共产品的供给应该与农民的税费负担能力、乡镇人口及土地面积等相适应。目前,我国农民的税费负担能力较低,而乡镇规模又偏小,财政收入不足以支撑现有乡镇行政机构的运转。也就是说,农民负担不起乡镇庞大的上层建筑,乡镇财政入不敷出,难以构成一级独立的财政;乡镇机构的职能弱化,乡镇一级农村公共产品可由县级政府提供。事实上,从政府职能看,乡镇政府本来就不是一级完整的政府。目前乡镇一级的很多部门主要归属上级主管部门管理,乡镇一级缺乏很多作为一级政府必须具备的职能,因而在运行过程中出现了很多不协调的问题。这实际上也就为撤销乡镇一级政府后的政府管理提供了过渡性制度安排,即可以通过条条管理乡村的有关事务。

撤销乡镇一级政府,还是解放农村生产力,推动农村经济发展的需要。从历史上看,我国自古以来就没有设置乡镇一级政府。中国自秦朝设立"郡县制"以来,2000多年都是"皇权不下县",那时乡一级是协助县级行政的地方性组织,不拥有国家权力。乡镇一级设立政府仅仅是取消人民公社制度后的事。后来我们所看到的乡镇一级政府在建立社会主义市场经济体制前也担负着乡镇的工农业生产指挥职能,实际上与人民公社一样带有一级经济组织的性质。即使是现在,有些地方的乡镇干部在工作方法上还沿用过去的老办法,喜欢用行政手段干预农民和企业的具体生产经营性事务。这就削弱了农户生产自主权、企业经营自主权。由于乡政府占用了乡村有限的市场资源,还制约了市场中介组织的发育,同农村市场经济的发展形成了冲突。

此外,村一级实行村民自治、集镇街道居民实行居民自治和社区管理也为撤消乡政府创造了基础条件。按照有关农村村民、城镇居民管理法规的规定,乡镇不能干预农村村民委员会的事务,原来作为乡镇政府延伸的村委会现在再不是乡镇政府的下属单位了,村委会必须依法实行村民自治。集镇居民和在集镇务工经商人员等非农人员由居民委员会依法管理,实行社区自治。

乡镇政府撤销后,乡镇党委和乡镇办事处将退出具体的经济事务,只授权承担一定的社会事务。这样既有利于改善党和政府在群众中的形象,还可以通过派出的纪检监察部门,监督在乡镇各部门办事处工作人员的行为,促使他们真心实意地为群众解决一些实际问题,这就有利于进一步改善党群干群关系。

二、乡镇机构改革的方案设想

(一)基本思路

1. 撤销乡镇一级政府,设立乡镇办事处,作为县(市、区)人民政府的派出机构,负责协调县(市、区)政府各部门在乡镇机构的管理事务及相互关系,不参与具体的经济事务,其原有的政府职能大部分由县(市、区)政府通过各部门在乡镇的下属单位履行,受县(市、区)政府委托,管理本区(社区)文化、教育、统计、上级财政转移支付和农业附加税的使用安排、民政(救灾、五保户供养、婚姻登记、社会保险、军烈属优抚)、信访接待工作等社会事务,负责村一级的工作指导和各村之间的关系协调。

2. 保留乡镇党委机构,负责本区域党的路线方针政策的宣传贯彻及党员发展、教育、管理等党务工作,强化纪检监察工作和农村的精神文明建设。

3. 撤销乡镇人大主席团,不设乡镇人大代表。县(市、区)人大适当扩大乡镇代表的名额。

(二)乡镇党委、乡镇办事处内设机构

1. 党政综合办公室。主要负责本区域内的党务与行政工作。具体职能是:负责办公室日常工作;负责本区域的组织、宣传工作和群众团体工作;负责社会事业的发展与协调工作;负责本区域内的社会治安与计划生育工作;以及负责本乡镇范围内上级人大代表的联络等工作。办公室人员应"一专多能"。

2. 纪检监察办公室。在本行政区内行使纪检监察职能,受上级纪检监察部门和乡镇党委双重领导。负责对在本乡镇工作的所有公职人员和村级干部以及全体党员的监督和对有关违纪人员的查处工作。

3. 经济发展办公室。负责本区域内经济发展的规划与服务工作。办公室人员亦实行"一专多能",把日常工作与季节性的中心工作结合起来,尽可能地提高工作效率,降低行政管理成本。

(三)"七所八站"按职能并转

所谓"七所八站"是指县属职能部门及事业单位在乡镇设立的派出机构。七所是指财政所、国税所、地税所、土地管理所、卫生所、环保所、派出所等;八站是指农经站、农技站、农机农水站、林业站、种子站、粮油站、兽医站、文化广播站等。虽然各地的设置不尽相同,但大多都需要农民负担这一点却是相同的。撤销乡镇一级政府后,可将站、所按其职能进行并转。具体可考虑:

1. 原行使行政职能的如财政所、税务所、派出所等提供的是纯公共产品,应该继续由财政全额负担。像土地管理所、环保所等,其职能则可归并到党政办公室,人员参与该办公室的竞争上岗。

2. 原属于事业性的如卫生所、计生所、司法所、文化广播、电视站等,其职能是提供准公共产品,可由财政提供一定比例的差额拨款,同时在服务中收取一定的费用。

3. 对行业性的站、所,如农机站、水产站、兽医站、农经站、种子站、农技站等,除实施科研项目经费财政补贴外,全面实行企业化管理,通过开展有偿服务,实现自收自支。

4. 撤销乡镇企业办。乡镇企业全面实行无主管部门的管理制度。企业依法从事生产经营,由工商部门、税务部门以及特殊行业行政管理部门负责证照登记与相关业务管理。乡镇设企业协调员一名,由经济发展办公室工作人员兼任,负责乡镇企业与政府各有关部门的沟通。

三、乡镇机构人员分流的思路

1. 严格定岗定员。要在核定编制的基础上严格定岗定员。人员定岗要坚持"四化"方针和德才兼备的原则,按照工作需要、群众参与、综合考评、组织决定的要求进行。在具体操作上:一要积极稳妥。由于乡镇机构改革与人员定岗的难度高,阻力大,在具体操作上必须积极稳妥,努力做到态度坚决,步子稳妥,方法得当;通盘考虑,总体规划,分步实施;无情改革,有情操作,妥善安置,以求得人尽其才、才尽其用,使得走者愉快、留者安心,确保乡镇各项工作不松、不乱、不断。同时,还要努力做好分流人员的思想工作,以稳定情绪,减少分流阻力,避免社会震荡。二要公开竞争。将空缺职位向所有适合者开放,做到机会均等,公平竞争,这样才能保证选到最合适的人员。因此,在人员定岗中,要充分运用民主配置的方法和竞争配置的方法,营造公开、公正、竞争择优的氛围。民主配置的方法即走群众路线的方法,就是扩大群众在干部选配中的知情权、选择权、参与权、监督权,使人员更加符合群众的意愿。群众评议、民主测评、民主推荐都是民主配置方法的具体运用。竞争是市场经济条件下人力资源优化配置的好方法,可以充分运用领导干部公开选拔、中层干部竞争上岗,机关干部择优留用等有效竞争办法,把公平竞争原则具体化、制度化。三要用人所长。每个人都有其长处和短处,只有当他处在最能发挥其长处的职位上,才能干得最好,组织也才能获得最大的益处。在人员定岗中,要根据职位要求,知人善任,扬长避短,即使候选人能够各得其所,各遂其愿,人尽其才,又能使组织得到最合适的人选。

2. 做好分流人员的安置工作。农村税费改革最重要的是精简人员。从某种意义上说,农村税费改革能否成功,关键取决于人员能否真正精简下来。否则,生之者寡,食之者众,农民负担问题就永远得不到解决。因此,应把分流乡镇超编人员作为农村税费改革的一项重要工作,抓实抓好。对分流人员的安置是各级党委政府普遍担心的问题,稍有不慎,就可能出现不安定因素。可参考有关党政机构和国有企业职工劳动关系调整的成功经验进行运作。如对距法定退休年龄不足5年,或工龄满30年的人员提前办理退休手续;对其他年龄段的职工,转入社保,由财政补齐欠缴的社会保险金,发给经济补偿金,鼓励其走向社会重新寻找就业门路。经济补偿金的数额应根据当地经济发展水平确定,一般以分流人员本人上年月平均工资乘工作年限确定。

四、乡村机构改革的过渡性制度安排:适当合并乡村

从目前的情况看,撤并乡镇机构的设想方案还不能立即实施。因为这件事涉及法律规定,还有待于按理论上的必要性与现实上的可能性作进一步的组织论证。目前,以实施过渡性制度安排为好,即通过适当合并乡村,精简人员,达到减轻农民负担的目的。

安徽省从 2003 年开始,在全省开展了乡镇区划调整工作。本着因地制宜、科学合理;突出重点、加强城镇;尊重历史、平稳操作;优化布局、促进发展的原则,安徽省开展了合并乡村工作。具体内容是:根据地理环境及经济发展现状等因素,重新划定乡村的人口规模。平原地区乡镇在 50000 人左右,行政村在 4000人左右;丘陵地区乡镇在 30000 人左右,行政村在 3000 人左右;山区乡镇在 15000 人左右,行政村在 1500 人左右。这三类地区的县城人口应分别达到 10 万、8 万和 5 万人以上;中心建制镇的人口应分别达到 7 万、5 万和 2 万以上。现有乡村规模超过上述标准的,不得划小规模。

经过近一年的乡村合并,安徽省已经完成这一工作的县(市),乡村数量减少近一半,平均减幅为 49.2%。此举大大减轻了乡镇财政压力,为下一步的乡镇行政机构改革创造了有利条件。

第五节　积极推进农村教育体制创新

农村税费改革揭示出减负与农村义务教育运转困难的内在矛盾,要解决这一矛盾就必须深化农村教育体制改革。因此,在分析乡镇机构改革后,还应该分析农村教育体制改革问题。

一、农村教育的困境

农村税费改革后,农村中小学教育的困难主要表现在:农村中小学教师的工资不能足额按时发放;校舍建设与维护资金失去制度保障。

在第四章,我们已经分析了农民为什么不应成为农村义务教育的主要投资者。这里,主要从体制角度指出造成农村义务教育困难的原因。无疑,城市偏向的教育投入制度安排,是导致农村教育陷入困境的主要原因。据《中国统计年鉴1997》统计数据,1997年,农村小学生人数占全国小学在校生人数的69.7%,但只获得了60.5%的财政性教育经费;农村初中生人数占全国初中在校人数的56.7%,但只获得了48.7%的财政性教育经费。[①] 由此可见,我国教育投入的城市偏向特征十分明显。我国《义务教育法》第十二条规定:"实施义务教育所需事业费和基本建设投资,由国务院和地方各级人民政府负责筹措,予以保证。"保证的办法是规定"地方各级人民政府按照国务院的规定,在城乡征收教育费附加,主要用于实施义务教育。"这些规定,从表面上看来,似乎对城乡教育一视同仁,但却存在着事实上的不公平。众所周知,我国目前城乡差别较大。在城市中,小学教育投入基本上由城市政府财政负担,居民个人除学生的学杂费外,基本上没有别的负担;在农村,基层政府财政供给能力弱,大部分乡镇连教师的工资都不能足额按时发放,校舍建

---

① 彭礼寿:《农村税费改革对义务教育的影响》,www.ctaxnews.com,02-07-29,财税理论。

设与维护资金就更难以筹措了。在税费改革前,绝大部分农村地区的中小学教育投入,主要是靠向农民集资甚至于乱收费勉强维持的。

从《义务教育法》颁布实施到农村税费改革前的十多年里,国家明确规定向农民征收人均纯收入的1.5%用于义务教育,不足部分还允许向农民集资。因此,农村义务教育经费绝大部分是由农民负担的,中央财政负担甚少。据国务院发展研究中心调查,目前全国义务教育投入中,乡镇负担78%,县财政负担9%,省地负担11%,中央财政只负担了2%左右①。由于乡镇财政的主要收入是农业税,农业税所负担的人员工资主要是教师工资(约占乡镇财政供养人员工资总额的75.2%),所以,农业税也就成为农村全民义务教育的主要资金来源。农民不仅要负担子女的学杂费,还要负担教师的工资,以及校舍的建设与维护资金。可见,农村义务教育投入实际上主要是由农民自己承担的,这显然是极不合理的,其后果是导致农村教育陷入困境。

农村税费改革后,农村教育并未能走出困境,在一些农业县,这一现象还呈恶化之势。农村税费改革以后,不准再向农民收费和集资了,原来的"吃饭靠国家、建设靠附加、维修靠集资"的农村义务教育投入格局被打破,但政府又没有及时建立起相应的农村教育投入(中央和省、市财政增加了临时性转移支付)保障机制。2001年以来,教师工资由县里统一发放,县级财政也因此捉襟见肘。有关资料显示,20世纪90年代中期以来,我

① 资料来源:《农村义务教育难解之结》,《参考文选》2002年第23期,第2页。

国县级财政赤字面一度高达40%以上,而且越往西部赤字面越大,有的省份赤字面达到60%以上。中西部地区不少县(市)连县直部门工作人员的工资都不能按时发放,教师工资只得仍由乡镇解决,只是加强了统筹功能,并没有增加新的资金来源。

农村中小学教师的工资上收到县,使以农业税为主要税源的县级财政收不抵支。农业的天然弱质性,导致农业税数额易受自然条件影响而波动较大,建立在这种脆弱基础上的农村县财政,在较短时期内实现收入水平的大幅度提高是不可能的。因此,农村教育仍然面临投入严重不足的困境,教师的工资不能及时足额发放,中小学危房无法进行改造。我们在基层调查发现,尽管教师工资已由县财政统一发放,但因县财力有限,普遍只发前四项工资,仅占全额工资的63%。学校正常工作经费入不敷出,没有可靠的来源,危房改造资金无着落,个别地方又开始乱收费,威胁着改革的成果,影响税费改革的进一步深化。农村税费改革后,政府一再下调农村中小学杂费标准,其目的是为了减轻农民负担,为农民的切身利益考虑,但由于教育投入制度供给的滞后,农村中小学运转艰难,教育教学水平难以提高,农村和城市义务教育水平的差距在不断扩大。这样下去必将影响农民的整体和长远利益,影响整个国家和民族振兴的根本大计。因此,必须对农村教育投入体制进行改革,同时调整农村教育资源的配置方式与管理模式。

二、改革农村教育管理体制

针对当前农村教育出现的上述困境,我们认为必须对农村教育管理体制进行创新,加大财政投入,完善经费保障机制。

1. 中央财政加大对农村义务教育转移支付的力度。农村税费改革后，教育附加费和集资被取消，农村教育经费出现巨大缺口。由于教师占乡镇财政供给人员的70%，因此，农村教育经费缺口不可能通过精简乡镇机构人员、压缩开支来弥补。所以，中央财政应该加大对农村义务教育的转移支付力度。我们认为，在近期内，可考虑凡是国家规定的教师基本工资（即前四项工资）由国家财政统一支付，凡是地方政府规定的补贴工资（即后四项工资）由地方财政负责支付，谁出台政策谁给钱。校舍和危房的维修改造由省、市、县三级政府负责，中央用国债资金给予支持。新建学校则向上级政府申报列入基建计划由项目专项资金解决。教师工资要像公务员一样按月进入个人工资账户。省、市两级政府在安排对下级的转移支付时，要明确用于义务教育的比例以防截留。在安排转移支付时，应加大对贫困地区和少数民族地区义务教育的扶持力度。各地新增的教育投入，要向农村倾斜；中央财政新增农村教育投入，应该向中西部地区倾斜。

2. 健全法制，建立以国家为主体的义务教育投入保障机制。《中华人民共和国义务教育法》已经施行16年了，16年来，我国的经济社会形势发生了巨大变化，该法中的一些规定，已不能适应今天的新情况。因此，应该对《义务教育法》进行修正和完善，并制定出切实可行的实施细则，对各级政府承担义务教育的职责做出明确具体的规定。

在市场经济条件下，举办基础教育，特别是义务教育主要是政府的责任。这在世界各国都是如此，我国也应当这样做。义务教育因为是政府为社会提供公共服务的重要内容之一，政府财政拨款应是我国筹措教育经费的主渠道。我国的实际情况是,在1999年的义务教育经费总量中,中央和省政府的投入相加不到13%①。税费改革后,农村教育经费缺口更大。因为在税费改革前,国家每年从农民手中收取300亿元农业税,600亿元乡镇统筹和村提留款,加上其他乱收费项目共从农民那里收取1200亿元费税,改革后,将300亿元农业税提高到500亿元,其他收费项目一律取消,而对高达700亿元的缺口,中央财政只准备拿出200—300亿补贴给那些困难省份,这个数额显然是不够的,农村义务教育的投入依然得不到保障。

教师的工资是农村教育经费的大头。从长远观点看,我们认为,应在《义务教育法》中明确规定中央、省、市、县四级财政对义务教育的投入比例,使教育投入机制进入法制化轨道。惟此,方能从根本上解决农村义务教育中存在的问题,真正实现义务教育的全民性。

在修订和完善《义务教育法》的同时,还应加快教育投资立法步伐。要从法律上规范教育投资的职责、数量和规模等一些具体的硬指标,还要制定《教育投资法》和《地方教育投资管理条例》,从法律法规上为义务教育拓展发展空间。

3. 改革现行财政管理体制,以创新的精神和积极负责的态度,提高教育资金的使用效率。要依照财权事权统一的原则,在教育经费单列的同时,加强教育部门的经费分配权、管理权和使用监督权。可尝试在县级教委成立教育结算中心,教育经费集中统一进入教育专户,建立专项资金。在具体操作上,可由教委

① 参见1999年《中国教育统计年鉴》。

提前1—2个月作出用款计划,经财政部门审批之后拨到结算中心,再由中心按各学校用款计划下拨到学校。教育结算中心的会计可由财政局委派,接受财政局和教委的考核,这既坚持了收支两条线,又有利于对学校经费的规范管理。

在对教育财政转移支付资金的管理上,可借鉴一些地方的成功经验,实施项目管理。义务教育工程拨款的使用与管理要吸收世行贷款的办法,改变过去教育专项补助的申请与审批制度,这样可减少人为因素,提高教育经费的使用效率。

4. 要科学规划中小学布局,整合教育资源,提升教育水平。教育经济研究表明,一所中小学校的合理规模是,一般应有18个班级,近2000名学生。目前,我国90%以上的农村中小学校达不到这个要求,平均每所中学学生多在1000人左右,小学基本上每村一所且在200—500人之间。学校布点太多,规模偏小,难以实现教育规模效益。为此,应结合乡村撤并情况,科学规划,按照"小学就近入学,初中相对集中,优化教育资源配置"的原则来调整农村中小学布局。对于整合后的闲置资源,则可以通过租赁等方式来反哺教育。可见,合理调整中小学布局,撤并"麻雀学校",可以提高有限资源的使用效益,缓解教育经费紧张的局面。同时,教师的相对集中和学校管理上的规范也会促使教师加强学习交流,提升整体教育水平。

三、引进竞争机制,鼓励民间办学

当前,我国单一的办学主体与多元化的经济结构以及社会对教育的多样化需求极不相称,政府办学、政府投资的观念还根深蒂固。1999年,民办学校从幼儿园、小学到中学(包括职业中学)只占总数的5.1%(学校)和1.9%(学生)。① 这种局面完全不适应我国经济社会发展对教育的需求。

随着我国经济的发展,居民经济社会分层发生了变化,收入水平的差异也越来越大,这就对受教育的程度和质量形成了不同的社会需求。政府只强调"教育公平","教育机会均等",没有更多地提供"选择教育的机会"以满足部分高收入群体的教育需求。同时,鼓励民间办学也可以减轻政府对教育投资的压力,建立起稳定的、充足的教育经费来源,这也可形成对官办教育的推动力,促进有效竞争。当然,义务教育阶段应当是"人民教育政府办",但我国是"贫国办大教育",教育发展如此之快,不可能完全由政府包下来,这就要求拓展资金来源。这和我们前面提到的"政府财政拨款应是我国筹措教育经费的主渠道"并不矛盾。既然国家采取了"公有制为主体多种所有制并存"的经济制度,在教育改革上为什么不能进一步引入市场竞争机制呢? 政府的财力毕竟是有限的,即使发达国家也在鼓励办学体制的多样化。

目前,已经有一定数量的民间资本以及外资进入中等职业教育和高等职业教育领域,这对我国教育结构的调整与教育资源的配置,起到了良好的促进作用。我们可以在农村经济发达的集镇吸收社会资金办学,侧重点在义务教育之外的高中阶段教育和涉农职业教育。有条件的地方,还可以本着自愿的原则,吸收社会资金开办农民工岗前培训学校,还可开展各种农村实用技术培训。各级政府在制定优惠政策吸引外部资金的同时,

---

① 参见《2000 年中国教育绿皮书》。

要加强对民办教育的引导和监督管理,特别要严格规范办学方向,切实保障教育质量,坚决制止高收费等侵害农民利益的不法行为,使民办教育走上良性循环的轨道。

农村税费改革,从根本上说,是要改革城市偏向的系列制度安排。税收制度、财政体制、金融体制、农村教育体制,是实施城市偏向体制的具体制度。所以,对这些具体制度进行变迁,是深化农村税费改革的客观要求与必然趋势。只有对这些具体制度进行创新与变迁,并进行乡镇行政管理体制的改革,才能真正解决农民负担问题,促进农民增收与农村经济社会的持续稳定发展。

第七章　深化农村税费改革的
　　　　综合分析

　　农村税费改革的政策措施与改革深入的程度,取决于对农民负担过重成因的认识。通过本书前面有关章节的分析,我们可以认为,农村乡镇政府及村级组织乱收费只是农民负担过重的直接原因与直观表现。依据直接原因而采取的改革措施,会收到初步成效,即规范税费征管行为、稳定税负水平、减轻农民负担等,但同时也会引发相应的问题,如农村基层政府机构运转困难,农村中小学经费得不到保障,农村公益事业难以为继,等等。农民负担过重的深层次原因在于:行政体制改革相对滞后导致的乡镇机构行政管理费用的膨胀,城乡二元结构下城市偏向的财政体制导致的农村公共事业经费的严重短缺,不完善的分税制导致的地方政府特别是县以下地方政府财力的入不敷出（何振一，1998；陆学艺，2000；刘书明，2001）；城乡分割的户籍政策阻碍了城市化的进程，使大量人口滞留在农村，导致农业生产规模不经济等等。这些因素归结起来说，就是为优先实现工业化的发展战略服务的系列制度安排的长期实施，在客观上形成了城乡分割的二元经济社会结构，导致了农村经济得不到应有的发展，农民收入增长缓慢，负担沉重。改革以来，这些制度安排与城乡分割的二元经济社会结构并没有得到根本性改变，其中的有些因素甚至得到强化。正是从这样的认识出发，我们认为，农村税费改革仅仅规范分配关系（费改税）或基层组织的行为（制止乱收费）是远远不够的，而必须从微观与宏观的结合上，从政治体制与经济体制的联系上，从统筹城乡经济发展的战略上，逐步打破城乡分割的二元经济社会结构，转变政府职能，实施综合性制度创新。

基于以上认识，本书在五、六两章对各种具体制度创新逐个进行分析的基础上，从宏观战略的角度，对农村税费改革中的制度创新进行综合分析，力图说明，只有从根本上改变原有的经济发展战略，实施城乡统筹发展的新战略，才能打破城乡分割的二元经济社会结构，通过综合性制度创新，做到既治标又治本，全面实现农村税费改革的目标，真正完成"农村的第三次革命"，彻底走出"黄宗羲定律"。

第一节　农村税费改革进程的动态分析

截至2003年底，以省为单位进行农村税费改革试点的省份已达 20 多个,其他省份也在辖区内部分县(市)进行了试点,试点地区农村人口共 6 亿多,占全国农村人口 3/4 以上。总体上看,全国农村税费改革工作进展顺利,不仅有力地促进了农民收入的恢复性增长,得到了广大农民群众的衷心拥护,而且带动了农村各项改革,在一定程度上推动了农村经济的发展。

然而,我们也应该看到,农村税费改革的成效还只是初步的。我们不能以静止不变的观点看待这一改革,而应该以动态的、变化发展的观点来认识改革的进程、意义与绩效。

一、农村税费改革进程的阶段性特征

从农村税费改革初期的实践看,改革的措施及取得的成果,都带有明显的阶段性特征。农村税费改革能不能一步到位呢?答案是否定的。目前我国还不具备彻底解决农民负担问题的现实条件,这也就是我们前面已经分析过的农村税费改革的内在矛盾。农民负担问题只能随着经济的发展,初始条件的不断改善,逐步加以解决。因此,农村税费改革也就只能逐步深化、分阶段推进。

就税费改革初期采取的措施来说,无论是直接减轻农民负担的具体措施还是配套措施,都具有过渡性特征,即只能治标,无法治本。例如,"三个取消"(见本书第四章第二节)措施的实行,使县乡财政收入大幅度减少,基层政府机构运转发生困难,农村中小学的正常运转经费和教学基础设施的投入得不到保障。目前解决这些问题的主要措施,是靠中央及省级政府为支持农村税费改革而提供的临时性财政补助,而符合公共经济原则的转移支付制度还未能真正建立起来。因此,一旦为支持改

革而实施的临时性财政补贴取消,基层财政因减收而导致的财力缺口如何填补,还是一个悬而未决的问题。又比如,改革中把原属于村集体的村提留部分,以农村税附加的形式征收,这显然是不合理的,有待通过深化改革加以完善。就配套性措施来说,相关制度的改革也无法一步到位。例如,为减少行政开支而进行的乡镇政府机构的改革,虽然做了"定机构、定编制、定岗位、定人员"的工作,但裁员与减机构还只是名义上的,人员并没有真正分流,吃财政饭的并没有减少,加之乡镇政府尚未能真正转变职能,改变运行机制,因此也就难以保证不重蹈"膨胀—精简—再膨胀"的覆辙。

从农村税费改革初期取得的成果看,也具有明显的阶段性。例如,改革所取得的最有代表性的成果,或者说最直观的表现是农民负担大幅度减轻。但是,正如我们已经分析过的那样,农民负担问题涉及国家的经济发展战略,以及为这一战略服务的城市化偏向的系列具体制度安排,这些因素不改变,也就不可能从根本上解决农民负担问题。因此,要巩固与扩大农村税费改革的成果,就必须深化改革,实施综合性制度变迁。

从制度变迁的一般性规律看,完整的制度变迁过程,首先是核心制度的变迁,而核心制度变迁的成果,需要制度环境的变迁来巩固与扩展。因此,制度变迁一般是先有核心制度的变迁,然后是为响应核心制度变迁而进行的制度环境的变迁。农村税费改革是以农村税费这一核心制度的变迁为先导的综合性制度变迁过程,在进行农村税费制度变迁之后,还必须继续深化改革,实施综合性配套制度的创新与变迁,以从根本上巩固农村税费改革的成果。

二、农村税费改革阶段性目标任务与政策措施的演进

基于上述对农村税费改革的阶段性特征分析,我们认为,改革应依据目标任务分两个阶段进行。即第一阶段的初步改革和第二阶段的深化改革。第一阶段的目标任务主要是,通过清费立税,清理针对农村的各种乱收费,切实减轻农民负担;第二阶段的目标任务主要是,在巩固第一阶段减负成果的基础上,通过深化农村税费改革及综合配套改革,促进农村经济发展和农民增收。两个阶段相互衔接,相互配套。

第一阶段改革的主要措施是:清费立税、规范征管、精简乡镇机构、撤并农村中小学以扩大办学规模等。这一阶段改革成功的标志是,大幅度减轻农民负担,同时基本保障乡镇机构和农村中小学的正常运转。

这一阶段的改革特别要注意解决计税地亩不实问题。以安徽省为例,安徽省税费改革规定二轮承包土地面积为计税面积,但多数地方的二轮承包土地面积不实。为公正税负,必须切实解决"有地无税"和"有税无地"问题,将农户二轮承包土地面积据实丈量,将因集体公益事业占用或自然原因减少的土地,从实际承包面积中扣除。对于新开垦的荒地,也须酌情征税。

这一阶段的农村税费改革还要立足于解决遗留问题。一是妥善处理乡村债务问题。由于种种原因,当前乡村两级负债情况严重,如果得不到妥善处理,将会影响农村税费改革的顺利实施,并引起农民负担的反弹。要摸清乡村债务的底数,控制住债务规模,防止出现新的债务;分清债务的性质,分类研究解决的办法;采取积极的对策措施,多渠道化解债务。对涉及欠商业银

行债务的,亦可从每年银行债转股、核销呆坏账指标中适当解决。二是妥善处理乡镇机构改革产生的遗留问题。从安徽省情况看,对乡镇机构改革中压缩下来的人员,目前执行的是财政保三年工资的政策。现在三年即将过去,对分流人员如何安置是各级党委政府普遍担心的问题,稍有不慎,就可能出现不安定因素。当务之急,是大力培训和分流人员,切实提高他们的创新能力,积极发展能提供市场服务的中介机构和经济组织,努力扶持和分流人员重新创业。

第一阶段的农村税费改革侧重于具体的费改税,故其方案特别要立足于不同地区的实际。从安徽省来讲,南部为山区,人口较少,种植经济作物较多;中部为丘陵,土地贫瘠,人口较多;而北部则为平原,土地肥沃,人多地少。农村税费改革指定土地为农业税及其附加的单一征收对象,并将农业税及其附加固定在土地上,由此,改革实施后,人多地少的淮北平原,减轻农民负担最多。同样,主要由农民负担维持运转的基层政权和农村公益事业的经费也减少最多。中部的江淮丘陵地区,由于按土地常年产量计征新的农业税,取消了人头费,减轻农民负担也较多,由此基层政权维持运转和农村公益经费减少也颇多。人少、丘陵和山地多的皖南地区,总体上减轻农民负担不如粮食主产区的皖北和皖中多。从全国来讲,税改前不同省市区农民负担差异较大,在西部和内陆省份,税费改革前,农民的负担整体较重,因此,农村税费改革后这两个地区的农民负担减轻幅度较大。在沿海发达地区,由于乡镇经济较为发达,财政较为宽裕,原来农民的"三提五统"等能统交则统交,能减则减,能免则免,税费改革前农民的整体负担较轻。因此,沿海经济发达地区的税费改革不能完全照搬安徽省的作法,简单地将"三提五统"打入到新的农业税中,这样反而会增加农民负担。即一些原本不向农民征收"三提五统"的地区,原则上就不应在农业税中增加"三提五统"或20%以内农业税附加的内容。

当农民的负担得到减轻,并相对稳定在一定的水平之后,第一阶段的改革也就基本完成,这时改革就必须转入第二阶段。第二阶段的改革以巩固减负成果,促进农村经济、农民收入快速增长为根本目的。为此,应该进一步深化农村税费改革,全面推进各项配套制度创新。虽然第一阶段的改革已经启动了相关配套制度的创新与变迁,但这些措施本质上只是为了实现减负的目标而对相关制度进行的枝节性改革,并未能对这些制度环境进行真正意义上的创新与变迁。所以,第二阶段的改革,就是要把第一阶段已经启动的制度环境的创新与变迁深入下去,从而实现真正意义上的制度变迁及巨大制度创新绩效。只有从实现党的十六大提出的全面建设小康社会的奋斗目标的战略高度,从解决"三农"问题的重大战略步骤的高度来认识与推进农村税费改革,才能真正理解改革的意义,才能准确把握其内在矛盾与发展趋势,并进一步深化这一关系到九亿农民切身利益的重大改革。

第二阶段的改革,关键在于转变原有经济发展战略,统筹城乡经济社会发展,实现城乡经济社会发展的一体化。这一阶段改革的基本内容为实施综合性制度变迁。之所以这样定位,一方面是因为改革的最终目标必须通过相关制度变迁才能实现;另一方面是因为各种制度的改革与创新是相互联系、相互影响的,其中任何一种制度的改革都会对其他制度的改革产生关联效应,如果改革中只对某种制度进行改革,而不进行相关制度的配套改革,就会影响改革的效果,大大减弱改革的绩效。因此,农村税费改革决不仅仅是对农业税费制度的单项改革,而是上述一系列的制度配套改革与创新。

总之,农村税费改革是一次综合性渐进式的制度变迁,必须分阶段稳步推进。第一阶段主要是实施核心制度,即农村税费制度变迁;第二阶段则进行制度环境变迁,即围绕核心制度进行综合性制度变迁。第一阶段的改革是第二阶段改革的基础,第二阶段的改革是第一阶段改革的深化与延伸。

三、充分发挥产权在农村税费改革中的重要作用

制度经济学认为,产权对经济增长具有十分重要的作用。产权的这种作用是由产权的激励机制产生的,激励机制的强弱,决定着产权作用的大小与有无。只有具有激励机制的产权制度才能促进经济增长,反之,缺乏激励机制的产权制度,不但不能促进反而会阻碍经济增长。

党的十六届三中全会通过的《中共中央关于完善社会主义市场经济体制若干问题的决定》明确指出:"产权是所有制的核心和主要内容,包括物权、债权、股权和知识产权等各类财产权。建立归属清晰、权责明确、保护严格、流转顺畅的现代产权制度,有利于维护公有财产权,巩固公有制经济的主体地位;有利于保护私有财产权,促进非公有制经济发展;有利于各类资本的流动和重组,推动混合所有制经济发展;有利于增强企业和公众创业创新的动力,形成良好的信用基础和市场秩序。这是完善基本经济制度的内在要求,是构建现代企业制度的重要基础。要依

法保护各类产权,健全产权交易规则和监管制度,推动产权有序流转,保障所有市场主体的平等法律地位和发展权利。"农村税费改革必须充分发挥产权对经济增长的推动作用,通过经济的快速发展,为深化制度创新与变迁准备坚实的物质基础。

事实上,我国农村的经济体制改革,正是以产权为主线展开的。解放初期,通过土地制度变迁,千百万农民获得了土地,形成了土地产权由小农私有的土地制度(事实上是残缺的私有产权),经过合作化运动及人民公社化运动,我国农村建立起农村土地集体所有制。1978 年前后,农村广泛实行了土地承包责任制。通过对土地公有产权的分割,实现土地所有权与经营权的分离,农民获得了相对独立的土地经营权。农民通过这种产权制度安排,获取了比人民公社时期高得多的收益。因此,农民作为第一主体,创造性地实施了制度变迁,并得到政府的认可,从而使土地承包责任制成为一次自下而上的制度变迁。但农民获得的经营权是残缺的、不完整的。政府的过多干涉,弱化了农民的经营权。其结果是,农民的生产经营收益权得不到保障,土地经营权流转受阻。

农村税费改革必须以马克思主义产权理论为指导,充分发挥产权对农村经济增长的促进作用。马克思指出:市场交易双方"彼此只是作为商品的代表即商品所有者而存在"[1]。在现代市场经济条件下,产权本身也已经成为商品,其所有者可以把产权作为商品进行交易。市场主体只要承担一定的义务,就可以通过产权的交易获取经济利益。发挥产权对农村税费改革的推

---

① 《马克思恩格斯全集》第23 卷,第103 页。

动作用,关键在于强化与落实农民的土地经营权。这一点在经济利益上表现为,除依法缴纳农业税外,农民应完整无缺地享有生产经营收益权,政府部门或其他任何组织与个人不得分割农民的生产经营收益权。同时,农民转让土地经营权的收益,也应该完全由其自己所有。政府或企业征用农村土地,也要按照保障农民权益、控制征地规模的原则,改革征地制度,完善征地程序。总之,必须建立归属明晰、权责明确、保护严格、流转顺畅的现代产权制度。只有这样的产权制度,才能激励农民努力发展农业生产,积极拓展非农产业等增收渠道,从而推动农村经济社会的快速发展。

从公共经济学的角度看,在市场经济条件下,农民是作为与公共部门相对应的经济主体,与私人部门中的其他经济主体一起,平等地参与资源配置的。但现有的城市偏向的各种具体制度安排,使农民处于与其他经济主体不平等的地位,也不能享有同等的发展权利。因此,各种具体制度的变迁,实质上是要改变原有城市偏向的制度安排,让农民与其他经济主体享有平等的法律地位和同等的发展权利。从这个意义上说,深化农村税费改革,实施综合性制度变迁,也是建立现代产权制度的内在要求,而现代产权制度的建立,又会反过来促进农村税费改革的深化和各种制度的变迁。

第二节 打破城乡二元结构 统筹城乡经济发展

较之其他发展中国家,当前我国的"二元经济"结构特征尤为突出。多年来我们还没有意识到:解决农村问题的答案不在农村,解决城市问题的答案也不在城市。因此,我们必须从城乡统筹的战略高度,从国民经济与社会持续稳定发展的全局来认识二元结构问题。要逐步打破城乡分割的二元结构,实现城乡互动发展,就必须逐步消除阻碍社会生产力发展的体制性障碍,形成促进城乡经济协调发展的机制,在全社会范围内实现资源的优化配置,最终实现全面建设小康社会的宏伟目标。

一、打破城乡二元结构的必要性与可能性

我国城乡分割的二元结构是为优先发展工业的战略服务的。国家为实施这一战略,进行了一系列的制度安排。农村税费改革要打破城乡二元结构,就必须对一系列的制度实施创新,其重大意义显而易见。不仅如此,打破城乡二元结构的必要性还在于:

1. 打破城乡二元结构,实施城乡一体化发展战略是社会主义制度的本质要求。

实现全体人民的共同富裕是社会主义制度的本质要求,但现存城乡分割的二元结构,无法使全体人民实现共同富裕。我们知道,实施优先发展工业特别是重工业战略意味着对农业剩余的剥夺。为这一战略服务的一系列制度安排的长期实施,则强化了城乡分割的二元结构。这种城乡分割的二元结构在现实社会生活中表现为,客观上存在着市民与农民两个不同的阶层,且市民与农民的身份是世袭的,二者在空间上处于相对隔离的状态。市民生活在城镇,从事工商业生产与经营,享受着国家提供的各种福利及社会保障,享受由政府投资提供的各种公共产品,子女也享受较为良好的义务教育。而占我国人口绝大多数(约70%)的农民则只能生活在乡村,仅仅依靠在小块土地上进行农业生产的微薄收入维持生存,基本上享受不到国家提供的任何福利与社会保障,社区的公共设施少,农村公共产品基本上依靠社区内农民自我提供。特别令人难以理解的是,农村的义务教育也基本上由农民自己负担。市民与农民的这种制度性分割,表现在经济社会生活的各个方面。农民与市民在收入水平、生活环境、教育水平、子女就业、社会地位等诸多方面存在着事实上的不平等,这就严重背离了社会主义制度的本质要求,背离了社会主义公平、公正的原则。

长期维持城乡分割的二元结构的直接后果是,农业经济得不到应有的发展,农民的生产、生活条件得不到应有的改善,最终导致城乡差别日益扩大,"三农"问题变得日益突出,并成为制约我国国民经济持续稳定发展的关键因素。因此,必须从国家经济社会发展战略的高度认识农村税费改革问题,通过实施城乡一体化发展战略,改革原有的系列制度安排,实现城乡经济的协调发展。

2. 打破城乡二元结构,实施城乡一体化发展战略,是保持国民经济持续稳定发展的迫切要求。

随着我国国民经济的持续快速发展,工业部门的发展对农业经济的相关性进一步提高,相对落后的农业已经日益成为工业进一步发展的决定性制约因素。例如,我国家电工业的发展就由于农村市场未能启动,产品销售困难,工业再生产的循环因有效需求不足难以正常进行,许多工厂的生产能力过剩,设备闲置。出现这一现象的原因并不是因为农村没有家电消费的需求,而是由于农村经济发展缓慢,农民收入得不到应有的提高,农民的支付能力过低。可见,农村市场的启动对工业经济的发展具有举足轻重的影响。随着我国工业化进程的加快以及国民经济的持续快速发展,相对落后的农业经济日益成为国民经济发展的决定性制约因素。

3. 打破城乡二元结构,实施城乡一体化发展战略是发展社会主义市场经济的必然要求。

市场经济以效率为第一原则,以实现资源的最优配置为目标,在全社会范围内实现资源的最优配置。在城乡二元结构制度安排下,社会被人为地分割为相对独立的两个系统,资源不能按效率原则合理流动,造成资源的紧缺与浪费并存的不合理现象。这就严重地影响了社会主义市场经济的发展,阻碍了我国现代化建设的进程。

完善的市场体系是市场经济的载体。市场经济的发展,要求形成一体化的市场体系。消费品市场、生产资料市场、资本市场、劳动力市场,等等,都必须在农村与城市之间顺畅地流转与运行。城乡分割的二元结构,人为地把城乡隔绝于两个相互独立的系统之中。使社会资源无法在两个市场之间合理流动,不能实现资源的优化配置,极大地降低了资源的利用效率。

可见,打破城乡二元结构不仅是社会主义制度的本质要求,也是实现资源的优化配置、实现我国国民经济与社会持续稳定发展的迫切要求。逐步打破城乡二元结构不仅十分必要,而且完全可能。我们可以从以下几方面进行分析:

1. 我国工业已经具备自我发展的能力。经过优先发展工业特别是重工业战略的实施,我国的工业化已经达到较高水平,工农业产值结构已经由建国初期的3:7转变为目前的7.5:2.5,农业产值占GDP的比重呈逐年下降之势。工业已经完全可以依靠自身的积累加速发展。因此,目前基本上有条件与可能,开始逐步改变原有的优先发展工业的战略,实现城乡一体化发展。

2. 乡镇企业的发展为我们找到了一条打破城乡二元结构的切实可行的道路。乡镇企业作为我国特殊国情的产物,在改革开放后得到了飞速发展,其产值曾经占据我国GDP的半壁江山。作为一种企业制度,乡镇企业较好地把工业与农业、城市与农村结合在一起,成为城乡一体化的桥梁与纽带。它打破了农民与市民、农业与工业的界限,把乡村变为城镇,把农民变为市民。它在提高务工农民收入的同时,沟通了城乡两个市场。从而为打破城乡二元结构探索出了一条有效途径。

3. "民工潮"的兴起为打破城乡二元结构培养了新的利益主体。打破城乡二元结构,需要进行一系列的制度变迁,这就必须造就庞大的制度变迁主体,作为实施新的制度安排的中坚力量。城乡之间巨大的反差,唤起农民对城市的向往。农民外出打工,不但改善了经济状况,而且逐步接受了现代城市工业文明,提高了科学文化素质。这样,农民真正成为打破城乡二元结构的利益主体,他们会主动参与并积极推动城乡一体化。

当然,在打破城乡二元结构方面也存在着一些不利因素。如我国农村人口基数大,农民整体文化素质偏低;城市就业形势严峻,治安状况令人担忧;国有企业经营状况不理想,产权制度有待进一步创新。乡镇企业步入低谷;等等。因此,打破城乡二元结构,实施一体化发展战略是一项复杂而艰巨的系统工程,是一项长期的战略性任务。

二、打破城乡二元结构的战略步骤与措施

打破城乡二元结构,实施一体化发展战略,之所以是一项长期的战略任务,不仅仅因为存在着上述不利因素,还有这样两方面的原因:一方面是因为原有体制运行了近半个世纪,具有巨大的惯性,容易引致"路径依赖",而打破城乡二元结构,实施一体化发展战略,必然要对原有利益分配格局进行调整,这涉及千千万万人的利益,必然会引起我国经济社会生活诸多方面的深刻变迁,需要我们分阶段稳步推进;另一方面,打破城乡二元结构,实施一体化发展战略,本身就是一系列的综合性制度变迁,不可能在短期内完成。因此,它是一项长期的战略性任务,是一次由渐进式到质变式的系统性制度变迁。

实施城乡一体化发展战略,统筹城乡经济社会发展,必须改变原有的城市偏向的制度安排,从经济社会发展的全局出发,以社会主义的平等、公平原则为基本准则,给农民以"国民待遇",优化配置资源,努力实现帕累托最优,即要使广大农民与其他阶层的民众一样,平等地分享经济发展的成果。为此必须彻底改变原有的二元结构思维模式与方针政策,改革原有二元体制特征的制度安排,实行全方位的制度创新。除了前面分析的农村税费改革中已经启动的各项配套改革措施,及各项具体制度创新之外,目前应着重深化户籍制度改革,完善流动人口管理,切实保障农民工的合法权益。引导农村富余劳动力平稳有序转移;加大政府支农力度,特别要加大对重点农业地区的投入,发展地区性特色农业,促进农业与农村经济快速发展。

（一）加快现行户籍制度改革

我国现行户籍制度诞生于上个世纪五十年代,其突出特点是实行城乡分割的二元化管理。它是国家在消费品严重短缺的情况下制定的,为优先实现工业化发展战略服务的,与计划经济体制紧密相关的户籍制度。这一制度在特定的时期内,曾经发挥过积极的作用。然而,随着我国经济的发展,特别是在经济体制转轨的大前提下,这种"控制型"户籍制度与"自动型"市场经济之间的矛盾日益突出。首先,它阻碍了城市化的进程,阻碍了农业现代化的发展,不利于我国农业人口向城镇转移。其次,它不利于形成全国统一的劳动力市场,抑制了劳动力、人才的自由流动。第三,现行户籍制度使我国公民具有不同的身份,农民不能享受平等的"国民待遇"。第四,现行户籍制度已不能对我国的人口流动进行有效管理。

可见,深化农村税费改革,打破城乡分割的二元结构,迫切要求加快推进户籍制度改革。(1)放宽户口迁移的限制条件,减少人口迁徙的直接行政干预,主要通过市场与宏观调控相结合的手段来实现对人口分布的科学化管理。首先要全面推进小城镇户籍制度改革,为整个户籍管理制度改革积累经验。同时,大中城市以具有合法固定住所、稳定职业或生活来源为基本落户条件,由各地人民政府根据当地经济和社会发展的实际需要及综合承受能力,制定城市发展总体规划和人口发展规划,以落户条件取代计划指标,以就业地或居住地的户籍登记制取代审批制。特大城市要保持人口适度增长,对其周边地区和卫星城镇,要制订相应的鼓励措施,以吸纳城区人口和本市农村人口为重点,促进其市区人口的分流,防止特大城市人口的过度膨胀。

(2)逐步剥离附着在城市户口上的福利功能。目前,户籍制度改革的阻力主要来自于附着在户口上的一些实质性功能没有与户口剥离,如社会保障、就业、子女上学等方面,由于这些方面包含了地方政府对辖区内居民的补贴,地方政府便实行内外有别的政策,对外来务工人员采取歧视性措施。解决的办法:一是打破农业人口与非农业人口的界限,逐步形成统一的劳动力市场,实现劳动力的公平竞争与平等就业;二是对城镇各类就业人员实行统一的社会保障制度;三是实行义务教育收费的"一费制",严格禁止对外来打工人员子女九年义务教育的高收费;(3)加快户籍管理的立法工作,把户籍管理纳入法制化的轨道。将"公民迁徙自由权"纳入宪法,同时修改相关法律,研究制定促进人口平稳有序流动的法律法规。(4)加速户籍管理的智能化和网络化进程,提高户籍管理人员和机构的工作效率,使其更好地服务于经济建设。

(二)加大财政支农力度

从根本上说,加大财政支农力度,就是要改变城市偏向的财政制度安排,在公共经济的平台上,加大对农村公共产品的投入,促进农业与农村经济的快速发展。

邓小平同志指出:"如果农业出了问题,多少年缓不过来,整个经济和社会发展的全局就要受到严重影响。"多年来党和政府做了大量的工作,但农业的弱质特征没变,基础性地位亟须加强。我们认为,必须从根本上改变原有城市偏向的财政支出安排,加大对农业的投入,立足于增强农业的综合生产能力和自我发展能力。目前,我国已经具备了实施支农政策的基本条件。到2002年,全国二、三产业的产值占到GDP的85%,农业产值降到15%以下,已经具备了工业反哺农业的物质基础①。因此,要健全支农体系,改革支农方式,逐步形成国家支农资金稳定增长的机制。

1. 加大财政对农业和农民的补贴力度。建国后很长一段时间内,由于国家财力不足,底子薄,将有限的资金重点用于工业,使得农业投资需求始终处于高度"饥渴"状态。如国家财政中农业支出的比重从"五五"期间的13.2%逐次下降到"七五"期间的8.4%,而同期重工业得到的投资比重为45%,这使农业错过了太多的发展机遇。与此同时,农业还以农产品价格"剪刀差"的形式向工业提供了巨额的资金,近几年每年都在1000亿元以上。农业对我国工业化发展作出了巨大的牺牲和贡献,反过来又成为工业发展的一个制约因素。因此,必须加大财政支农力度,大幅度地增加对农业的投入,以促进工农业平衡、协调发展。

事实上,对农业进行补贴符合国际惯例。我们必须用好这项政策,实践中可采取如下措施:

首先,加大对农业的补贴力度。要补贴首先就需要有稳定的收入来源,为此我们可借鉴日本的做法,将财政部门掌管的预算外资金和各种财政周转金、政府发行债券的收入、政策性银行的资本金等都纳入财政投融资范围内,重点确保农业基础设施建设,增强农业抵御风险的能力。

其次,拓宽农业投资渠道。要动员和鼓励社会资金特别是

---

① 安徽省委宣传部、省政府研究室:《解决我国"三农"问题的成功实践》,《安徽日报》2003年4月12日。

外资直接投资农业。目前,国家每年利用外资总额中,只有不到5%用于农业,这方面大有潜力可挖。国家可根据农业投资风险高、回报率低等特殊性,制定一些免税或低税收政策,吸引企业集团、基金组织和城乡居民等投资主体的民间资本投入农业,以提高民间投资主体的农业投资边际收益。

再次,在对农产品实行保护价的同时对主要农资产品实行限制价格。主要农资产品的价格对农业具有直接的影响,若价格过高则会使广大农民望而却步,影响农业发展。政府应综合考虑,将其最高价格限定在一定范围内,必要时可以适当予以补贴,这样农民易于接受,从而促进农业发展。对农民补贴可采取多种方式:其一是在生产环节对农民直接补贴。我国政府支农政策的一大特点是间接性。很多拨款被用于农口事业单位的项目和服务,如修路引水,科技示范等,真正补贴到农民手中却微乎其微,这就使支农效果大打折扣。如粮食补贴,当前存在诸多弊端,国家对储存环节进行补贴,打消了企业销售的积极性,因为不销售可以拿补贴,销了不但没补贴,还要冒亏损的风险。风险基金补贴数额不少,但粮食部门能拿到手的不多,将近70%要用来支付银行利息,除去大量库存的保管费开支,所剩无几。据统计,在对农业的补贴方面,目前国家投入与农民增收之比为7:1,即国家每耗费7元钱的投入,农民才能得到1元的补贴性收入,这无疑是巨大的资金浪费。因此,应减少中间环节的开支,增加对农民的直接补贴。其二是把减负作为对农民的间接补贴。应将农民所得的应税范围控制在生产流通领域,只对农业产出中进入生产经营加工领域中的产品征税,而对农民所得中用于自给自足维持生存的部分免予征税。这种征税方式对依靠农业收入维持生计的农民实现了免税,对先富起来从事农业经营的农民适当征收了税费,既保证了税收的公平合理性,又有效地保护了农民中的弱势群体。

2. 以市场为导向,推进结构调整,支持农民发展区域特色农业经济。目前,我国的主要农产品由长期短缺变为供求总量平衡,丰年有余,结构性过剩;农业发展也由资源约束变为资源与市场双重约束。在这种情况下,单纯依靠农产品量的扩张来增加农民收入,其潜力非常有限。这就要求我们在稳定提高农业生产能力的前提下,准确捕捉市场信息,重点支持农民发展质优价高的农产品生产。

要本着"让多的好起来,让好的多起来"的原则,打破自求平衡的旧观念,大力发展名优特新产品,以县、乡为基本单元,根据本地实际,创造性地在"特"字上做文章,以特求优、以特求效、以特取胜。在此基础上,逐步壮大规模,形成一批有地方特色的产业带、产业区,以提高本地产品的整体知名度和整体效益。例如,安徽省阜南县会龙乡就在小辣椒上做出了大文章。近年来会龙人抓住国内外市场的机遇,在努力提高辣椒品质的基础上,迅速扩大规模,种植面积达 3.5 万亩,2002 年元月会龙乡被安徽省有关部门认证为"无公害农产品"生产基地。"会龙辣椒"畅销国内外,产品供不应求,"辣椒经济"搞得有声有色。

需要特别强调的是,发展有区域特色的地方经济需要根据市场行情和地方实际审时度势,谨慎论证,稳步发展,切忌从个人主观愿望出发搞急功近利行为。要坚持因地制宜原则,注意发挥各地的比较优势。发挥地方比较优势是市场开放条件下配置农业资源的一项基本策略。我们以前也讲因地制宜,但那是指根据土地、气候等自然条件"适宜种什么就种什么",没有根据市场需求发挥比较优势。因此,要赋予因地制宜以新的含义,高度重视发展具有市场竞争优势的农产品,逐步形成本地的主导产品和支柱产业。当前许多地方都在搞农业结构调整,但往往出现事与愿违的结果,调来调去调得农民增产不增收,甚至出现产品卖不出去白白烂掉的现象,使结构调整变成了瞎折腾,搞得农民怨声载道。这迫切需要各级政府官员增强市场意识和实地调研能力。同时还要充分利用好科研院所等技术机构的力量,主动与他们结对子,借智生财,把市场和地方特色有机地结合起来,做大做强地方经济,让农民真正得到实惠。

3. 大力发展以粮食为主的大宗农产品精深加工和转化。即使在农产品市场需求状况很好的情况下,单纯出售初级原料产品,所得的收益还是有限的。要实现效益的最大化,就必须延长产业链条,对部分农产品进行转化和加工,使其在加工转化中增值增效。

农产品精深加工是提高农产品附加值的有效途径。地方政府要主动与科研院所联系,积极从市场上捕捉那些对加工本地农产品有用的技术信息,鼓励有一定条件的企业或农民搞农产品精深加工。这一方面吸纳了地方剩余劳动力,增加了地方税收,另一方面又增加了农产品的附加值,使当地农产品赚取了流通环节的利润,利于壮大种养规模,逐步培育地方支柱产业,并以此带动地方经济的发展。

如果说农产品的精深加工有一定难度的话,对农产品进行转化则较易操作,要通过农产品转化来增加农民收入。过去由于粮食等主要农产品供给不足,转化的程度相当低。现在,农民家里大都存有许多余粮,城乡居民收入提高后食物构成也相应变化,要求吃更多的肉、蛋、奶、鱼等动物性食品,这就为粮食转化提供了良好的机遇。资料显示,目前我国的畜牧业生产总值只占到农业生产总值的28.8%左右,而一些农业发达国家这一指标都在70%以上。因此,应充分挖掘这方面的潜力,大力实施"畜牧富民"工程,这也是提高粮食作物附加值,获取流通环节利润的明智选择。要选准那些品质优、市场行情好的品种,如波尔山羊、三元杂交猪等,大力发展畜牧养殖业,把农民手中积压的余粮变成钱袋子,变资源优势为经济优势,利用增加的现金收入来搞二轮甚至多轮投资,提高资源的利用率,这样,既兴了产业,也富了群众。

4. 扶持龙头企业,推进农业产业化经营。实践证明,推进农业产业化经营是市场经济条件下农业自我积累、自我调节、自主发展的一种现代经营方式。它增强了农业抵御风险的能力,改变了以往农业只停留在生产环节的状况,将农业生产产前、产中、产后诸环节有机地结合为一个完整的产业系统,集种养加、产供销、贸工农于一体。它是调整农业结构,提高农业国际市场竞争力,增加农民收入的治本之策。而发展"龙头型经济",突出抓好龙头企业便是农业产业化经营的关键和重点。在抓龙头企业时,需要注意以下几点:

首先,创办龙头企业应依托当地主导产业。合理确定主导产业是农业产业化的首要环节,应注意处理好宏观和具体的关系,也就是说要吃透上情,掌握产业政策,为农民提供准确具体的产业信息,结合本地实际确定主导产业。在一定时期内努力使主导产业形成规模,提高知名度和特色度。龙头企业只有围绕主导产业来发展才能获得持续不竭的发展动力。

其次，在龙头企业组建方式上，应坚持多成分并举、多形式并用。一是"借"，即借助外地大企业、大集团为龙头，借势发展。二是"转"，即利用当地原有组织资源，鼓励一批具有实力的乡镇企业转产投资。三是"联"，即扩大农业对外开放，引进项目、资金、技术、人才，以合资形式发展龙头企业。总之，不能拘泥于一种形式，而应该拓宽思路，大胆创新。

再次，龙头企业必须高度重视市场信息网络建设。市场信息网络是龙头企业的神经，其灵敏与否关系着龙头企业的生存和产业化的成败。龙头企业可通过建立市场信息中心，设立驻外信息窗口等形式，上联国内外市场，下联基地和农户，及时提供农产品销售信息和价格信息，让农民知道市场需要什么、需要多少，以此安排生产。这就能有效地发挥"龙头"的牵引和带动作用，有力地促进农民增收。

第四，要探索科学的龙头企业与农户联结机制。要尽力让企业与农户加起来，形成利益共享、风险同担的利益共同体。除应建立利益分享机制和风险共担机制外，还应重点建立利益表达机制。应通过中介组织特别是协会，把企业与农户联结起来，使之定期对话、随机交易、相互参股。通过规范二者的相互关系，提高利益共同体的紧密程度。

（三）逐步建立农村社会保障制度，促进农村剩余劳动力转移

解决"三农"问题的根本出路在于减少农民，将农业剩余劳动力转移至二、三产业。当前，我国农村社会保障制度不健全，农民缺乏基本的医疗保险、养老保险和最低生活保障，这已经成

为农民离乡、离土的后顾之忧。农民不得不把土地作为自己生活的最基本保障。加之农村二、三产业不发达,丰富的劳动力资源无法转变成人力资本,造成巨大的浪费。这就迫切要求我们采取各种措施,促进农民有序流动。

1. 逐步建立农村社会保障制度。目前,我国基本上只在城市建立了社会保障制度,社会保障的覆盖面很小。到 1994 年底,全国享受社会保障的人口只占人口总数的 23%,农村享受社会保障的人口只有 2%,保障对象主要是"五保户"和优抚人员①。因此,要逐步建立农村社会保障制度,解除农民的后顾之忧,让他们进入城镇,把多余的资金投入非农产业,从而加快农村人口城市化的步伐。目前,要优先把农村贫困人口纳入农村社会保障的范围。

实践中常遇到这么一种情况:有些农民因被征地而失去土地,将所获赔偿款挥霍后便一无所有,成为食不果腹的贫困户。对这种情况,应改变过去那种"地带工"或一次性补偿的方式,尝试采用"土地换社保"来长久保障其生活。也就是说,农民失地后,先行补偿小部分钱款供其作发展启动资金,余款以生活保障金的形式按月领取供其生活,或者对新征用的土地,农民以承包权入股,取得股份收益,作为农民生活的基本保障。这一方面有利于维护农民利益,保持农村社会稳定;另一方面也能使这部分人员摆脱后顾之忧,轻松地进入二、三产业,促进农村经济社会的发展。

2. 加快小城镇发展步伐,促进农村剩余劳动力转移。富余

---

① 刘翠霄:《中国农民的社会保障问题》,《法学研究》2001 年第 6 期。

农民就必须减少农民,繁荣农村必须推进城镇化,这符合现代化的一般规律,更符合我国国情。目前,我国农村剩余劳动力约1.5亿,其中常年在外打工的近1亿人。以安徽省为例,资料显示,2001年安徽全省农村剩余劳动力约1128.6万人。要把这么庞大的人口从土地上转移出去,主要依靠发展大中城市显然是不可能的,只有大力发展小城镇才是现实的选择。目前全国城镇化水平略高于30%,安徽省还低于全国平均水平约8个百分点,这说明发展小城镇的潜力很大。如果安徽省的城镇化能达到全国平均水平,就可以从农村转移人口470多万,其中可以消化农村剩余劳动力300万左右。这些人投入二、三产业,无疑将极大地促进安徽省地方经济的发展。

党的十六届三中全会明确提出,要加快农村城镇化的进程。发展小城镇是带动农村经济和社会发展的一个大战略。小城镇是农民城市化的桥梁,它可以促进乡镇企业的发展,拉动农村经济的增长,从而启动农村市场。同时,它可以使农民"离土"但不"离乡",解决了部分农民因恋乡情结而不愿外出打工的问题,吸纳了剩余劳动力,加速了农村非农化、城市化的进程。在发展小城镇的过程中,需要注意以下几个方面的问题:

首先,小城镇的布局规划要科学合理。要根据地方区位、资源状况等实际来准确定位本地小城镇的功能。只有拥有自身特色和风格的城镇,其吸引力和辐射力才能不断增强。小城镇的功能定位不仅要注重人口集聚,更应注重经济集聚、智力集聚。通过引导人口和物资的流动与集散,达到经济繁荣的目的。从目前的条件看,应该集中力量建设好县城和在建制的中心镇。在编制规划时,特别要注意体现小城镇带动经济发展的功能,避免大同小异,形成空壳。

其次,把基础设施建设和软环境培育放到同等重要的位置。要集中力量进行基础设施建设,为外来投资者和本地居民创造必要的经营条件,要吸引乡镇企业和个体工商户到城镇落户,以促进城镇二、三产业发展和各类商贸市场、专业市场的形成与发展。要摒弃"等、靠、要"的旧观念,改变单一的政府投资格局,树立经营城镇的理念,把城镇部分基础设施作为商品开发,充分发挥市场对基础设施建设的调节作用。可按照"谁开发谁受益"的原则,通过开放基础设施建设市场、出让土地使用权、公用设施经营权和冠名权等方式,实现城镇建设主体的多元化。与此同时,还要高度重视软环境的培育,对那些破坏经济环境的行为要坚决制止,树立文明、诚信的城镇信誉,以完善的设施、优质的服务留人、兴业。

第三,加快改革步伐,进一步落实城镇化进程的相关政策。要建立按居住地划分城乡人口、按职业确定身份的户籍制度,逐步自下而上地依次放开小城镇——中小城市——大城市的户籍限制,逐步改革完善城镇就业制度、教育制度和社会保障制度,解除进镇农民的后顾之忧,以加快农村城镇化的进程。

3. 正确认识与引导"民工潮",做好劳务输出工作。"人往高处走,水往低处流"。地区经济发展的不平衡是牵引农村劳动力跨地域流动的利益驱动因素。为提高城镇化水平,必须努力促使劳动力就业空间向外部拓展。当前涌现的"民工潮"是推动城乡一体化的重要力量,是实现城乡一体化的有效途径,极大地推动了农村经济乃至国民经济的发展。

(1)外出打工开拓了现阶段我国农民就业和增收的主渠

道。以安徽省为例,资料显示,2002 年安徽省有 800 万人外出打工,占农村劳动力总数的28.3%。1999 年安徽省农民外出打工收入 217 亿元,超过了当年全省的 174.3 亿元的地方财政收入,被称为"流动的安徽"。长丰县 2001 年劳务输出总收入达 4亿多元,仅此一项人均增收 482 元。安徽省临泉县 2003 年财政收入约 1 亿元,而外出打工的农民本年度寄回来的劳务收入却达到 12 亿元。农民亲切地把劳务输出称为"一座不冒烟的大工厂"。

(2)"民工潮"培育和积累了支撑我国经济发展必需的人力资本,降低了工业化的成本,推动了 GDP 的增长。生产要素的合理流动会提高要素的利用效率,农村劳动力由落后的地区向经济发达的地区特别是城镇转移,能大幅度地提高资源的利用效率,并由此推动 GDP 的增长。据估算,农村劳动力流动对我国年均 GDP 增长的贡献率为16%。大量廉价农民工的充分供给,促进了我国劳动密集产业的发展,大大降低了我国加工业的成本。据测算,目前企业雇佣一个农民工与雇佣一个城市职工相比,每年要节省工资性支出约 10000 元,全国以 1 亿农民工计,则仅此一项,农民工一年为国民经济提供的剩余积累就达10000 亿元。农民外出打工,不仅挣了"票子",而且也换了"脑子"。他们在工业社会的熏陶下,一方面提高了科学文化水平和劳动技能,另一方面也增长了见识,积累了从事经营活动的经验,培育了市场经济观念,从而有力地推动了农村市场经济的发展。

(3)"民工潮"还孕育与促进了个体私营经济的发展。"孔雀东南飞,飞去又飞回",不少打工者在市场经济的锻炼下成熟起来,回乡创业。以安徽省阜阳市为例,目前,全市回乡民工创办的企业达900多家,年创利税8000多万元,吸收人员就业3万多人。农民工回乡创业,带动了输出地个体私营经济的发展,为农民就地务工创造了条件,促进了当地经济的发展。与此同时,"民工潮"还实现了生产要素合理配置与优化,调整了产业结构,使发达地区和欠发达地区达到了"双赢"的效果。

(4)"民工潮"加快了我国农村城市化的进程。农村人口向城镇转移,是实现现代化的内在要求与必然趋势。世界经济发展的经验表明,一国现代化的发展水平有两个重要指标:一是工业化水平,二是城镇化程度。工业化表现为工业产值在 GNP 中的比重不断上升;城市化则是农村人口逐步向城镇转移的过程,农村人口占总人口的比重不断下降,城镇人口占总人口的比重不断上升。加快城镇化是加快现代化建设的必然要求。"民工潮"是广大农民冲破二元结构的束缚,推进农村人口城镇化的具体形式。目前,我国人口城镇化率为30%,每年约增加城镇人口 1000 万。除行政区划的变动、城镇人口的自然增长数及农村学生毕业留城市工作等因素外,余下的新增城镇人口基本上都是农民工的城镇化。与世界同等发达水平的国家相比,我国的城镇化水平滞后 20—30 个百分点。因此,我们要大力支持农民工进城,为他们在城镇安家落户创造有利条件,特别要给予他们以同等的"市民待遇",以充分发挥"民工潮"对农村人口城镇化的推动作用。

可见,"民工潮"是改革与创新潮,是建设与贡献潮,是发展与希望潮,是致富与小康潮。可以说,"民工潮"正在以农民认可的方式,实现农村剩余劳动力向城镇的战略性转移。面对当前这一不可阻挡的浩荡大潮,正确做法不是遏制,而应顺应潮流,积极引导其有序流动,并使之成为新兴产业。我们应从以下几方面全力构造与发展这一新兴产业:

一是抓农村劳动力素质的培训和提高。劳动力作为一种特殊商品,同其他商品一样,其竞争力依赖于素质优势。劳务输出的产业功能是将人力资源"深度加工"为人力资本,创造更多的社会财富。要强化人员培训,可在"绿色证书"培训、技术教育培训等长期培训的基础上,更多地采用短、平、快的方法,对市场反馈回来急需的专业技术进行有针对性的"订单式"培训,把培训和输出、技术培训和职业道德教育结合起来,深化劳务输出的产业层次。

二是抓劳动力市场的培育和开拓。各级各地政府都应建立、健全、完善各种类型的劳动力市场,建立自上而下的劳务输出管理服务机构,加强对市场的分析研究,发展劳动力市场中介组织,经常发布劳动力市场的供求信息,对劳动力转移给予必要的指导和组织,引导农民有序、稳定地流动。各地还应建立劳务输出基地,并形成网络。无论是管理机构还是输出基地,都应以提供优良服务为宗旨,严禁乱设关卡,借机乱收费,加重农民负担。当前要集中治理对农民工的办证收费和拖欠农民工的工资问题。

三是要制定有利于劳动力转移的各项优惠政策。政策环境是劳务产业发展的阳光雨露,要在充分调查研究的基础上,制定一系列有利于劳动力转移的政策,如制定户籍制度改革政策,制定对接受劳动技能培训有关人员的优惠政策、有关教育培训单位的优惠政策、"回归"创业、劳动力市场中介组织、政府各有关部门的奖惩等优惠政策。这样可以集社会之智，倾社会之力来全力抓好这项工作。

四是要加强对劳务输出工作的领导。劳务输出作为一个新兴产业，当前还处在需进一步规范阶段，既要靠市场力量，又要靠政府利用行政手段来大力推动。各级政府要提高认识，设立专门的机构，在对市场和本地情况充分调查研究的基础上，制定规划，精心运作。要把解决就业问题作为各级政府的任期目标，进行年度评比总结。要建立专项基金以奖励"打工"能人，形成各部门齐抓共管的良好氛围，加速推进劳务输出的产业化进程。

三、打破城乡二元结构是一项长期的战略性任务

上述分析表明，打破城乡二元结构，意味着对我国经济社会生活实施重大变革，而这一过程的实质，则是对现有利益格局的重大调整。各类利益主体在这一过程中的利害得失会不尽相同。因此，无论是从思想认识上对打破城乡二元结构的认同，还是在实践中积极参与并自觉成为制度变迁的主体，都需要有一个发展过程。

打破城乡二元结构，首先要求全社会形成对这一问题的共识，并进而发展成为比较成熟的理论。由于这一改革涉及人们的切身利益，不同的利益主体必然对制度变迁持不同的态度。因此，必须通过长期的思想与理论工作，把人们的认识引导到国家经济社会发展的根本目标上来。要使人们认识到，打破城乡二元结构最终能从根本上提高全民的福利水平。与此同时，要通过科学务实的理论探索与大胆实践，找到一条符合我国国情的打破城乡二元结构的道路。显然，要完成这些复杂而艰巨的

任务,需要有一个长期的过程。

打破城乡二元结构,必须按效率原则在全社会范围内实现资源的优化配置。为此,要充分发挥市场机制的作用,彻底转变政府职能,实施综合性制度变迁。从制度变迁利益主体的培育、发展壮大,到实施中心制度的变迁,再从中心制度的变迁扩展到制度环境的变迁,是一个循序渐进的过程。

从我国具体国情看,打破城乡二元结构,是在相对放缓占人口少数的城市人口福利提升水平的同时,大幅度地提升占人口绝大多数的农村人口的福利水平。这要求有巨大的财力与物力支持。在我国目前的财政状况下,要满足这一要求,显然需要一个长期的积累过程。

从经济体制转型的角度看,打破城乡二元结构,实质上是要从计划经济体制向市场经济体制转轨。经济体制转轨本身就是一个长期的过程。在这一过程中,要进行各种层面上的制度变迁。从生产力到生产关系、经济基础到上层建筑直到具体的制度个别等层面上,都要实施制度变迁。这些绝不是一朝一夕所能完成的。

总之,无论从制度变迁意识的形成与变迁主体的培育,还是从制度变迁的实施过程及我国实施制度变迁的初始条件看,打破城乡二元结构都是一项长期的战略性任务。

第三节　转变政府职能　加强宏观调控

政府职能的范围是由经济体制的性质所决定的,当经济体制发生变动时,也就要求政府职能随之调整。公共经济理论告诉我们,在市场经济条件下,政府的职能在于弥补市场的不足。具体地说,即是通过宏观调控、市场监督、提供公共产品及服务,以促进经济与社会的协调发展。近十年来,随着社会主义市场经济体制的确立和发展,各级政府的职能也一直在调整变动中。此次农村税费制度变迁及围绕这一核心制度所进行的综合性制度变迁,也必然进一步要求政府转变职能,创新运行机制,降低运行成本,提高办事效率。政府职能的积极变化又将成为农村综合制度变迁的推动力。

一、科学界定政府与市场的边界

农村税费改革揭示出乡镇机构膨胀及其职能的错位,用农民的话说,就是"养了一些不该养的人,管了一些不该管的事",而许多应该管的事却没有管或没管好。产生这种现象的主要原因在于,政府机构对其自身的职能没有准确把握。在市场经济条件下,这一问题本质上就是政府与市场的边界界定问题。所以,政府要积极履行职能,进一步深化农村税费改革,首先必须科学界定政府与市场的边界。

我们知道,在计划经济体制下,政府行使广泛的职能,可谓无处不在。政府控制着全社会绝大部分资源,政府机构庞大,人员众多,政府机构运行成本高昂。在市场经济条件下,市场机制在资源配置中发挥基础性作用,政府的职能仅仅限于市场失灵的领域,这样,政府的规模、范围与运行成本也必然发展变化。由于政府行使职能必然耗费一定的成本,故政府公共部门支出规模在一定程度上反映政府的规模与范围。要减轻农民的税费负担,必须使政府的规模与范围适度。因此,科学界定政府与市场的边界是深化农村税费改革的必然要求。

现代公共经济学关于两部门划分的理论,为政府与市场边界的界定提供了理论依据。即政府公共部门在市场失灵的领域从事公共产品的生产,维持国家机器的正常运转,维护社会公平公正,调节宏观经济运行;市场机制则引导私人部门以效率为原则,有效利用资源从事私人产品的生产。这样,凡是市场能够有效地发挥作用的领域,政府都应该基本上退出。其临界点在于政府与市场在生产该种产品时,对所需资源配置与利用效率的比较。如许多日常生活用品的生产,通过市场竞争由私人部门提供,比政府提供的效率要高得多。因此,对资源配置与利用的效率比较,就成为政府与市场界定的客观标准。

理论上对政府与市场边界的划分,落实到现实经济生活中,实质上是政府与企业的边界划分问题。凡是企业能够提供的产品与服务,就不必由政府提供;凡是企业的合法经营活动,政府都不应该干预;凡是企业必需而企业自己又不能提供的制度环境与服务,政府都应该努力供给到位。所以,政府应该准确定位,积极履行自己的职能。

上述两方面的关系界定,实际包含着这样几方面的具体内容:一是政府要创造与维护市场机制对资源的基础性配置作用的条件或宏观环境,政府履行职能,应该尊重市场活动的规律,以不破坏市场机制的作用条件为前提。二是政府履行职能以实现经济社会均衡稳定发展为时限,即当经济社会发展中出现引起波动的因素时,政府应该及时采取调控措施予以消除,以实现经济运行的均衡与稳定。这时，政府要及时中止针对引起波动的相关措施，决不能把临时性措施长期化。三是政府履行职能应该是积极主动的，而不能消极被动地充当"消防队"。政府要建立宏观调控的预警机制，努力避免经济社会的剧烈波动。四是要真正实行政企分开，政府不干涉企业及其他市场主体的正常生产经营活动，而必须借助于市场信号，通过利益机制对微观主体进行引导。

二、提高政府履行职能的能力，大幅降低政府运行成本

恩格斯指出："国家权力对于经济发展的反作用可以有三种：它可以沿着同一方向起作用，在这种情况下就会发展得比较快；它可以沿着相反方向起作用，在这种情况下，像现在每个大民族的情况那样，它经过一定的时期都要崩溃；或者是它可以阻止经济发展沿着既定的方向走，而给它规定另外的方向——这种情况归根到底还是归结为前两种情况中的一种。但是很明显，在第二和第三种情况下，政治权力会给经济发展带来巨大的损害，并造成人力和物力的大量浪费。"①可见，政府履行职能的状况对经济发展具有重要影响。如果政府能有效地履行职能，就能促进经济发展，反之，则会阻碍经济增长，甚至给经济发展带来巨大的损害。因此，必须通过制度创新，努力提高政府履行职能的能力。

如何提高政府的能力呢？世界银行在其 1997 年世界发展报告中指出，应该"通过重振公共机构的活力提高政府能力"，

---

① 《马克思恩格斯选集》第四卷，人民出版社 1995 年版，第 701 页。

"建立有利于公共部门发挥能力的体制对于提高政府有效性来讲至关重要"。[①] 提高政府履行职能的能力,主要应该从决策体制、执行体制、分权体制三个方面进行创新。

决策体制创新,是指个人经验决策转向集体科学决策。在计划经济体制下,决策主要依赖个人的领导艺术与经验,决策过程的程序不规范,对决策的可行性论证流于形式。现代市场经济条件下的决策,是为体现一定的利益取向而对相关信息的科学处理过程。这里的决策是由集体在获取准确可靠、及时全面的信息的基础上,通过科学论证,按一定的程序做出的。既然这种决策实质上是对信息的处理过程,那么,信息的可靠性、全面性、及时性就至关重要。例如,农村税费改革中,关于农民收入数据的准确性对农业税税率的确定就具有决定性影响。从这个意义上说,建立一个诚信的社会不仅关乎政府履行职能的能力,也直接关乎农民的切身利益。

执行体制的创新,其基本内容是进行政府行政机构改革。通过建立高效的运行机构,确保已经做出的决策得到准确无误的执行。为此,要在公共经济的框架下,科学合理地设置政府职能机构,压缩政府规模。从履行职能的方式上说,就是要为社会提供公共产品,维护经济社会的稳定协调发展。

显然,在公共经济原则下实施的制度安排,赋予了政府以新的运行机制与职能。政府已经从万能的指挥官与控制者,变成了经济社会发展的导航员与服务员,为社会提供公共产品。这时政府应该从两方面提高效率:一是要提高自身的效率,这主要

---

① 世界银行:《1997 年世界发展报告》,第 3、79 页。

包括精简机构与人员、提高人员的素质与办事能力、树立政府的良好形象、节约政府行政运行成本等。二是提高政府配置资源的效率,这主要是指政府在调控宏观经济与实现社会公平时,要提高自己配置的那部分资源的利用效率。具体地说,就是要求政府在从事公共产品的生产过程中,努力节约成本,提高效率。这两方面归结起来,实质上就是提高政府效率、降低政府运行成本问题。

政府运行成本主要是国家行政机关的管理费用。目前,我国的政府行政管理成本增长速度十分惊人。据国家统计局统计,我国的行政管理费用开支,1970 年为 25.27 亿元,1980 年为 66.79 亿元,1990 年为 303.1 亿元,1996 年为 1040.8 亿元。从 1980 年到 1996 年,国家行政管理费用增长了 15.8 倍,而同期财政收入只增长了 5.38 倍。[①] 因此,必须大幅度降低政府运行成本。

分权体制创新是指,各级政府在履行职能时,要有明确合理的分工,做到权责利对应,事权与财权统一。这里特别要处理好中央与地方的关系。中央政府与地方政府在公共产品的供给上要各司其职,各负其责。目前我国这方面存在的问题主要是,地方利益机制不断强化,加大了中央政府宏观调控的难度。因此,分权体制创新的重点在于,在保持地方政府在本辖区内履行职能的相对独立性的同时,增强中央政府宏观调控的权威性。

从上述三方面进行体制创新,就能有效地提高政府履行职

---

① 参阅李建兴:《财政被"官"压弯了腰》,《人民日报》1998 年 3 月 16 日。

能的能力,大幅度地降低政府运行成本。政府效率的提高是通过政府工作人员具体的行政活动实现的。因此,政府工作人员的知识水平与行政能力对提高政府效率有着决定性影响。要按干部"四化"的要求,通过自觉学习与专业培训,提高公务员的科学文化素质与专业技能。同时,要大力发展电子政务,提高政府服务与管理水平。

应该指出,政府履行职能能力的提高并不是无限的。这实际上是政府能力的假定问题,即政府是否是万能的问题。事实上,任何政府都不可能是万能的,其能力的提高只能是相对而言的。如果过分夸大政府履行职能的能力,就难免走上政府包办一切的老路,并给经济社会的发展造成严重危害。

三、加强宏观调控,促进农村经济社会协调发展

对经济社会发展进行宏观调控,是中央政府的重要职能之一。现代公共经济理论告诉我们,虽然地方政府也有配合中央政府进行调控的职能,但宏观调控的职能主要应该由中央政府履行。当前我国特定的经济社会条件与存在的突出矛盾,迫切要求中央政府加强宏观调控。

目前,我国经济社会生活中出现的突出问题主要是:经济结构不合理、收入差距扩大、农民收入增长缓慢、就业矛盾突出、资源环境压力加大、经济整体竞争力不强等问题。其重要原因是我国处于社会主义初级阶段,经济体制还不完善,生产力发展还面临着诸多体制性障碍。笔者下面主要分析农民与城市居民收入差距的问题,由此指出,加强宏观调控,推动农村税费改革的深化,加大解决"三农"问题的力度,是政府转变职能的题中应

有之义。

长期以来,我国城乡之间存在着较大的收入差距。1996—1999 年,城镇居民可支配收入与农村居民人均纯收入之比分别为 2.49、2.45、2.50、2.64,[①]收入差距呈现出逐步拉大趋势。我们以城市居民个人所得税与农业税进行比较。城市居民的个人所得税起征点是月收入 800 元、全年免征额 9600 元,1999 年农民人均纯收入为 2210 元,却要缴纳农业税及附加,这显失公平,也不利于启动农村消费市场。再以农民年收入与城市居民最低生活保障救济标准进行比较。目前,城市居民每月最低生活保障标准救济在 200 元左右,全年合 2400 元,而农民辛辛苦苦劳动一年,在风调雨顺的年景才能获得 2210 元左右的收入。这之间的差别是不言而喻的。城市居民与农民之间收入差距扩大的现实,迫切要求政府加大对农村的投入,为农民增收创造必要的环境与条件。

事实上,农业作为自然的弱质产业,不可能完全靠市场机制的调节而快速发展起来;农民作为我国社会的弱势群体,不可能完全自主地提高自己的收入,而在很大程度上依赖于政府政策的扶持与投入。正因为如此,世界各国都把农业作为弱质产业加以扶持,在税收政策上就充分体现了这一点。如欧盟各国在20 世纪六七十年代已把增值税的征收范围扩大到农业领域,即对销售农产品的增值额征收增值税,有些国家则对农业产品按销售额征收销售税(营业税),也有一些国家对农业产品免征商品税;对于农业生产经营所得,绝大多数国家征收公司所得税或

---

① 根据《中国统计年鉴(2000)》有关数据整理。

个人所得税。

农村税费改革的直接目标是减轻农民负担,而农民负担的逐步减轻,无疑有利于缩小农民与市场的收入差距。目前,我国已经加入 WTO,农业作为直接面对国际市场冲击的基础产业,政府应加大扶持力度,农业税制也应尽快与国际接轨。从现实条件看,国家有财力弥补税制改革造成的资金缺口。2003 年我国的税收收入已突破 2 万亿元,农业税收已从建国初期的主流税种退化到现在只占全部财政收入的不足 5%,从财政拿出一部分资金支持农业税制改革是可能的。从长远看,通过减轻农民负担,提高农民收入,必然会繁荣农村经济。当农村经济自身的造血功能日趋完善时,农业方面的税收收入也就逐渐上升,国家就可以实现从转移支付到逐渐平衡,再到增加财政收入的转变。农业税制改革要彻底改变并切断基层政府直接"到农民兜里掏钱"发工资这种极不规范、极易引发冲突的做法,从而免去政府面对 2 亿多农户谈判的巨大工作量,大大降低政府行政控制的成本。

同时还要看到,农村社会事业的发展明显滞后,国家对这方面的投入严重不足,这使得农村的社会事业几乎是农民的自给自足。农村为建设文化教育及公共卫生设施,留下了大量欠债。与此同时,农村的资源和环保问题也日见突出。

总之,我国当前面临的突出经济社会问题,特别是城乡差距扩大、农民收入增长缓慢这一突出的经济与政治问题,迫切要求政府加强宏观调控。要通过体制创新,改变城市偏向的系列制度安排,扫除阻碍农村生产力发展的诸多体制性障碍,促进我国农村经济社会的持续稳定发展。

第四节 综合性制度创新是跳出"黄宗羲定律"的必由之路

纵观我国历史上的几次农村税费改革,每次税费改革,农民负担在下降一段时间后,都会涨到一个比改革前更高的水平。明末清初著名思想家黄宗羲指出,封建赋税制度有"三害":"田土无等第之害、所税非所出之害、积重难返之害。"这段话翻译成现代汉语就是:不分土地好坏都统一征税;农民种粮却要等生产的产品卖了之后用货币交税,中间受商人的一层剥削;历代税赋改革,每改革一次,税赋就加重一次,而且一次比一次重。清华大学秦晖教授把这种现象概括为"黄宗羲定律"。对当前进行的中国农村税费改革来说,要防止"黄宗羲定律"重现,就必须实施综合性制度创新与变迁。

一、实施综合性制度创新的必要性

"黄宗羲定律"的实质是农民负担的反复性。其根源在于我国历史上的税费改革并不是真正意义上的制度变迁,税费制度并没有实现质的变革,仍然是"换汤不换药"。封建统治者之所以要进行税费改革,是因为自己的统治地位受到威胁,因而暂时进行妥协。即制度变迁的主体并没有持续推动制度变迁的动力,广大的农民群众并没有成为制度变迁的主体,加之这些改革多是单方面的,没有进行综合性的配套改革。故虽有"向来丛弊为之一清"的一时之效,最终又陷入"积累莫返之害"。

　　总结我国历史上税费改革的教训,不难看出,这些改革之所以最后都归于失败,重要原因在于,这些改革几乎都是只就税费制度本身进行改革,而没有对生产关系和上层建筑层次的相关制度进行变迁。我们知道,税费制度改革属于分配关系的变革,而分配关系是由生产关系决定的,不对生产关系进行变革,则分配关系的变革也就不可能最终实现。换言之,没有相应的生产关系的变革,分配关系的变革也就不可能彻底;与此同时,还要进行上层建筑层次的相关制度变迁。由此可见,税费改革本质上是综合性制度创新与变迁,决不能仅仅以费改税一改了之,而必须逐步深化,进行综合性制度变迁。否则,农村税费改革就注定会陷入"黄宗羲定律"的怪圈。

　　当前我国正在进行的农村税费改革,其目的是要从根本上减轻农民负担,以促进农村生产力的发展和农村经济社会的稳定。因此,必须实施制度变迁,建立起新的农村税费制度,并进行配套制度变迁。否则,农民负担过重的问题又会重现,历史的悲剧又会重演。

　　事实上,对于农民负担过重问题,中央自20世纪80年代中期开始,就制定了减轻农民负担的政策。这一政策的演进过程大致是:80年代中期,减负政策以制止乱收费、乱摊派、乱罚款的"三乱"为核心;90年代前期,减负政策以规范农民负担为核心,并开始法制化;90年代后期,减负政策以遏制恶性案件的发生,强化领导干部责任制为核心[1]。从这里不难看出,尽管中央

<hr />

①　俞德鹏:《农民负担问题的社会和法律分析》,《经济管理文摘》2001年第9期。

减轻农民负担的政策力度在不断加大,但实践中农民的负担并没有减轻,不断加重的负担还致使逼死人命的恶性案件频频发生。1992 年在吉林、湖北、四川、河北、河南、江苏、安徽和甘肃就发生了 17 起因农民负担过重而逼死人命的恶性案件;1993年全国因农民负担问题引发的逼死人命、殴打致残、较大规模干群冲突等重大恶性案件 30 余起①。这说明,仅仅靠一般性的政策措施解决不了农民负担问题。

从安徽省及全国其他地区的试点情况看,农村税费改革对于减轻农民负担,规范税费管理体制,稳定税负水平,简化征税方式等方面的绩效是明显的。但由于没有从根本上消除加重农民负担的旧体制因素,没有从根本上对原有城市偏向的具体制度安排实施变迁,农民负担在客观上也就存在着反弹的可能性。也就是说,经济生活中存在着类似"黄宗羲定律"发生作用的现实条件。从农村税费改革的实际进程看,第一阶段的改革主要着眼于减轻农民负担,其措施也主要是针对农民负担的直接成因,因而具有阶段性特征。这一阶段改革中存在的内在矛盾与现实难题说明,第一阶段的改革并不能从根本上解决农民负担问题,无法保证农民负担不反弹,更难以解决农民的增收问题。要从根本上减轻农民负担,跳出"黄宗羲定律",必须针对深层次原因,即体制性原因,从源头着手,深化农村税费改革,改变原有的制度安排,实施综合性制度创新,即逐步进行各种具体制度的综合配套改革。

---

① 李茂岚:《中国农民负担问题研究》,山西经济出版社 1996 年版,第 98页。

二、实施综合性制度创新的可能性

农村税费改革中实施综合性制度变迁不仅是十分必要的,而且是完全可能的。下面我们主要从三个方面进行分析:

（一）多元化制度变迁主体的动力不断增强

1. 制度变迁的主体日益壮大。制度变迁的绩效取决于制度变迁主体的内在动力。制度变迁的主体是指能通过制度变迁获取利益的人,而非与制度变迁无关的人。制度变迁的主体赞成并推进制度变迁,实现制度创新。制度变迁的结果是,变迁主体的愿望与利益要求得到实现。①

农村税费改革作为自上而下的强制性制度变迁,中央政府是制度变迁的第一主体。为加快农村经济乃至整个国民经济的发展,保持农村社会的稳定,中央政府积极推进农村税费改革,这就为制度变迁提供了组织保障。地方政府虽然在这次改革中财政收入减少较多,但随着国家公共财政体制的建立及转移支付力度的加大,其财政困难将日益减轻。由于农村税费改革将极大地巩固党和政府在农村的执政基础,因此,地方政府作为这次改革的实际实施者,其积极性将不断提高。农民是这次改革的主要与直接受益者,改革大大减轻了他们的负担,这使他们成为改革的最大主体,坚定地参与并努力地推进改革。随着国家逐步降低农业税率政策的实施,农民参与税费改革的热情进一步高涨,迫切要求进一步深化农村税费改革。可见,这次农村税费改

---

① 参阅余钟夫:《制度变迁与经济利益》,陕西人民出版社 2001 年版,第62—63 页。

革中,制度变迁的多元化主体日益壮大,并共同推进制度变迁。

2. 制度变迁的动力不断增强。中国的制度变迁在总体上表现为制度和环境之间持续互动的复杂过程,其直接动力来自于作为制度环境的社会与国家(具体表现为经济和政治)及个人、集体的互动而产生的对制度变迁的现实压力和需求,其根本动力来自于制度或体制自身的发展状况相对于社会生产力发展的滞后。一方面,随着生产力的发展,原有的生产关系与生产力水平、经济基础和上层建筑都表现出了不相适应的特征,并且,在现行制度安排下,个人、集体和国家的利益都无法实现利益最大化,存在着通过制度变迁实现帕累托最优的可能;另一方面,作为制度供给主体的个人、集体和国家,无论是谁发挥自身的主观能动性,进行制度创新,均会使制度变迁成为可能。因此,在中国的制度变迁过程中,体制内部的变革体现了变革主体在利益机制的激励下的必然选择,而外部制度环境的变化又使体制变革的形式、时机随之调整。在目前我国经济和政治的形势下,制度创新的主体从个人、集体向国家、政府与个人、集体并存转化,体制创新内容从注重经济体制改革向经济体制与政治体制协调发展转变,制度变迁方式也从诱致性制度变迁向强制性制度变迁与诱致性制度变迁并存转变。

对原有农村税费制度及相关配套制度实施变迁,能同时增进国家、集体和农民个人的利益,能促进农村生产力的发展。这说明,在农村税费改革中实施制度变迁,是增进制度变迁主体利益和发展生产力的迫切要求。无论是国家、集体还是农民,都具有通过制度变迁实现自己利益的现实要求与内在动力。从这个意义上说,农村税费改革具有"帕累托改进"的性质。这样,制度变迁的各类主体都会积极参与农村税费改革,并努力把改革向纵深推进,从而使改革动力不断增强。

(二)制度变迁具有十分有利的初始条件

1. 制度变迁的初始条件继续向着有利的方向发展。在制度变迁过程中,人们虽然能做出不同的选择,但这种选择是在一定条件的制约下进行的。马克思指出:"人们自己创造自己的历史,但是他们并不是随心所欲地创造,并不是在他们自己选定的条件下创造,而是在直接碰到的、既定的、从过去承继下来的条件下创造。"[①]因此,初始条件对制度变迁具有重大影响。

当前农村税费改革中的制度变迁具有十分有利的初始条件。从思想文化上看,改革创新与发展社会主义市场经济的观念已经深入人心;从经济条件看,改革开放20多年来,我国的综合国力和人民群众的生活水平大大提高,国家税收收入逐年快速增长,为制度变迁提供了强大的物质基础;从政治条件看,有党和政府强有力的领导,改革开放的政策深得人民的拥护,改革的方式与成果得到广泛的认同,社会政治局面稳定。

有利的初始条件不仅体现在上述分析的几方面,更存在于活生生的改革实践中。从农村税费改革的实践看,农民通过改革获得了制度变迁的利益,希望政府能进一步深化改革,而改革已经取得的初步成果,也需要通过相关配套制度的创新与变迁来保障。更为重要的一点在于,已经进行的税费改革,揭示出了改革本身的根本性特征,即它是系统性、综合性的制度变迁过程,而不是农村税费制度的单项改革。事实上,在农村税费改革

---

① 《马克思恩格斯选集》第一卷,人民出版社 1995 年版,第585 页。

的过程中,为实现减轻农民负担的目标,我们已经开始了粮食流通体制、财政体制、乡镇行政管理体制、农村教育管理体制等多方面的综合配套改革。随着这些综合性制度创新与变迁的深化、发展,其所取得的绩效,将远远超越减轻农民负担这一目标本身。这也就是说,农村税费改革作为综合性制度创新与变迁,已经不单是税费制度的改革,而成为解决"三农"问题的重大战略步骤。

2. 不断完善的宪法制度为制度变迁提供了切实的保障。宪法制度是一个社会的基本制度,是各种具体制度的母体。宪法制度的内容决定着具体制度安排的内容①,因而也就成为决定制度变迁方向的根本性初始条件。农村税费改革是在我国社会主义宪法制度的基础上进行的,因而,改革中具体的制度安排会在很大程度上受社会主义宪法制度的支配,体现社会主义宪法制度的要求。

不仅税费制度这一中心制度的变迁要以我国宪法制度为基础,围绕这一中心制度的制度环境的变迁,也必须在宪法制度的基础上进行。如农村土地制度的变迁,就必须按照宪法制度的安排,实行土地集体所有制,绝不允许搞土地私有化。这样,宪法制度就为农村税费改革中的制度变迁提供了切实的制度保障,指明了正确的方向。

(三)政府积极推动综合性制度变迁

如前所述,农村税费改革是一次自上而下的强制性制度变迁,中央政府是第一主体。因而,中央政府的行为主导着改革的

---

① 参阅张宇:《渐进式改革的政治经济学分析》,载张宇等主编:《高级政治经济学》,经济科学出版社,2002,第550页。

进程与绩效。自农村税费改革以来，中央政府在启动农村税费制度改革的同时，又针对一些需要进一步破解的难题，不失时机地启动了相关配套制度的改革，并取得了初步成效。注重具体制度变迁之间的衔接与配套，也反映了人们对当今中国的改革已进入整体推进阶段的深刻认识。

不仅如此，在最新颁布的《中共中央国务院关于促进农民增加收入若干政策的意见》中，还明确指出："现阶段农民增收困难，是农业和农村内外部环境发生深刻变化的现实反映，也是城乡二元结构长期积累的各种深层次矛盾的集中反映。"这就鲜明揭示了深化农村税费改革必须着眼于打破城乡分割的二元结构。正是从转变经济发展战略的高度出发，党中央、国务院要求以城乡统筹的方式解决"三农"问题，并把解决"三农"问题作为党和政府工作的重中之重。随之而来，出台了"集中力量支持粮食主产区发展粮食产业，促进种粮农民增加收入；继续推进农业结构调整，挖掘农业内部增收潜力；发展农村二、三产业，拓宽农民增收渠道；改善农民进城就业环境，增加外出务工收入；发挥市场机制作用，搞活农产品流通；加强农村基础设施建设，为农民增收创造条件；深化农村改革，为农民增收减负提供体制保障；继续做好扶贫工作，解决农村贫困人口和受灾群众的生产生活困难；加强党对促进农民增收工作的领导，确保各项增收政策落到实处。"九项重大举措，所有这些都为在农村实施综合性制度变迁提供了重要保障。由此，我们完全可以说，从改革农村税费制度切入，实施综合性制度创新，不仅是必要的、可能的，也是现实的。只有这样，才能使农村税费改革真正走出"黄宗羲定律"的必由之路。

三、综合性制度创新需要强化惩罚与约束机制

历史经验反复告诉我们,制度创新的过程总不会是一帆风顺的。农村税费改革作为一次综合性制度变迁过程,涉及多方面、多层次的利益调整,难免会遇到畏缩、扯皮、抵制乃至公开冲突,为维护、实现和发展广大农民的根本利益,协调推进改革,就不能不强调建立严密规范的惩罚规则与强制措施。

首先,对改革中可能出现的机会主义行为要有充分的认识和必要的防范。如前所述,制度是由人创立与设计出来的,其目的在于规范人们的行为,抑制可能出现的机会主义。如果人们天生就是遵纪守法者,不存在机会主义行为,则设计制度就是多余的,但现实情况是,机会主义经常存在。因此,人们可能会有机会主义行为,就成为制度设计的基本前提性假定。然而,制度的功效只有通过实施过程才能体现出来,任何一种制度,都必须通过人们在实际活动中实施才能发挥作用。所以,制度在引导人们的行为时,总是以强制性手段来惩罚违犯规则的行为。"制度在这里被定义为由人制定的规则。它们抑制着人际交往中可能出现的任意行为和机会主义行为。制度为一个共同体所共有,并总是依靠某种惩罚而得以贯彻。没有惩罚的制度是无用的。只有运用惩罚,才能使个人行为变得较可预见。带有惩罚的规则创立起一定程度的秩序,将人类的行为导入可合理预期的轨道。"①

---

① 参阅柯武刚、史漫飞:《制度经济学——社会秩序与公共政策》,商务印书馆2002年版, 第32页。

　　当前,农村税费改革的配套推进应重视制度的强制性建设,坚持实事求是,有错必纠,不折不扣地落实中央政策。比如,落实"三个不准",即农业税及其附加不准超过国家规定的税率上限,不准超范围、超标准进行"一事一议"筹资筹劳,不准在农业税及其附加和"一事一议"之外进行任何形式的摊派和收费。尤其要重点督促村内"一事一议"筹资筹劳是否严格按规定程序和要求进行的,严禁强行以资代劳。再比如,要坚决落实减轻农民负担的"四项制度",即涉农税收与价格收费"公示制"、贫困地区农村义务教育收费"一费制"、农村订阅报刊费用"限额制"、违反减轻农民负担政策"责任追究制"。要突出加强农村税费改革后经营服务性收费的监督管理。凡发现违规违纪行为要坚决查处。安徽省在改革试点过程中就公开查处了一批违规事件和主要责任人,从而保证了农村税费改革的顺利推进和不断深化。可见,在进行制度创新时,要以此作为制度设计的基本假设前提,制定严密规范的惩罚规则与强制措施。惟有如此,才能保证制度的有效性与强制力。在制度运行过程中,制度的惩罚性规则是通过制度的惩罚与约束机制实施的。

　　其次,要充分依靠人民群众形成监督机制。要对机会主义行为进行防范与惩罚,首先要能够及时获取制度运行过程中的相关信息。因此,在制度的惩罚与约束机制中,必须有一个高效、可靠的实时监控系统,实施全程实时监控。这样就能防患于未然,而不必等到亡羊补牢。因为,"羊"往往是群体而"亡",此时"补牢",只能事倍功半。当前,在实施制度创新与变迁的过程中,要充分发挥农民群众作为制度创新主体的重要作用。要走群众路线,坚持从群众中来,到群众中去,把农村生产力是否得到发展、农民群众是否满意作为制度创新的根本检验标准。这一点对走出"黄宗羲定律"特别重要。纵观历史上的税费改革,之所以最后都以失败告终,其重要原因就在于缺乏广大农民群众的有力监督。总结此次农村税费改革的成功经验,重要的一点也在于广大农民群众的积极参与和有力监督。与此同时,也应发挥好有关部门的监察作用。如财政、审计部门要组织专项检查,确保农村税费改革专项转移支付资金专款专用。以上是建立行之有效的实时监控信息反馈系统,健全惩罚与约束机制的必要条件。

对农村税费改革的认识正确与否,取决于对农民负担成因的认识。农民负担问题是多种因素长期累积作用的结果,这些因素归根到底,是我国长期实行的优先实现工业化的经济发展战略,以及为这一战略服务的城市偏向的各种具体制度安排。

从农村税费改革的进程看,改革本身客观上存在着两个阶段,第一阶段是已经进行的改革活动,其目标主要是减轻农民负担。为实现这一目标,实践中进行了以清费立税为主要内容的改革,并启动了相关制度的配套改革与创新。但受初始条件的限制,目前已经进行的改革,虽然取得了初步成效,但远未能从根本上解决农民负担重、收入增长慢的问题。所以,客观上需要进行第二阶段的改革,即深化各项配套措施的改革,实施综合性制度创新与变迁。

第二阶段的农村税费改革,要从根本上消除导致农民负担沉重的体制性因素,立足于从制度上建立保障农民减负增收的机制。通过彻底减轻农民负担,促进农民增产增收,实现城乡经济协调发展,从根本上解决"三农"问题,实现全面建设小康社会的宏伟目标。这也就是农村税费改革发展的必然趋势。

当然,实现农村税费改革的最终目标,是一个不断深化改革的渐进过程,它需要我们努力改善初始条件,特别是要逐步打破城乡分割的二元结构。只有这样,才能使农村税费改革由治标走向治本。由于实施综合性制度创新是治本之策,它也就成了农村税费改革的必由之路。

主要参考文献*

英文部分

1、*Macroeconomic Analysis*, Edward J. Shapiro Harcourt Brace Jovanovich, Inc. 1978.

2、*Microeconomics Analysis and Policy*, Revised Edition 1976.

3、James M. Buchanan, *Liberty, Market and State Political Economy in the 1980s*, Harvester Press 1988.

4、Dennis C. Mueller, *Public Choice*, Cambridge University Press Cambridge 1979.

5、Stiglitz, *Economics of the Public*. Secter, P. 164—165.

6、Clarke, *Multipart Pricing of Public Goods*, P. 31—32.

7、Becher, G. S, *A Theory of the Allocation of Time*, Economic

---

* 部分已经在本书脚注中注明的参考文献这里不再重复列出,特此说明。

Journal,75,1965. P.493—517.

8、Hotelling, H, *The General Uelfare in Relation to Problems of Taxation and of Railway and Utility Rates*, Econometrica 6. 1938. P.242—266.

9、Musgrave, R. A, *The Theory of Public Finance*, McGraw Hill, New York 1959.

10、Greenwald, D. Ed, *Encyclopedia of Econornics*, Mcgraw-hill Book Company 1982.

11、Groves, T and Ledyard, J, Optimal Allocation of Public Goods, A Solution to the Free Rider Problem, *Econometrica*, 1977,4. P.783—808.

12、Pigou, A. C. *The Economics of Welfare*, London: Macmillan. 1920.

13、Atikinson and Stiglitz, *Lectures on Public Economics*, New York: McGraw-Hill, 1980. P.482—485.

14、Simons H. C. , *Personal Income Taxation*, University of Chicago Press, Chicago, 1938. P.50.

15、Bodie, Z. and Merton,R. c. ,*1998 Finance*, Preliminary Edition Prentice-Hall, Inc.

16、Freixas, X, and Rochet, J. c. , *1997, Microeconomics of Banking*, the MIT Press.

17、Mishkin, F. S. , *1995, The Economics of Money*, Banking, and Financial Markets, Harper Collins College Publishers.

18、Loeb, M. *Alternative Versions of the Demand-Revealing Process*, Public Choice, Spring 1977.

19、McGuire, M., *Private Good Clubs and Public Good Clubs*: *Economic Models of Group Formation*, Swedish J. Econ, 1972, 74, P. 84—99.

20、Harley H. Hinrichs, *1996*: *A General Theory of Tax Structure Change During Economic Development*.

21、K. Puttas Wamaiah, *1994*: *Economic Policy and Tax Reform in China*.

22、C. M. Teibout, A Pure Theory of Local Expenditures, *Journal of Political Economy*, Vol. 64, P. 422, 1956.

中文部分

1、林岗:《社会主义全民所有制研究》,求实出版社 1986 年版。

2、马凯、曹玉书:《计划经济体制向社会主义市场经济体制的转轨》,人民出版社 2002 年版。

3、张大军、白津夫:《社会主义市场经济的基本理论问题》,人民出版社 2002 年版。

4、高培勇:《费改税:经济学界如是说》,经济科学出版社 1993 年版。

5、邓联繁:《中国税费改革的现状与对策》,中国民主法制出版社 2001 年版。

6、刘军:《经济转型时期税收制度比较研究》,中国财政经济出版社 2002 年版。

7、苏星:《邓小平社会主义市场经济理论与中国经济体制转轨》,人民出版社 2002 年版。

8、亚洲开发银行:《政府支出管理》,人民出版社 2001 年版。

9、童道友主编:《地方政府运行成本研究》,经济科学出版社 2002 年版。

10、程恩富、黄允成:《11 位知名教授批评张五常》,中国经济出版社 2003 年版。

11、杨君昌:《财税体制改革研究文集》,经济科学出版社 2000 年版。

12、张佑才:《2001 财税改革纵论——财税改革论文及调研报告文集》上、下册,经济科学出版社 2001 年版。

13、高培勇:《收入分配:经济学界如是说》,经济科学出版社 2002 年版。

14、张静河:《WTO 农产品协议:规范与承诺》,黄山书社 2000 年版。

15、陈昕:《社会主义经济中的公共选择问题——上海三联书店 1993 年经济学论文选》,上海三联书店 1994 年版。

16、郑立、王作堂:《民法学》,北京大学出版社 1994 年版。

17、梁小民:《西方经济学教程》,中国统计出版社 1998 年版。

18、李军:《中国公共经济初论》,陕西人民出版社 1993 年版。

19、朱颂华:《农业发展新阶段》,上海财经大学出版社 2002 年版。

20、林岗、张宇:《马克思主义与制度分析》,经济科学出版社 2001 年版。

21、李双成、孙文基、宋义武:《费改税》,中国审计出版社 2000 年版。

22、吴兆莘:《中国税制史》上、下册,商务印书馆 1998 年版。

23、郝如玉、刘越:《国家税收》,中央广播电视大学出版社 1998

年版。

24、丁冰:《当代西方经济学流派》,北京经济学院出版社1993
年版。

25、许经勇:《中国农村经济改革研究》,中国金融出版社2001
年版。

26、董瑞华、傅尔基:《经济学说方法论》,中国经济出版社2001
年版。

27、邹东涛:《世界市场经济模式丛书》,兰州大学出版社1994
年版。

28、安徽省农村经济办公室政策法规处:《稳定完善农村土地承
包关系暨农业承包合同管理文件资料汇编》,1994。

29、安徽省农村税费改革领导小组:《安徽省农村税费改革政策
汇编》,2001。

30、财经院校《货币银行学》编写组:《货币银行学》,西南财经大
学出版社1993年版。

31、胡象明:《经济政策与公共秩序》,湖北人民出版社2002
年版。

32、马海涛:《公共财政学》,中国审计出版社2000年版。

33、樊勇明、杜莉:《公共经济学》,复旦大学出版社2001年版。

34、阎坤:《财政改革新论》,中国经济出版社1999年版。

35、成思危:《中国农村消费市场的分析与开拓》,民主与建设出
版社2001年版。

36、厉为民:《世界粮食安全概论》,中国人民大学出版社1987
年版。

37、贺涛:《中国市场化粮食流通体制系统研究》,科学出版社

2001 年版。

38、丛树海:《公共支出分析》,上海财经大学出版社 1999 年版。

39、张中华:《中国市场化过程中的地方政府投资行为研究》,湖南人民出版社 1997 年版。

40、裴元伦:《经济全球化与中国国家利益》,世界经济 2000 年第 3 期。

41、林岗:《论"生产力决定生产关系"的原理》,《哲学研究》1987 年第 4 期。

42、盛洪:《分工与交易》,上海三联书店、上海人民出版社 1994 年版。

43、高培勇、温来成:《市场化进程中的中国财政运行机制》,中国人民大学出版社 2001 年版。

44、青木昌彦:《比较制度分析》,上海远东出版社 2001 年版。

45、潘逸阳:《农民主体论》,人民出版社 2002 年版。

46、V. 奥斯特罗姆、D. 菲尼、H. 皮希特编,王诚译:《制度分析与发展的反思》,商务印书馆 2001 年版。

后 记

应人民出版社之约，我将博士论文《农村税费改革的经济分析》做了些文字修改，易名为《综合性制度创新：农村税费改革的必由之路》正式出版，它基本上保持了原文的风貌。正如编辑同志所言，"出版此书，是因为社会实践有这种需求。"

攻读博士学位期间，我的导师，现任中国人民大学副校长林岗教授给予了悉心指导，特别是对我确定研究方向、写作提纲给予了很大帮助。中国人民大学周新成教授、杨瑞龙教授也从学术上给予了精心指导。中国社会科学院财贸所副所长高培勇教授、中国人民大学张宇教授、于同申教授、陈享光教授、黄太炎教授审查了我的博士论文，出席论文答辩，并给予了热情指点。三年来，每当我在研究与写作中遇到困难的时候，各位老师的从严

治学精神和诲人不倦态度,成为激励我坚持下去的动力。值本
书出版之际,我向各位老师和所有给予我帮助的同志表示深深
的敬意和感激!

作　者

2004 年春

责任编辑:陈鹏鸣

装帧设计:徐　晖

版式设计:程凤琴

图书在版编目(CIP)数据

综合性制度创新:农村税费改革的必由之路/骆惠宁著.
-北京:人民出版社,2004.7
　ISBN 7 - 01 - 004297 - 7

　Ⅰ.综…　Ⅱ.骆…　Ⅲ.农村-税制改革-中国　Ⅳ.F812.422

中国版本图书馆 CIP 数据核字(2004)第 022569 号

综合性制度创新:农村税费改革的必由之路

ZONGHEXING ZHIDU CHUANGXIN:
NONGCUN SHUIFEI GAIGE DE BIYOUZHILU

骆惠宁　著

人民出版社 出版发行
(100706　北京朝阳门内大街 166 号)

北京瑞古冠中印刷厂印刷　新华书店经销

2004 年 7 月第 1 版　2004 年 7 月北京第 1 次印刷
开本:787 毫米×1092 毫米 1/16　印张:28
字数:294 千字　印数:0,001 - 3,000 册

ISBN 7 - 01 - 004297 - 7　定价:50.00 元

邮购地址 100706　北京朝阳门内大街 166 号
人民东方图书销售中心　电话 (010)65250042　65289539